中公文庫

漂　　泊

警視庁失踪課・高城賢吾

堂 場 瞬 一

中央公論新社

目次

登場人物紹介

高城《たかしろ》賢吾《けんご》……………………失踪人捜査課三方面分室の刑事
阿比留《あびる》真弓《まゆみ》……………………失踪人捜査課三方面分室室長
明神《みょうじん》愛美《めぐみ》 …………………失踪人捜査課三方面分室の刑事
法月《のりづき》大智《だいち》……………………同上
醍醐《だいご》塁《るい》………………………同上
森田《もりた》純一《じゅんいち》 …………………同上
六条《ろくじょう》舞《まい》 ……………………同上
小杉《こすぎ》公子《きみこ》……………………失踪人捜査課三方面分室庶務担当
長野《ながの》威《たけし》 ……………………警視庁捜査一課の刑事

藤島《ふじしま》憲《けん》……………………失踪した作家
饗庭《あえば》紗江子《さえこ》……………………藤島の妹
村上《むらかみ》崇雄《たかお》……………………藤島の友人
花崎《はなさき》光春《みつはる》……………………藤島の作家仲間
井村《いむら》……………………………藤島の担当編集者
竹永《たけなが》……………………………藤島の担当編集者
高嶋《たかしま》尚人《なおと》……………………スナック「ブルー」のマスター

漂泊

警視庁失踪課・高城賢吾

1

風の冷たさが少しも気にならない。体中を巡《めぐ》るアルコールがバリアになって、冬を遮断してくれた。ほろ酔い……もう少し先まで進んでいるか。私はコートの前を開いたまま、心地好《ここちよ》い冷風を浴び続けた。

「高城《たかしろ》さん！」

鋭い声で呼びかけられ、振り返る。明神愛美《みょうじんめぐみ》が、十メートルほど後ろで、両手を腰に当てて立っていた。闇夜に目を凝らすと、顔をしかめて右手を振っているのが見える。手の先がかすかに煌《きら》めいた。何だ？　一歩を踏み出しかけた瞬間、彼女が「携帯！」と叫ぶ。先ほどまでいた呑《の》み屋《や》に携帯電話を忘れてきたのか。一仕事終えて、仲間との祝杯。一緒にいたのが、気が置けない愛美と醍醐塁《だいごるい》だったので、ついピッチが上がってしまい、忘れ物に気づかなかったのだろう。

「ちょっと待っててくれ」醍醐に声をかけ、引き返す。同じ方向——駅に戻るのだから持ってきてくれればいいのに、愛美は酔った私に罰《ばつ》を与えているつもりかもしれない。実際、十メートルの距離を戻るのすら面倒だった。

「大丈夫ですか、高城さん」

心配してもらうようなことは何もない。私は醍醐に向かって、肩越しにひらひらと手を振った。指先が空気を切る感触がないが……外で呑んでいてこれほど酔ったのは久しぶりだ。それは認める。有罪。愛美は腕組みをしたまま、不機嫌な表情を崩そうとしなかった。後から思い出して店に戻ってくれたのだろうが、何もそんなに臍《へそ》を曲げなくても。笑って渡してくれれば、それでいいじゃないか。

ふいに気配が変わった。何か……どこかで経験したことのある空気だが、思い出せない。一瞬足を止めると、愛美の顔に怪訝《けげん》そうな表情が浮かんだ。いや、何でもない。酔っ払いの勘違いだろう。頭を振って一歩踏み出そうとした瞬間、轟音《ごうおん》と共に突然赤い炎が横の建物から噴き出し、愛美が横に吹き飛ばされた。弾《はじ》け飛《と》んだ重そうな木製のドアが縦に二回転し、彼女のすぐ側に落ちる。何だ？　私はその場に凍りつき、一歩も動けなかった。

「高城さん、火事！」醍醐が叫ぶ。それが引き金になったように、周囲で悲鳴が上がり始めた。呑んで渋谷《しぶや》駅の方へ帰る人たちで、道路は結構混み合っているのだ。

慌《あわ》てて我に返ると、先ほどまで愛美が立っていた場所が、ビルの一階から噴き出した炎に舐《な》められているのが見える。バックドラフト？　密閉空間で火災が発生し、ドアが開くなどした拍子《ひょうし》に一気に空気が流れこんで、爆発的に燃え広がる現象——愛美は、ドアを吹き飛ばすほどの爆風に煽《あお》られたのだ。駆け出し、道路の真ん中に倒れている彼女の側に跪《ひざまず》く。仰向《あおむ》けの状態で、ダウンジャケットは半分脱げかけていた。どこかが破けたのか、宙を舞う白い羽毛が炎に染まって赤くなる。ざっと見た限り、出血はない。目も開いていた。しかし焦点《しょうてん》は合わず、かすかに開いた唇から苦しげな息が漏《も》れている。

「明神？　おい、明神！」屈《かが》みこんで呼びかけたが、反応がない。吹き飛ばされてなお、私の携帯をしっかり摑《つか》んでいるのが見えた瞬間、胸が詰まった。動かしていいのかどうか……ビルの中で軽い爆発音が響く。危険だ。とにかく炎の手が及ばない場所まで退避させないと。首と膝《ひざ》の下に手を差し入れ、腰を伸ばすようにしてゆっくり持ち上げる。元々小柄で痩《や》せ気味《ぎみ》なので、それほど力は要《い》らなかった。首を後ろに巡らし、醍醐に向かって叫ぶ。

「消防だ！」

醍醐は既《すで》に、携帯電話を耳に押し当てていた。話しながら——さすがに声が上ずっていた——私に近づいて来ると、道路に落ちていた愛美のハンドバッグを拾い上げる。私は彼に先導される形で、建物から十メートルほど離れた電柱の陰に彼女を運んでいった。アルコールは瞬時に抜け、額には汗が滲《にじ》み始めている。醍醐の手を借りて愛美をそっとアスファルトの上に横たえた瞬間、三度目の、それまでで一番大きな爆発音が鳴り響いた。悲鳴がそれに重なり、「火事だ！」「逃げろ！」という悲鳴と怒声が飛び交う。

「醍醐、交通整理してくれ。このままじゃパニックになるぞ」

「了解」

大きい火事になる、と分かっていた。ビルの一階。下から煽るように燃える炎は、建物全体を嘗《な》め尽《つ》くすだろう。延焼も時間の問題だ。炎の中にちらちらと見える看板から、一階――火元はスナックか何かと推測できた。二階から上は不明。雑居ビルという感じだから、小さな事務所が主ではないか。吹き上がる煙で、縦に連なった看板の文字が読めない。反射的に時計を見た。十時。この時間でもまだ仕事をしている人はいるか……逃げ遅れがいないかどうかがまず心配になった。醍醐が、逃げ惑う人の流れを縫《ぬ》うようにしてビルに近づいて行く。

「醍醐！　よせ！」

ビルの中に逃げ遅れがいないかどうかを確認するつもりかもしれないが、何の装備もなしで突入するのは無茶だ。勇気と無謀の間には、絶対に越えられない壁がある。ここはプロに任せなければならない。醍醐が足を止め、道路の真ん中に陣取った。「慌てないで！」と声をかけながら、周囲に目を配り、避難する人たちを駅の方に誘導する。

それを見届けてから、私は愛美の顔を見下ろした。紙のように白くなっているが、取《と》り敢《あ》えず胸は規則正しく上下している。頭が直《じか》にアスファルトに触れていて痛そうだ。コートを脱いで丸め、頭を持ち上げて下にあてがう。わずかに表情が和《やわ》らいだ感じもしたが、まだ苦しんでいる。呼吸が浅い。

「明神……おい、聞こえるか？」

唇がかすかに動く。私は彼女の口元に耳を持っていって声を拾い上げようとしたが、何も聞こえない。手首をそっと握り、その細さに驚きながら脈を確認する。しっかりしているようだ。クソ、俺の心臓の方がよほど爆発しそうではないか。こんなところで大事な部下が火事に巻きこまれて……。

「高城さん、これ」

頭上から降ってきた声に顔を上げる。醍醐がスポーツドリンクのペットボトルを差し出していた。こんな修羅場《しゆらば》で、よくそんなものを……しかし水分補給は必須だろう。頬《ほお》に押し当てると、冷たさでどこかの痛みが蘇《よみがえ》ったのか、愛美が顔をしかめる。キャップを開け、頭を手で支えながら少しずつ喉《のど》に流しこんだ。ほとんど顎《あご》から首筋に零《こぼ》れてしまったが、少しは飲みこんでくれた。顔に赤みが射したようだが、もしかしたら炎の赤が映っているだけかもしれない。

ようやく消防車のサイレンが聞こえてきた。少しばかり安心して、私は愛美にスポーツドリンクを飲ませ続け、くしゃくしゃになったハンカチを取り出して濡《ぬ》れた顎と喉を拭《ぬぐ》ってやった。普段の強気な態度は完全に消え、愛美はされるがままである。いったいどこを傷めているのか……目の焦点が依然として合わない。どうやら頭を打っているようだ、と判断する。

消防車が先に、救急車がそれに続く。後ろの扉が開くと同時に醍醐が駆け出し、ストレッチャーを誘導した。救急隊員が二人がかりで愛美を抱え上げ、ストレッチャーに固定する。

「どうですか」この状態で答えられる訳がないと分かっていても、訊《たず》ねざるを得なかった。

「まだ分かりません」年配の救急隊員が苛立《いらだ》ちの表情を浮かべる。今にも舌打ちしそうな様子だった。だが愛美の顔を覗《のぞ》きこむと「頭かな」とぽつりと漏らした。それから私に視線を向ける。

「おたくは？」

「警察です。警視庁失踪《しっそう》課」

「警察？」救急隊員の顔に怪訝そうな表情が浮かんだ。

「たまたまここにいたんです」

早口で説明すると、納得したようにうなずく。

「同乗します。いいですね？」

「構いません」

動き出したストレッチャーの跡を追う。醍醐も同乗しようとしたが、現場に留まらせることにした。

「室長に連絡を頼む。渋谷《しぶや》中央《ちゅうおう》署の連中が来たら、状況を説明してやってくれ」

「オス」いつもの口癖で答えたものの、醍醐の目は心配そうに愛美に釘づけになったままだった。

「大丈夫だから」

自分でも信じていない言葉を口にすると心が揺らぐ。今ここで苦しんでいるのは、自分の大事な仲間なのだ。先ほどまでの快適な酔いはすっかり消え去り、今日が今年最悪の夜になることは、この時点で確定した。


「容態は?」

声をかけられ、廊下の壁から頭を引《ひ》き剝《は》がす。酔いが引いた代わりに急速に疲労が襲ってきていたが、その原因は愛美を抱き上げて運んだことによる筋肉痛だと分かっていた。情けない。

呼吸を整えながら、ベンチから立ち上がる。失踪課三方面分室室長の阿比留真弓《あびるまゆみ》が目の前に立っていた。夕方別れた時と同じ服装。帰宅せず、彼女得意の「外交」に精を出していたのだろう。出世したかつての上司や仲間に自分の業績をアピールし、人事の情報を収集をする。別の言葉で言えば官官接待だ。これだけ到着が早いということは——私たちが病院に来てから、まだ三十分しか経《た》っていない——おそらくまだ都心部にいたに違いない。

「まだ治療中です。ここに来た時は意識が混濁《こんだく》気味でした。頭を打っていると思います」

「何でこんなことに……」

真弓が親指を噛《か》んだ。眉《まゆ》の間に深い皺《しわ》が刻まれる。妙になまめかしい仕草であり、病院の雰囲気《ふんいき》にそぐわなかった。

「まったくの偶然なんです。たまたま通りかかって」私はゆっくりと彼女に近づいた。アルコールが抜けた後に特有のけだるさが全身を支配しており、立っているだけで一苦労だった。「たぶん、バックドラフトですね。ビルの一階で火事があって、突然炎が噴き出したんです。明神はそれに巻きこまれました」

「火事の方はどうなってるの？」

「ちょうど消防が到着したのと入れ替わりに現場を離れましたから、現在の状況は分かりません」首を振った。「醍醐が現場に残ってくれていますから、おっつけ連絡が入るでしょう。どう転んでも、うちが扱う案件じゃありませんけどね」

「そうね」

真弓がベンチに腰を下ろす。私は慎重に距離を置いて座った。私と彼女との間には微妙な距離感がある。言いたいことを言い合いながら、互いに本音《ほんね》は明かさない。主に私の方で、彼女の上昇志向を疎《うと》ましく思っていることが原因なのだが。

処置室のドアが開き、ストレッチャーが押し出された。慌てて立ち上がり、愛美の許に駆け寄る。点滴がつながれているだけで、目に見えている部分――首から上だけだったが――に包帯の類《たぐい》はない。顔面は依然として蒼白《そうはく》で唇にも色がなかったが、呼吸は安定しているようだった。病室に向かう間を利用して、治療を担当した医師に確認する。

「容態はどうなんですか」

「脳震盪《のうしんとう》です。命に別状はありませんけど、少し入院して様子を見た方がいい」

「そうですか」

私は、腹の底に安心感が落ち着くのを感じた。脚から力が抜ける。一瞬沈黙した隙《すき》を突くように、真弓が念押しした。

「本当に大丈夫なんですね」

「百パーセント問題ないとは言えませんけどね」医師がむっとした口調で答える。年の頃五十歳ぐらい。不健康に腹が出ており、患者の面倒を見る前に自分の体を心配する必要があった。

「意識は戻らないんですか」

「時間の問題だとは思いますが、今のところはまだです」

「頭以外の怪我《けが》は？」

「レントゲンを撮りましたけど、取り敢えずは心配ないですね。爆風に吹き飛ばされたという話ですが、咄嗟《とっさ》に受身を取ったんじゃないですか」

そんなことはない、と私は心の中で否定した。愛美は横向きに回転するような形で吹き飛ばされたのであり、受身を取っている暇などなかったはずだ。たまたま、少しついていたに過ぎない。

「どれぐらい入院することになりますか」真弓が質問を続けた。

「取り敢えず、二、三日は様子を見て下さい。でも、その後も経過観察をしないといけませんからね。すぐに職場復帰は無理ですよ」

「それは分かっています」真弓が大きく息を吸い、緊急の状況に似合わない穏やかな笑みを浮かべる。「どうも、お手数をおかけしました」

「入院の準備をしてあげた方がいいですね。二、三日でも、このままというわけにはいかないでしょう」真弓が丁寧《ていねい》に礼を言ったせいか、医師の口調も柔らかくなっていた。「今夜は無理に話を聞かないで下さい。明日の朝には話せるようになると思いますから、それまで待った方がいいですね」

「分かりました」

私たちは、病室の前で医師と別れた。愛美がベッドに落ち着くのを、開いたドアから見守る。看護師たちの作業が終わったところで、声はかけずに引き上げることにした。ベッドに寝かされた愛美はひどく小さく、幼く見える。

「大したことはないようね」自分に言い聞かせるように真弓が言い、安堵《あんど》の吐息を漏らす。

「今夜はこのまま休ませましょう」

「そうですね。一仕事片づいたところですから、少しぐらい休んでいても大丈夫ですよ」

基本的に、失踪課に飛びこみの捜査は少ない。主な仕事は情報の分析と、失踪者の家族に対するケア——慰《なぐさ》めとも言う——だ。どうしても本格的な捜査に取りかからなければならない時もあるが、当面は愛美抜きでも大丈夫だろう。私は自分が、彼女を戦力として必要としていることに改めて気づいた。失踪課に来たばかりの頃は文句ばかり言っていたのだが、最近愚痴《ぐち》はほとんど聞かない。決して馴染《なじ》んだわけではない——愛美の当面の目標は本庁の捜査一課に行くことなのだ——だろうが、少なくとも失踪課での仕事に手を抜くことはなかった。

「入院の準備、どうしますか」

「明日の朝、公子《きみこ》さんに何とかしてもらうわ」

長い廊下を歩きながら、私たちは小声で話し続けた。夜の病院は不気味なほど静まり返っており、声を出すのも憚《はばか》られる。

「家族に連絡しなくていいですかね」

「そうね……」真弓が顎に拳《こぶし》を当てた。愛美の実家は静岡だ。親は二人ともまだ現役で、教員をしているはずである。公務員一家というわけだ。「それは明日の朝、私がやってきます」

「きっと心配しますよ、一人娘だから」私は嫌な想像に囚《とら》われていた。こんな危ないことがあるようなら、刑事なんか続けさせられない。仕事は辞めさせて、田舎《いなか》に戻す——彼女の父親が、激怒しながらまくし立てる様が目に浮かんだ。

「そのことは、今気にしても仕方ないわね。それに今回は、刑事だから危ない目に遭《あ》ったというわけじゃないし」私の考えを読んだように真弓が言った。「本当に偶然なんでしょう？　歩いていただけで爆発に巻きこまれたんだから、誰にでも起こりうることよ。もしもご両親が何か言い出しても、私が説得するから。明神は貴重な戦力なんだから、それを強調すれば大丈夫よ。娘がちゃんと仕事をしていると言われて、誇りに思わない親はいないでしょう」

「そうですね」命のやり取りに係わるようなことなら話は別だろうが。

「それで、あなたはこれからどうするの？」

「現場に戻ります」腕時計を覗く。間もなく十一時。「醍醐も残ってるし、少し所轄《しょかつ》の手伝いもしないと」

「そう」私の動きに釣られるように、真弓も手首をひっくり返して自分の時計を確認した。「所轄に恩を売っておいて損はないわね」

私はうつむいて苦笑した。失踪課三方面分室は渋谷中央署に間借りしている。ボランティアで手を貸しておけば、後々心証が良くなるというのが、彼女の目論見《もくろみ》なのだろう。恩を売り、それを常に相手の記憶に刷りこんでおくこと。そうすれば何かの折りに回収できる――どんな仕事でも、多かれ少なかれそういう駆け引きはあるが、真弓の場合、それを露骨に口にしてしまうのが悪い癖だ。

私はズボンのポケットに入った携帯電話を握り締めた。吹き飛ばされながらも愛美が離さなかった電話。守ろうという意識があったわけではないだろうが……勝手《かって》に感慨に浸《ひた》っていると電話が馬鹿でかい音で鳴り出し、私は慌てて引き出した。病院にいるのにマナーモードにしないとは……とでも言いたげに真弓の顔が歪《ゆが》む。

「醍醐です」

「ああ、どうだ」口元を手で覆い、声を潜《ひそ》める。廊下の端に歩いて行って、壁に顔を向けた。

「ほぼ鎮火しました」

「分かった。お疲れ」火災発生から既に一時間近くが経っている。

「明神はどうですか」

「脳震盪。命に別状はないそうだ」

「そうですか」醍醐が盛大に安堵の吐息を吐《は》き出《だ》した。「それならいいですけど、こっちは大事《おおごと》ですよ」

「何だ?」嫌な予感に、私は眉をひそめた。

「店の中で二人、死んでるようです。消防が焼け跡に入って、すぐに遺体を確認しました」

私は真弓に向かって、Vサインを作って見せた。すぐに指二本の意味を読み取って、彼女が思い切り顔をしかめる。

「俺もそっちに行く。所轄の連中を手伝わないとな。お前はもういいぞ」

「いや、乗りかかった船ですから」

「家の方はいいのか」醍醐は四人の子持ちだ。どうしても子どもの面倒を見ざるを得ないから、何もない時はぴったり定時に帰宅する。

「非常時ですから。それにこの時間じゃ、うちのガキどもはもう寝てますよ」

「そうか……じゃあ、ちょっと現場で待っててくれ」

「了解」

真弓がうなずきかけた。うなずき返しておいてから、今夜は長くなるだろう、と覚悟を決める。

火事場には独特の臭いがある。大がかりな焚き火《たび》……というと不謹慎だが、視界をぼんやりと白く染める煙は、やはり焚き火のそれに似ている。ただし住宅やビルの火災では、燃えるのは木だけではないので、もっと刺激臭が強いし、煙もはるかに広範囲に広がる。

鼻を刺す煙の臭いは鎮火後も漂っており、醍醐の目は真っ赤になっていた。

「大丈夫か」

「何とか」ハンカチを目に押し当て、醍醐が溢《あふ》れ出《で》る涙を拭う。ミネラルウォーターを一口呷《あお》って咳《せ》きこんだ。放水は既に終わっていたが、ビルの前の道路は台風の最中のようにびしょ濡れで、消防車の太いホースが、巨大な獣の内臓のようにのたうっている。消防署員が慌《あわ》ただしく行きかう中、私は渋谷中央署の鑑識係官、宮崎《みやざき》の姿を認めた。まだ本格的に現場検証が始まる前で、クリップボードとカメラを首からぶら下げ、ビルから少し離れた場所で手持ち無沙汰にしていた。

「宮崎」声をかけ、手を振っておいてから近づく。宮崎が眼鏡《めがね》の奥の目を細めた。

「ああ、高城さん」三メートルまで近づいてやっと気づいたのか、軽く会釈した。「すいません、また目が悪くなって……見えませんでした」

「声で分かるだろう」

「耳も遠くなって」

「何言ってるんだ」

火事場のジョークに、宮崎が緊張の抜けた笑みを浮かべる。小太りで、確か三十五歳。キャップを後ろ前に被《かぶ》り、何かのタイミングを計るように、右のブーツの踵《かかと》を規則正しくアスファルトに打ちつけていた。

「明神が怪我したって聞きましたけど」

「たまたま前を通りかかって、爆風で吹き飛ばされたんだ」

「マジですか？」目が二本の細い線になる。

「命に別状はない。脳震盪だそうだから、それほど心配しなくてもいいだろう」

「不幸中の幸いですね。現場は大変ですよ、二人死んでますから」

「聞いた」にわかに煙草《たばこ》が欲しくなり、シャツのポケットを探る。潰《つぶ》れてくしゃくしゃになっていたのを取り出すと、宮崎に咎《とが》められた。

「高城さん、煙草はまだまずいですよ」

「ああ」慌てて煙草をパッケージに落としこむ。こんな基本を忘れているとは……そういえば寒さも忘れていた。愛美の枕にしたコートを、そのまま病院に置いてきてしまったのだ。現場にはまだ火災の熱がわずかに残っているようだったが、さすがに二月の寒気はそれを上回っている。寒さが足元から這《は》い上《あ》がり、遠慮なく全身を襲った。

「遺体は？」

「ちょっと見ただけですけど、男じゃないかな。男二人」

「あそこ、スナックか何かだろう？」

その質問には醍醐が答えた。長身なので、声が頭の上から降ってくるようである。

「そうです。名前は『ブルー』ですね」

「青？」

「ブルーって言ったら青ですけど」

「えらくシンプルな名前だな」

ビルに目をやった。一階部分は激しく焼けている。さすがに鉄筋コンクリートのビルなので壁は残っていたが、小さな窓二つ、それにドアは完全に吹き飛び、白い壁も大部分が黒く焼け焦げていた。元々の店の外見は、ほとんど想像できなくなっている。電柱の脇に、奇妙に変形した白い物体があったが、火事の最中に一瞬だけ見えた看板の成れの果てだと気づく。その横には、黒く焼け爛《ただ》れた物体と、わずかに燃え残った緑のネット。ゴミ捨て場のようだ。

「相当激しい火事だったんだな。他に怪我人は？」

「今のところ、いないようです」醍醐が答えた。「二階から上は、全部会社や事務所なんですね。もう人もあまり残っていなかったし、いた人はすぐに裏の非常階段で逃げて無事でした。そもそも、上にはあまり延焼してないようです」

「ビル火事だとそういう具合になるのかな」

「バックドラフトだったんでしょう、高城さんが見た感じでは」宮崎が、私の質問に質問で返す。

「ああ」

「一瞬で燃え上がりますけど、燃えるものがなくなったらそれで終わりですよ。ビル自体も鉄骨だから、あの程度じゃ全焼はしないだろうし。店にいた人は、逃げる暇もなかったでしょうけどね……ああ、遺体が出てきますよ」

私は、暗い洞穴《どうけつ》のようになった出入り口付近に目を凝らした。救急隊員が、担架に乗せた遺体を運び出してくる。一人……二人目の遺体は、毛布から腕がはみ出していた。焼死体を見たことのない人だと、腕だとは分からないだろう。茶色く変色し、肉が落ちてしまった腕は、枯れ木のようにしか見えない。高城は胃の中がざわざわするのを感じた。死体は嫌というほど見ているが、いつまで経っても慣れるものではない。宮崎は無感情に担架の動きを目で追うだけだった。

「殺しかもしれませんね」

「何だって?」瞬時に顔から血が引くのを感じながら、私は殺人説を主張した宮崎に詰め寄った。

「いや、ですから、遺体の状況が」

「どういうことなんだ」

「刺し傷らしきものが見えるんですよ、背中に」宮崎が腕を後ろに回して、自分の背中を指差した。「そっちが下になって……つまり仰向けに倒れてましてね。背中は、前よりも焼け方がひどくなかった。ひっくり返してみたら、刃物らしい傷を発見しました。包丁か何かじゃないかな。ちゃんと検視をする前に、適当なことは言えませんけど」

「それは……」殺しだろうな、という言葉を呑みこんだ。私には、殺人事件を捜査する権限はない。「余計なことを」と舌打ちされても文句は言えないのだ。

「身元は簡単には割れないかもしれませんよ」

「何だい、ずいぶん調べは進んでるじゃないか」少なくとも、「分からないことが分かっている」という状態だ。ゼロではない。

「まあ、俺は偉そうなことを言える立場じゃないですけど、高城さんの腕の振るいがいもあるんじゃないですか」

「どうして」

「身元が分からない人――行方《ゆくえ》不明者と似たようなものでしょう」


宮崎の指摘は正しかった。二人の死者のうち、一人は所持品から「ブルー」のマスター、高嶋尚人《たかしまなおと》と判明したのだが、背中を刺された男の身元が分からない。所持品、なし。現場からは何か手がかりが発掘できるかもしれないが――火事では家具などが崩壊するので、驚くほど多くの物が短時間で堆積《たいせき》する――それは明日以降の話だ。

私は署に戻り、刑事課のミーティングに割りこんだ。殺人事件の可能性が極めて高い一件であり、解剖《かいぼう》で他殺が裏づけられれば、正式に捜査本部が発足する。もちろん一課は、それを待たずに明日の朝から動き始めるはずだが。

「という状況なんだけど、高城、本当にいいのか?」渋谷中央署の刑事課長、井上《いのうえ》が申し訳なさそうに言った。

「構いませんよ。身元の確認は失踪人探しと同じようなものですし、たまたま今は暇ですから」

「助かるよ。後で室長にも正式にお願いするから」

「あの人なら、金を払ってでも引き受けますよ」

「ああ」井上の笑顔が少し歪んだ。警視庁の中に、真弓の上昇志向を知らぬ者はいない。

「俺は何とも思いませんけど、室長は舌なめずりするでしょうね。大きな貸しができたって」

「俺はこの春で異動だから、何とか逃げ切るさ」井上が深い溜息《ためいき》をついた。「じゃあ、申し訳ないけど、明日の朝からよろしく頼む」

「了解です」

井上が、疲れ切った刑事たちの顔を見回した。誰もが家にいるところを、あるいは飲んでいる店から呼び出され、現場を駆けずり回ったのだ。清潔で広い刑事課の部屋にも、かすかに煙の臭いが漂っている。

「じゃあ、今日はこれで解散にする。明日の朝は八時集合。朝から捜査一課が入ってくるからな。遅れるなよ」

　刑事たちがのろのろと散っていく。私は醍醐と顔を見合わせた。既に十二時を回っており、二人とも終電には間に合わない。

「お前、署の宿直室を借りろよ」

「高城さんはどうするんですか」

「俺は失踪課で寝る」

「またソファですか？」

　醍醐が顔をしかめる。私が時折、失踪課のソファで夜明かししているのを知っているのだ。ただし、好きでやっているとは思ってもいないだろう。それを知っているのは愛美だけだ。家に帰るのが面倒になると泊まってしまうのだが、ソファは意外に快適でよく眠れる。

「俺はあそこでいいよ。お前の体格じゃソファは無理だろう」

　元プロ野球選手——キャリアは一年だけだが——の醍醐は、百八十センチを軽く越える長身である。背の高い男にありがちだが、軽く背中を丸めていた。

「いいんですか」

「喜んで。取り敢えず今日はゆっくり休んでくれ。明日の朝、仕切り直しだ」

「オス」

廊下で醍醐と別れ、私は一階の失踪課に向かった。部屋は相談者が入りやすいようにと、署の正面玄関の近く、交通課の横に設置されている。やはり交通課と同じように、仕切りとして低いカウンターがあるだけで、誰でも立ち寄りやすい雰囲気になっている。そのせいで冬場は風が吹き抜け、署内で一番冷えこむ場所になっているのはマイナスポイントだ。奥に引っこむと、カウンターが目隠しになって、廊下から直接室内は見えなくなる。昼間の暖房の熱がまだ残っているのではないかと期待したのだが、冷たい空気が淀《よど》んでいるだけだった。ネクタイを外し、自分のデスクに放り投げる。コートがないのが痛い。スーツだけでは、今夜の寒さは防げないだろう。最近は省エネが徹底しており、夜、人気《ひとけ》がなくなる部屋のエアコンは全て自動的に切れるようになっているのだ。当直の連中に頼んでつけてもらうこともできるが、何となくそうするのも面倒である。

室内は当然禁煙だが、私は無視して煙草をくわえ、火を点《つ》けた。一番下の引き出しから携帯灰皿を取り出し、天井に向かって煙を吹き上げる。酔いが引いたせいか、持病の頭痛が静かに自己主張を始めていた。頭を振り、間違いなく痛みが根づいているのを確認して、バッグから頭痛薬を取り出す。水なしで呑み下し、ゆっくり腰を上げて、自分のロッカーからブランケットを取り出した。薄手だが、包《くる》まってしまえば寒さはしのげる。

ソファに横になり、薄暗がりの中に沈む天井を見上げる。両手を組んで後頭部にあてがい、どうして「手伝う」などと言ってしまったのだろう、と自問する。暇だから？　それは否定できない。私は基本的に、一歩署の外に出ると、することが何もなくなってしまう人間だ。趣味もなく、家に帰れば一人黙々と酒を呑むぐらいである。それも、時に度を越して。仕事をしていないと、体も心もあっという間に鈍《にぶ》ってしまう。

愛美。吹き飛ばされ、意識朦朧《もうろう》とした状態で私を見上げた彼女の虚《うつ》ろな目を思い出す。ふいに、強烈な憎しみを覚えた——あの火事に対して。愛美を怪我させた火事。しかも背後には事件の臭いが濃厚だ。

俺は敵討《かたきう》ちがしたいのか？

そういう考えが古臭いもので、私怨《しえん》に支えられた捜査は危険なものだと分かっていたが、「仲間のために」という強い気持ちは否定できなかった。

2

渋谷中央署の食堂で醍醐と朝食を取っていると、いきなり嵐が襲ってきた。

「やあやあ、諸君。元気に飯を食ってるな。結構、結構」

嵐の中心、長野《ながの》威《たけし》。私の同期にして、今は捜査一課捜査班の一つを率いる責任者だ。

くりくりとした大きな目に、ふっくらとした唇が目立つ童顔。身長は私とほとんど同じなのに、体重は十キロほど上回っている。他人を押しのけてまで捜査に乗り出してくるので、鬱陶《うっとう》しがっている人間も多い。仕事ができるのは間違いないのだが、あまりにもエネルギッシュ過ぎて、近くにいるだけで疲れる、というのが定着した評価だ。

彼は、私がそうなっていたかもしれない可能性の一つである。警部になったのは私の方が早く、本当なら今頃は、私も捜査一課でそれなりに責任ある地位についていたはずである。八年前、娘が行方不明にならなければ。あれ以来私は、人生のほとんどを投げたまま生きてきた。失ったものも多い——それこそ、将来への扉とか。

長野が私の横の椅子《いす》に、音を立てて腰を下ろした。右手を軽く挙げて、正面に座る醍醐に挨拶《あいさつ》する。

「よ、醍醐。久しぶりだな」

「オス」

「昨夜《ゆうべ》はご活躍だったそうじゃないか」

「ええ、まあ」さすがの醍醐も、長野の前では勢いに押されて歯切れが悪くなる。

「その割に元気だ。さすがだな」

「家に帰らない方が、よく眠れるんですよ」

「お前、それは嫁さんの前で絶対に言うなよ。殺されるぞ」長野がにやにやと笑った。子沢山の醍醐は、警視庁内で「一人で少子化に逆らう男」と呼ばれている。

「オス」醍醐が低く言ってうなずいた。ほんの少し顔色が蒼《あお》くなっている。

「ところでどうなんだ、高城」長野が話を振ってきた。

「どうって……」私は苦笑して、茶を一口飲んだ。飯椀にはまだ半分ほど飯が残っているが、彼の出現によって食欲は失せてしまっている。「まだ何も分からないよ。こっちは身元不明遺体について調べるつもりだ」

「結構、結構」笑いながら言って、長野が私の漬物《つけもの》に手を伸ばした。沢庵《たくあん》を摘《つま》んで口に運ぶと、やけに軽快な音で嚙み、また表情を崩した。「案外上手《うま》いな、ここの漬物」

「そうか?」

「上出来だよ」

「それよりお前、ちょっと気が早いんじゃないか? まだ殺しと決まったわけじゃないんだぜ。解剖も終わってないし、本格的な現場検証もこれからだ。一課の出番はもう少し先じゃないか」

「何言ってるんだ」長野が憤然として言った。「背中に刺し傷があって、殺しじゃないわけがないだろう。これからフル回転だぜ」

長野が鼻を鳴らす。まずい、と私は一歩引いた。長野は完全にアクセルベタ踏み状態に入っており、こうなると誰にも止められない。今のところ、どれほど難しい事件かは分からないが、この男が暴走するのは目に見えている。かすかな手がかりにしがみついて捜査を強引に進め、反対意見を唱える相手を押し潰し、また誰かを憤慨させる——そういうやり方は、将来的には決して自分のためにならない。何度も言い聞かせたのだが、長野は私の言葉に耳を貸そうとはしなかった。事件を前にすると、冷静な判断力は全て吹っ飛んでしまうのだ。

「とにかくこの一件は、うちの班で貰《もら》った。お前が協力してくれれば百人力だからな。すぱっと解決して、また美味《うま》い酒を呑もうぜ。じゃあな」長野が音を立てて私の背中を叩《たた》き、席を立つ。

「まったく……」

「相変わらずですね、長野さん」呆気《あっけ》に取られたように醍醐が言った。

「あいつを変えるのは不可能だ。俺はとっくに諦《あきら》めてるよ」私は両手を前に投げ出した。自分のことさえままならないのに、他人を矯正《きょうせい》などできるはずもない。

私たちは取り敢えず、捜査一課の刑事たちと一緒に動くことにした。情報を共有するためにも、踏み出しの一歩は揃《そろ》えておく必要がある。最初に訪れたのは、「ブルー」のマスター、高嶋の家。旧山手《やまて》通り沿いで、最寄り駅は代官山《だいかんやま》になる。その気になれば、「ブルー」のある桜丘町《さくらがおかちょう》にも歩いて行き来できる距離だ。その高級住宅地に、彼は小さな一戸建てを構えていた。突然の不幸に妻の直子《なおこ》は体調を崩して寝こんでしまったといい、弟の健《たける》が応対してくれた。リビングルームはそこそこ広いのだが、捜査一課の刑事が二人、それに私と醍醐が詰めると、急に空気が薄くなったように感じる。

捜査一課の二人は、この場を私に任せてくれた。長野が何か余計な入れ知恵をしたのだろう。「年寄りに譲ってやれよ」とか。

健をソファに座らせ、私はダイニングテーブルの椅子を引いてきて腰を下ろした。少し見下ろす形になる。健はひどく疲れた様子で、何度も欠伸《あくび》を嚙み殺した。まず、型通りに彼の個人データを確認する。四十歳、住所は小金井《こがねい》市、勤め先は港区内に本社のある電機メーカー。両親は五年ほど前に相次いで亡くなり、残った家族は、三歳年長の兄の尚人だけ。この家は元々実家で、両親の死後に高嶋が建て替えたということも分かった。

「まさか、火事で……」一通り質問を終えると、健が掌《てのひら》に顔を埋《う》めた。

「火事はどんな場所でも起きますからね」無性に煙草が吸いたくなったが、私は太股《ふともも》を指先で叩いて気を紛らした。火事の話題が出ている時に煙草はいかにもまずい。「飲食店は火を使いますから、普通の建物に比べて出火の危険性は高いはずです」

「それは分かりますけど、兄は用心深い人でした」

「間違って火事を出すタイプじゃない、ということですね」

「ええ。変な話なんですけど、スナックをやってるのに自分は酒を吞まないんですよ。だから酔っ払って間違いを犯すなんて、絶対にあり得ません」

「そうですか……お店は流行《はや》ってたんですか」

「そこそこ、だと思います。赤字にならない程度に」

「でも、こんな立派な家をお持ちじゃないですか」私はリビングルームを見回した。

「それは、まあ……」言いにくそうに、健が人差し指で頬を掻《か》いた。「元々親が持ってた土地ですし、亡くなってちょっと遺産が入りましてね。それで建て替えたんです」

「なるほど。じゃあ、お金の心配をする必要もなかったんですか？　お店は趣味みたいなものとか？」

「そうかもしれません。酒も呑まないのに酒を出す店をやっているのも変な話ですけど、兄は人と話をするのが好きなんですよ」

彼がまだ現在形で喋《しゃべ》っているのに気づいた。人は、肉親の死を簡単には受け入れられない。それもあまりに突然な死なら、尚更《なおさら》だ。

「一種の社交場ですか」

「そんな感じですね」

人づき合いのいい、話好きな男。高嶋に対する印象を一つ得て、私はギアを入れ替えた。それまで抑えていた情報を口に出す。今朝方調べ上げたことだった。

「失礼ですが、お兄さんには前科がありますね」

健の肩がぴくりと動いた。かなり嫌な記憶なのだと分かったが、確認しないわけにはいかない。
「ずいぶん古い話ですが……二十年近く前ですか？」人定《じんてい》の第一歩は、いつでも免許証と
前科の確認だ。「恐喝《きょうかつ》事件だったと聞いています」
「それは間違いありません。あの事件は……」
　健がすがるように私を見た。自分の口から説明するのが辛《つら》いのだろう。事実関係は認め
ているのだ、これ以上苦しめることはないと思い、私は自分で言った。
「暴力団員が絡んだ事件でしたね。お兄さんは執行猶予《ゆうよ》判決を受けて、この件はもう終わ
っています。でも、人間関係はどうなんですか」
「人間関係？」
「当時一緒に事件を起こした暴力団員と、今もつき合っているとか――」
「それはないです。絶対にないです」健が思い切り首を横に振った。「完全に切れてます
から。本人も反省したんです。それで真面目に商売を始めたんですから」
「そうですか」ヤクザと切れるのは容易ではない。それも、一緒に組んで事件を起こした
ような関係なら尚更だ。その時の線が今回の事件につながっているのでは、と私はぼんや
りと想像していた。しかし、ひとまずこの線は引っこめることにする。想像を裏づけるだ
けの材料は何もない。「常連客は多かったんですか」

「だと思います」

「実は昨夜、お兄さんだけではなく、客らしい人が店で亡くなっています」

「はい」健の喉仏が上下した。

「従業員はいなかったんですか」

「ええ、小さい店ですから、兄が一人で切り盛りしていました」

「じゃあ、やっぱりお客さんですね。顧客名簿みたいなものはないでしょうか」

「そうですねえ……」健が顎に人差し指を当てた。「そういうものはないと思います。わざわざ名簿を作るような、大きな店じゃないですから」

「だったら年賀状はどうですか？　客商売なら、年賀状ぐらいは出してたと思いますけど」

「ああ、そうですね」ようやく役に立てると思ったのか、健の顔が明るくなった。「捜してみます。兄は、そういうことはまめにやってましたから。ちょっとお待ちいただけますか」

うなずき、椅子の上で腰をずらして少し楽な姿勢を取った。健の姿が消えたのを見計らって、隣に立っている醍醐に声をかける。

「どう思う？」

「年賀状は突破口になるかもしれませんね。一人一人潰さないといけないでしょうが」

「そうだな」一見《いちげん》の客だったらどうしようもないな、と思いながら私は答えた。

私の読みは当たった——顧客にしっかり年賀状を出していた、という点に関しては。予想外だったのは、考えていたよりも数が多かったことである。十分後に戻って来た健は、数枚の紙を手にしていた。嫌な予感が膨《ふく》らむ。健は少し困ったような表情を浮かべていた。

「これなんですけど、今年の正月に出した年賀状のリストです。パソコンに入ってたのをプリントアウトしました」テーブルに丁寧に置かれた紙を手に取る。五枚。表計算ソフトを使って、びっしりとリストが作られている。一枚当たり……五十人。年賀状を出すほど頻繁《ひんぱん》に来店していた客が、二百五十人もいるということか。人海戦術は警察が得意とするところだが、私は軽い眩暈《めまい》を覚えていた。身元の割り出しは失踪課で引き受けると言ってしまった以上、この件は自分たちで何とかするしかない。愛美の不在が痛かった。

「これが、取り敢えずの手がかりになりますね」誰か知った人間がいないかと、ざっと目を通していく。なし。リストを醍醐に渡し、再び健と向き合う。

「昨日、火災が発生したのは十時頃です。その時間に客が一人しかいないのも、寂しい感じがしますよね」

「ええ……あ」急に何か思い出したように、健が顔を上げた。

「どうしました？」

「昨日は休みのはずです」

「ええ。水曜日と日曜日が休みなんですよ。何で店を開けてたんだろう」首を傾《かし》げながら立ち上がる。「ちょっと、義姉《あね》に確認してみます」

「無理しないでいいですよ」臥《ふ》せっている直子から話が聞き出せるかどうかは分からない。無理をして、彼女がさらに体調を崩すのが怖かった。「時間を置いてからでもいいですから。分かった時点で連絡してもらえれば」

「分かりました」健が再び腰を落ち着けた。目が泳ぎ、貧乏揺すりが激しくなる。何かしていないと、内心の動揺が表に表れてしまうのだろう。

「今日のところはこの辺で失礼します。このリストは、お借りしてもいいですよね」私は醍醐から五枚の紙を受け取り、顔の横で振った。「またお話を伺《うかが》うことになると思いますので、連絡が取れるようにしておいて下さい」

「……分かりました」健の顔が青褪《あおざ》めた。容疑者扱いされた、と思っているのかもしれない。アメリカの映画でよく観る、「街を出るな」という警官の脅《おど》しでも想像したのか。

「お仕事は内勤なんですか」テーブルに置いた彼の名刺を確認し、緊張を解《ほぐ》すために話題を変えた。

「ええ、総務ですから」私がテーブルに置いたままにしておいた自分の名刺を見詰めながら言った。

「ということは、携帯にはあまり電話しない方がいいですかね」

「そう……いや、携帯にお願いします。大丈夫ですから。会社の電話は、ちょっと」目を伏せる。

「分かりました」

警察から電話がかかってくるのを嫌がる気持ちは理解できる。単なる事故ならともかく、今回の一件は事件の可能性が高いのだ。実兄は犠牲者《ぎせいしゃ》とはいえ、事件に巻きこまれたことを会社には知られたくないだろう。

それも妙な感じがする。事故で家族を失った時、哀しみと衝撃から立ち直るには、かなりの時間を要するものだ。一週間や十日はまともに話ができないことも珍しくない。明確に事件だと分かっている場合、そういう気持ちの揺れに加えて、犯人に対する怒りも募る。だが健は比較的冷静であり、「係わり合いたくない」という態度が透《す》けて見えた。

この男が犯人だという可能性は――今の段階では捨てることはできない。私は醍醐に目配せしたが、彼は眠気を追い払うためか、しきりに瞬《まばた》きするだけだった。まったく……勢いだけでなくもう少し鋭かったら、今頃は失踪課になどいないはずである。もっとも彼が、家族を見捨てて忙しい部署に行きたがるとも思えないが。

人にはそれぞれ事情がある。醍醐だけではない。健にも、高嶋にも、そして未《いま》だ身元が分からない焼死体にも。

「――成年男子、年齢は三十代後半から四十歳程度。身長約百七十センチ、体重六十七キロ程度。死因は……」長野が目を輝かせながら私の顔を見た。

「そういう顔をするんじゃない」条件反射で顔をしかめる。嬉しそうな長野の表情を見れば、結果は聞かずとも分かるのだ。これが単なる事故だったら、彼はがっくりして撤退《てったい》の言い訳を考え始めているところだろう。

「何だよ」長野がむっとした口調で反論した。「一番肝心《かんじん》なところじゃないか」

「仮にこれが事故でも、お前の班でちゃんと最後まで面倒をみろよ。他を押しのけてしゃしゃり出て来たんだから」

「当然だ。とにかくこれは、殺しだな」花が咲いたように、長野の顔がぱっと明るくなる。

「死因は焼死だけど、背中の刺し傷が肺にまで達しているんだぜ？　刺されて意識を失った後で、焼け死んだんだ」

「……了解。でも、『刺された』と断言していいのかね」火災現場では、普通の状況では想像もつかないことがよく起きる。例えば、焼死体の頭蓋骨《ずがいこつ》が陥没《かんぼつ》していて、いかにも殴《なぐ》られた後で火を点けられたように見えることもある。しかし調べてみると、焼け落ちた本棚から置物が落ちて、倒れている被害者の頭を直撃しただけ、という事態も少なくない。もっとも今回は、被害者が刺されたのは間違いないだろう。背中に刺し傷があって、しかも仰向けに倒れていたのだから、火災の影響によるものとは考えにくい。刺されて倒れてから火事に巻きこまれた、という流れが自然だ。たまたま倒れた時に、刃物のような鋭いものが、体に刺さるような状態で床に置いてあった——可能性はゼロではないが、まず除外していいだろう。

「お前が何を考えてるかは分かるけど、煙に巻かれる前に刺されたのは間違いない。生体反応があったんだから」長野の顔が引き締まる。「というわけで、間もなく正式に捜査本部が立つ。マスターの方は、頭蓋骨が陥没している。解剖と現場検証の結果待ちだけど、まず間違いなく鈍器で一撃、だな」

「二人か……」私は苦い思いを嚙み締めた。これで事件の重みが一気に増した。判例では、被害者が一人なら死刑にはならないが、二人だと死刑——二人が死んだ事件では、犯人も含めて三人の命が奪われる可能性が高い。

「お前はこのまま、身元不明の死体の方を洗ってくれるんだよな」長野が念押ししたが、昼食の約束でも確認するように平然とした話しぶりだった。彼の場合は、「五十人殺された」と言われても何も変わらないだろう。いや、むしろ喜びに顔を輝かせるか。

「うちのスタッフ総がかりで続行中だ」私は親指を床に向けた。失踪課は刑事課の真下にある。

「頼む」長野が顔の前にすっと掌を上げた。「リスト、二百五十人分だって？」

「ああ、順次潰し始めてるよ」

「本格的に忙しくなる前に昼飯でも食っておくか？」長野がちらりと腕時計を見た。

「まだ十一時じゃないか」

「今日は朝が早かったから、もう腹が減ったんだ」

「何時起きだったんだ？」

「四時」長野が指を四本立てた。「連絡を受けてすぐに家を出たからな。途中、牛丼屋で朝飯を食ってから、もう六時間ぐらいになる。昼飯にはちょうどいい時間だろう」

「四十五を過ぎて、牛丼屋で朝飯を食うなよ」私は額を揉《も》んだ。この男に「健康」という概念はないのだろうか……まあ、いい。事件を追いかけているうちは、病気になる暇すらないはずだ。「それで、お前の読みはどうなんだ」

「マスターと客のトラブルかな。どちらかが先に襲いかかって、やられた方が逆襲した。その後、またどちらかが火を点けた、とか。あるいは万に一つの偶然として、殺し合いの最中にたまたま火が出たのかもしれない」

「一つ、気になることがあるんだ」私は煙草を引き抜き、掌の上で転がした。「昨日、『ブルー』は定休日だったらしい」

「ほう」長野が身を乗り出した。丸い腹がデスクに食いこんだが、気にする様子もない。

「客と高嶋が何か特別な関係にあって、客は呼び出されて店に行った、とかな。逆かもしれんが。電話の記録を調べてみよう」

「ああ。ただ、奥さんにはまだ話を聴けてないから、本当にトラブルがあったかどうかは分からない。あの店は高嶋が一人で切り盛りしていたから、事情を知ってるのは高嶋本人と奥さんぐらいじゃないかな。弟さんには話を聴いたけど、店の内実についてはあまり詳しくは知らない様子だった。奥さんからは、まだ話を聴ける状態じゃない」

「了解。それはこっちで引き受けた」長野が忙《せわ》しなく腕時計に視線を落とす。先ほどから一分も経っていないのだが。「捜査本部の最初の顔合わせは一時ぐらいになるな。お前も顔を出すか？」

「俺はいいよ」私は反射的に首を横に振った。捜査会議はやたらと長引くのが常だし、知っておかねばならないことは既に頭に入っていた。「あくまでお手伝いだから。何か新しい情報が入ったら教えてくれ。こっちも何か分かったらすぐに連絡する」

「頼む」

うなずき返し、席を立つ。その瞬間、こちらへ向かって来た人物と鉢合わせしそうになった。相手の頭の天辺《てっぺん》が私の顎の下にくる。かなり小柄だ。

「すいません」相手が先に謝罪した——よく通るソプラノだった。低く頭を下げ、柔らかい香りを残して脇を通り過ぎたのは女性だった。私はそのまま部屋を出ようとしたが、長野に呼び止められた。

「ちょっと待て……高城、紹介しておくよ」

足を止めて向き直る。先ほどの女性が、やや緊張した面持ちで私の顔を見ていた。眼鏡。顎を覆うように毛先が丸まった髪。丸い肩は、脂肪《しぼう》ではなく筋肉の塊《かたまり》だろう。愛嬌《あいきょう》のある顔立ちなのに、いかにも格闘技を本格的にやっていた——あるいは現在も続けているような体形が、奇妙なアンバランスさを醸《かも》し出《だ》していた。

「今、道警からうちに研修に来ている井形《いがた》だ」

「井形はなです」両手を腹に置いた状態で、はなが頭を下げる。やけに優雅なお辞儀だった。私はもごもごと挨拶しながら、長野の次の言葉を待った。

「短期出向だ。一課で勉強して、道警に活を入れて貰おうっていう狙《ねら》いさ」

「おいおい、それじゃ道警が腑《ふ》抜《ぬ》けみたいに聞こえるぜ」

「違うのか？」長野が頰を緩める。笑ってはいるが、本気でそう考えているのだ。この男の警視庁至上主義——というか他県警を馬鹿にしきった態度には年季が入っている。「そのうち失踪課にも研修に行くかもしれないよ。道警でも失踪課を作る動きがあるそうだから」

「うちの働き振りを見ても、参考になるとは思えないが」

「まさか」長野が笑い飛ばし、はなに顔を向けた。「警視庁にこの人ありと言われた男だよ、こいつは。一緒に仕事をすれば勉強になる」

「よろしくお願いします」はなが頭を下げたが、あまり熱心な様子ではなかった。というよりも、感情の動きが見えない。

そこで話を打ち切り、私はその場にいたもう一人の人間——所轄の刑事課長、井上に近づく。自席で必死に書類を処理していた。つくづく、管理職にはなりたくない——実際は私も管理職なのだが——と思う。どんなに忙しくても、書類はついて回るのだ。

「課長、そういうことで」

「あ？　ああ」びくりと肩を震わせながら、井上が顔を上げる。私が部屋にいたことに、まったく気づいていない様子だった。目は赤く、隈《くま》がくっきりと現れている。「よろしく頼むよ。忙しいのに悪いね」

「忙しくないですよ。小人閑居《かんきょ》して不善をなすって言うでしょう？　働いていた方がいいんです」

「まあ……そうね。じゃ、よろしく」

一礼して部屋を出る。彼は「小人閑居して不善をなす」の意味を捉えそこなったのではないか、と私は訝《いぶか》った。それが無知によるものなのか、人の話を聞く余裕がないからなのかは分からなかったが。

失踪課では、全員が——庶務担当の小杉《こすぎ》公子を除いて——電話にかじりついていた。リストのチェックに際しては、まず名前をクリーニングした。前科のある人間がいないか、暴力団関係者がいないか。そういう人間がリストに掲載されていないと分かった時点で、実際に電話をかける作業を始めている。私に気づくと、公子がカップを持つ手つきをして口元に持っていった。「コーヒーはいるか？」の合図だが、首を振って断り、自分で用意して啜《すす》りながら自席についた。隣の愛美の席が空《あ》いているのが、妙に寒々しい。

「――はい、そうです。いない？　いないってどういう……ああ、出張中ですか」いきり立った醍醐の口調は、相手を怯《おび》えさせているかもしれない。

「どうも、お世話になります。いえいえ、ちょっとした確認なんですよ。そう緊張なさらないで結構です」相手の警戒心を解すように柔らかく喋っているのは、法月大智《のりづきだいち》。定年間際のベテランで、心臓に持病を抱えてはいるが、何とか普通に仕事をしようと節制を重ねている。ここ数か月で確かにすっきりと痩せた。

他には六条舞《ろくじょうまい》と森田純一《もりたじゅんいち》。失踪課を象徴するような二人だ。元々失踪課は、「警察は家出のような案件でもきちんと捜査します」と内外にアピールするために作られた、いわば言い訳のような組織である。まともな、あるいは華々《はなばな》しい成果など期待されてもいないので、他で「使えない」という烙印《らくいん》を押された人間が集まってしまった。六条しかり、森田しかり。子育てに追われる醍醐も、持病を抱えた法月も、追い出した方にすれば「役立たず」なのかもしれない。もっともあの二人は、きちんと仕事をこなしている。

最大の問題は、私自身かもしれない。娘が失踪してからの八年を酒浸りで過ごし、沈没寸前だったのを引き上げられた男。今でも腰ぐらいまでは浸っているし、少し気を抜くと沈んでしまいそうになる。娘の件は、常に頭のどこかにあり、思い出すと暗い穴を覗きこんでいる気分になるのだ。その結果、酒に助けを求めることになる。

失踪課で唯一と言っていいやる気のある人間は、室長の真弓だ。警察はまだまだ女性管理職が少ない世界だが、彼女は上昇志向を隠そうともしない。あまりにも態度が露骨過ぎて辟易《へきえき》することも少なくないが、上司としては有能である。しばらくつき合って、そのことだけには確信が持てた。他のことは――彼女の私生活については、まったく分からなかったが。

コーヒーカップを持って立ち上がり、二面がガラス張りの室長室――通称金魚鉢――のドアをノックする。真弓がうなずいたので中に入り、椅子を引いて正面に座った。出身大学のロゴが入ったマグカップを引き寄せて一口啜ると、真弓は苦い薬を呑んだように顔をしかめる。お決まりのパターンだ。彼女は「濃く入れ過ぎるから」と言っていたが、私は中身が漢方薬か何かではないかと疑っている。もしも薬が手放せない状態であっても、彼女なら隠し通すだろう。自分の弱点は、絶対に人に見せないはずだ。

弱点どころか、当たり障りのなさそうな私生活の話さえしない。公子とは時々昼食を一緒にするから、彼女には喋っているかもしれないが。

火事の報告を一通り終え、愛美の容態を確認した。

「意識は、昨夜あれからすぐに戻ったみたい。公子さんが朝、病院へ行ってくれたわ。今朝の症状は、激しい頭痛と全身の倦怠感《けんたいかん》」

「大丈夫なんですか？」私は思わず目を細めた。

「脳震盪の後にはよくあるらしいわ。今日、もう一度ＣＴ検査をして、完全に安心できるのはそれからね。そんなに長くは入院しないはずだけど、しばらくは戦力として期待しないで」

「分かってます……しかし、一人で大丈夫ですかね」

「さっき、静岡からお母さんが見えられたそうよ。わざわざ仕事を休まれて」

「そうですか。家族がいるなら安心ですね」実際私は安心した。どこか浮ついていた気持ちが、腹の一点に向かってゆっくりと落ちていく。

「後でお見舞いに行ってあげたら？　気にしてたそうよ」

「何をですか」

「事件なのに参加できないって」

「公子さんはどこまで話したんですか」

「全部」真弓が肩をすくめた。「隠しておいても仕方ないでしょう。あの子がどういう状況で爆発に巻きこまれたか、現場から遺体が見つかったことも、分かる範囲で話してもらいました」

「そんなこと聞いたら、あいつは焦るだけですよ」

「後で知ったらどうなると思う？」真弓が溜息をついた。「自分だけのけ者にされたと思うでしょうね。あの子の不機嫌につき合うのは、私はごめんよ。それとも高城君が面倒みてくれる？」

「いや……」私はコーヒーを一口飲んだ。機嫌の悪い愛美を相手にするよりも、容疑を否認している連続殺人犯の取り調べをする方がまだましだ。「いい判断でした」

「でしょう？」にっこりと笑うと、真弓は何歳か若返って見える。実際は私より三歳年上なのだが。明らかに黒く染めた髪が――以前は細い筋のように白髪があったのだ――ふわりと揺れた。

「じゃあ、身元不明死体の割り出しに全力を注いで下さい。暇を見て、病院の方にも行ってね。明神が拗《す》ねないように、ちゃんと捜査の進行状況を説明しておいて」

「分かりました」一礼して立ち上がる。ドアのところでもう一度頭を下げると、真弓がひらひらと手を振った。その目は私ではなく、デスクの写真立てを見ている。二つあるうち、豆柴犬のものではない方。そこに十代の少女の写真が入っているのを私は知っている。誰なのか確かめる機会はなかったが。

　自席に戻ると、法月が声をかけてきた。

「明神、どんな様子だって？」

「俺は昨夜から会ってないんですけど、取り敢えず大丈夫みたいですよ。そうですね、公子さん」

公子がにこにこしながら近づいて来た。普段にも増して愛想がいい。

「もちろん。あの娘、見かけよりはずっと強いから。あれぐらいでくたばったら困るわよ。私も発破をかけてきましたから」

「発破って……」私は顔を歪めた。

「相棒が心配なんでしょう」からかうように公子が言った。

「まあ、心配じゃないと言えば嘘になるけど……いないものは仕方ないですよ」

「心配で仕方ないって顔をしてるわよ」公子がからかった。「無理しないの。そういうことを言ってもいい年なんだから」

「よく分かりませんね」

「まあまあ」公子が鷹揚《おうよう》にうなずく。「すぐに戻って来ますから」

「でも、頭は鍛えようがないですよ」私は反論した。あの現場を見た限りでは、どうしてもそう思ってしまう。

「そりゃそうだが、ここで気にしてても仕方ないだろうが」法月がリストを引き寄せる。きちんと定規を当てて名前を横線で消したのは、潰し終えた相手だろう。上から三分の一ぐらいは黒くなっていた。

「そっちはどんな具合ですか」

「今のところ、当たりはないね。それにしても、二百五十枚も年賀状を出す人なんて、最近はあまりいないだろう」いつもの癖で、綺麗《きれい》に白くなった髪を掌で後ろに撫《な》でつける。

「まめな人なのかねえ」

「二百五十人分の住所を把握《はあく》しているだけでも凄《すご》いですよね」

「電話してみると、何のことだか分からないって言う人が結構いるんだ。たまたま一度だけあの店に寄っただけなんだろうな。名刺を置いていったことさえ忘れてる、とかさ。そういう人にも年賀状を出してたんだから、大変な営業努力だね。これは何だよ、銀座や六本木《ろっぽんぎ》の高級クラブ並みだぜ。そういう店の女の子は、積極的に電話やメールで客に連絡を取るらしいじゃないか。不況なんだろうなあ。何とかして客をつなぎとめるために必死なんだろう」

「オヤジさん、そういう高い店に縁があるんですか」

「まさか」法月が顔の前で勢いよく手を振った。「俺の行きつけは、昔から有楽町のガード下さ……それはいいとして、明神の見舞いに行ってやれよ。あいつも、捜査の動きが気になってるんじゃないか」

「室長も同じようなことを言ってました。でも、まだリストが残ってますからね」私は、自分のデスクに載った紙を見下ろした。当然、割り振り分はまだ手つかずである。

「ああ、いいよ。それぐらい、俺と……醍醐でやっておくから」

法月がちらりと舞たちの方を見た。舞は受話器を左耳に当て、右手の人差し指で髪をくるくると巻いている。姿勢がだらしなく崩れ、友人と話しているような態度だった。森田はぴんと背筋を伸ばしていたが、顔には困惑の表情が浮かんでいる。相手に突っこまれ、言葉に詰まっているのではないか。私と法月は苦笑を交換し合った。当てにできない二人。

「じゃ、お願いできますか」リストを法月に手渡す。

「はいよ。これで昼飯一回、奢《おご》りだな」

「何言ってるんですか、最近はずっと弁当でしょう」数か月前に二度目の心臓発作を起こした法月は、以来ウエイトコントロールを心がけている。弁当――彼が自分で作っているのか娘のはるかの手製なのかは分からなかったが――持参の日々が続いていた。

「たまにはいいんだよ。その日は弁当を持たないで来るからさ。じゃ、そういうことで頼むよ」

軽い口調で言って、法月が受話器を取り上げた。慣れた口調で話し出すのを見届け、私は席を立った。本当は、こんなにのんびりしている場合ではないのだ、と思いながら。自分たちに捜査の主導権がないとはいえ、ややこしい事件を抱えてしまったという意識は強い。長野は持ち前の馬力で突き進んでいくだろうが……それに巻きこまれてしまうのも鬱陶しかった。降りるタイミングを間違えたら大変なことになる。

　私が病室——四人相部屋だった——に入ったのに気づくと、愛美が大きく目を見開いた。パジャマ代わりの長袖《ながそで》のTシャツは襟《えり》ぐりが少し緩く、細い鎖骨が覗いている。

「よ」短く声をかけ、傍《かたわ》らの椅子を引き寄せて座る。一本だけ脚が短いのか、安定せずにぐらついた。「大丈夫か」

「何とか」私を見たが、まだ目がぼんやりしている。頭痛の後遺症かもしれない。あるいは薬のせいか。強い鎮痛剤を呑むと、頭がぼうっとすることがあるのだ。健康オタクがビタミン剤を呑むように頭痛薬を摂取する私は、もう慣れてしまっていたが。

「ひどい目に遭ったな」

「すいません」頭を下げる。後ろで結んでいることの多い髪だが、今日は何の処置もしていないので、流れるように肩から胸に落ちていた。いつもは艶《つや》のある髪も、さすがに光を失っている。

「謝ることじゃない。あれは誰にも避《さ》けられないよ。火事だって分かってたのか？」

「いいえ。分からなかったのが悔しいんです」血の気の引いた唇を嚙み締める。「もっといろんなことに気を配っていないといけないのに」

「呑んだ後にそれは無理だ」

「お酒は関係ありません。刑事なんですから」刑事、と言う時に声を潜めた。他の入院患者に聞かれるのを嫌ったのだ、と悟る。

「だったら俺なんか、根本的に刑事失格だな。呑んだ後は何の役にも立たないんだから……ああ、携帯、ありがとう」

「はい？」

「無事だったんだよ」体を捻《ひね》って、ズボンのポケットから携帯電話を取り出す。「吹き飛ばされたのに、君がちゃんと持っててくれたんだ」

「覚えてません」愛美の顔から血の気が引く。記憶の欠落がショックだったのだ。

「そうか」本格的な記憶障害ではないか、と一瞬不安になる。だがあの爆発は、ほんの一秒か二秒の間の出来事だった。はっきり記憶している方がおかしい。気を取り直して続ける。「一応、状況を説明しておこうと思って。公子さんにも話は聞いただろうけど、戻って来た時に捜査の進展具合を知らないと困るだろう？」

「うちの事件になるんですか？」愛美が目を細める。

「そういうわけじゃないけど、一課を手伝ってるんだ」

事情を説明した。殺しと、もしかしたら放火。行きがかり上、身元不明の遺体について調べている。ようやく合点がいったようで、愛美がうなずいた。目の焦点が合い始め、頬も少しだけ血色がよくなっている。彼女も長野と同じ人種なのかもしれない。事件を糧にして成長する。

「……というわけで、今は店の客を洗ってる。六条も森田もちゃんと仕事をしている……はずだから、当面は心配しないでくれ」

「私が戻る前に、解決してるかもしれませんね」残念そうに言って、下唇を噛んだ。何だか子どものような仕草だった。

「それは分からない。リストはあまり期待できないかもしれないから」

「そうなんですか？」

「オヤジさんの勘だけどね。とにかくこの件は、気合を入れてやるよ」

「乗りかかった船だから？」

「いや、君のためかな」気取った台詞《せりふ》がすらっと出てきたので、自分でも驚いた。照れ隠しに、悪態をついてみる。「弔《とむら》い合戦みたいなもんだ」

「私、死んでないんですけど」愛美の目が一瞬で細くなる。それは彼女本来の持ち味であり、この後怒りの嵐がくるにしても、私は少しだけほっとしていた。やはり愛美はこうでなくては。

「失礼。ただ、仲間が怪我して動けない時は、残された人間は頑張ろうって気持ちになるのが普通じゃないかな」

「そうですね」やっと愛美の顔に笑みが浮かんだ。

「取り敢えず、少し休むといい。大した怪我じゃないし、いい骨休めだよ」

「出来るだけ早く復帰します」

「無理はしないように」私は人差し指を顔の前で立てた。「一応、上司からの業務命令だ。釘を刺しておかないと、俺が医者から怒られる」

「……分かりました」不満そうに言った。次の瞬間には何故《なぜ》か戸惑いの表情が浮かぶ。視線はドアの方に釘付けになっていた。「すいません、母です」

「ああ」私は慌てて立ち上がり、病室に入って来た女性に軽く一礼した。向こうは深いお辞儀を返してくる。手には大きな紙袋を抱えており、外の寒さにもかかわらず、額に汗を浮かべていた。愛美の部屋から、必要な品を取ってきたのだろう。

改めて挨拶を交わし、きちんと謝罪する。謝罪に関しては真弓の方が数段上手なのだが——彼女は、聞いている方が恐縮してしまうような、実に堂に入った謝罪をする——この場は私が謝るしかない。

「こちらこそ、ご迷惑をおかけしてすいません」暁子《あきこ》と名乗った愛美の母が、また深々と頭を下げる。「お忙しいのに、こんなことになって」

「大丈夫です。今はたまたま暇ですから。仕事が一段落したところなんです」

愛美が大きく目を見開いた。捜査本部の手伝いを始めてしまったら、忙しくないはずがない——そう伝えたいのだと分かる。しかしこれが、大人の挨拶というものだ。

「私どもでも、できるだけのことはしますので」

「いえ、入院中はこちらで面倒をみます。ご迷惑はおかけできませんから」

「大丈夫ですよ。うちには女性もいますから」真弓、舞、公子。何かと気の利《き》く庶務担当の公子はともかく、真弓と舞がかいがいしく愛美の面倒をみる様子は想像できなかったが。

「とにかく、怪我は大したことがないようですから、それほど長く入院することにはならないでしょう」

「ええ。それでも、本当に申し訳ありません」暁子がまた頭を下げると、紙袋から服が零れ落ちそうになった。慌てて押さえ、はにかんだ笑みを浮かべる。愛美の笑顔を見ることはほとんどないが、記憶にあるのとそっくりだった。

「高城さん、すいませんけど、ちょっと外してもらえますか」

「いいけど……？」

「着替えたいんです」愛美が両手でTシャツの肩をつまんだ。「これ、公子さんから借りたんですよ。サイズが合わなくて」

「そりゃそうだろう」頬が緩む。公子は身長こそ愛美と同じくらいだが、ふくよかと形容するには少しばかり肉づきがよすぎる。

「私は何も言ってませんよ」

　愛美が頬を膨らませると、暁子が素早く注意を飛ばした。

「愛美、上司の人に向かって――」

「ああ、構いません」私は笑みを浮かべてやった。「上下関係に縛られずフランクに、がうちのモットーですから」

「そんなルール、いつ決まったんですか？」

「愛美！」

「まあまあ……じゃあ、そのTシャツは公子さんに返しておけばいいんだな？」

「本当は洗って返さないといけないんでしょうけど」

「別に慌てて着替える必要もないんじゃないか」

「いや、ちょっと……」愛美が胸の辺りの生地を引っ張って見せた。目を凝らすと、極薄い色で、無数の犬がプリントされているのが見える。

「室長と同じ趣味か」私は溜息をついた。

「犬は苦手なんです」

いいことを聞いた、と私は一人ごちた。愛美が生意気なことを言った時に、使えるかもしれない。だが、どうする？　犬をけしかけるのか？　私のデスクの下にチワワでも飼っておく？

愛美がパジャマに着替えると、妙に落ち着かない気分になった。私生活を覗き見しているような……彼女はまったく気にしていない様子だったが。見舞いにと奢ったメロンを暁子が切りに行ったのを見届けてから、愛美が事件の話を切り出す。

「身元不明の死体の件なんですけど」

「ああ」

「三十代後半、身長百七十センチぐらいという話でしたよね」

「そう。何か思い当たる節でも？」

「見たか聞いたかした記憶があります。つい最近なんですけど……」愛美が拳をこめかみにぐりぐりと押しつける。「思い出さないな」

「まさか、本当に記憶喪失《そうしつ》じゃないだろうな」私は顔から血の気が引くのを感じた。

「よして下さい。私だって不安なんですから」むっとして言い返す。「たぶんちょっと見ただけなんですよ、書類か何かで。私は応対していない案件だと思います」

「洗い直してみるよ。でも、三十代後半で百七十センチぐらいの人間だったら、いくらでもいるな」

「そうですね、うちで扱う案件も多いし」

「そういうことだ。他の分室にも手配してみよう……ところで、家族がいる前だと仕事の話はしにくいかな？」

「そうなんですよ」愛美が顔をしかめる。「親はまだ、私が刑事をやってることが気に食わないんです。最初から反対されてたんですけど、未だに『警察なんか辞めて早く戻って来い』ですからね」

「地元で見合い結婚して家を継げとか？」

「そういうことです」愛美の鼻に皺が寄った。

「東京で一人暮らしをしてれば、ご両親は心配するさ。何歳になってもそれは変わらないだろう……まあ、だけど、君が辞めると困るし」

愛美が急に口を閉じて、私の顔を凝視する。答えを求めている。私の言葉で自分の存在価値を確認したいのだ。

「大事な仲間だからな」

望む答えではなかったかもしれないが、愛美の顔に穏やかな笑みが広がった。突然気恥《きは》ずかしさを覚え、私は立ち上がった。

「そういうわけだから、無理しない範囲で早く復帰してくれよ」

「メロン、食べていかないんですか」

「見舞いの品を俺が食べちゃまずいだろう。それに仕事も忙しいんだ」

「できるだけ早く戻ります」愛実の表情がすっと引き締まった。

「そうしてくれ。隣の席が空いてると、何だか寒いよ」

もう少し気の利いた台詞があったのではないかと思いながら、私は病院を後にした。部下を上手く元気づけるのも、管理職の仕事なのだが。

3

「ちょっと聞いてくれ」声を上げると、失踪課にいた全員が私の方を向いた。「身元不明の遺体の件なんだけど、うちで扱った人間の可能性がある」

「どういうことですか」醍醐が目をしばしばさせる。昨夜の奮闘が、今になって効いてきたようだ。

「明神が、どこかで見た記憶があるって言うんだ」

「どうかな……」法月が顎に手を当て、首を傾げる。「少なくとも俺は記憶にないぞ。明神の話は確かなのか？」

「あまり明確じゃありません。うろ覚えみたいなものですね」

「まさか、記憶喪失じゃないだろうな」法月の顔がわずかに青褪める。

「それはないと本人が言ってましたよ」

「他の分室の案件じゃないかな。うちで扱ったものなら、もっとはっきり覚えてるはずだ」

法月の言う通りだ。それはあり得る。都内に三か所ある分室に寄せられた情報は、本庁にある失踪課に集積された後、全分室で共有される。毎日回ってくるデータは全員が目を通しているが、他分室の案件は、自分たちが直接扱ったものよりも印象が薄くなるのは避けられない。

「六条はどうだ？　森田は？」

「えぇー？　分かりません」語尾を伸ばすように舞が答える。森田は相変わらず背筋をぴんと伸ばしたまま、無言で首を振るだけだった。

仕方ない。取り敢えずここ一月《ひとつき》ほどのデータをひっくり返してみるか。それにしても三十代後半、身長百七十センチぐらいの男性ということになると、どれほどの数になるのだろう。

「オヤジさん、店の顧客リストの方はどうなってますか」

「まだ接触できていない人間が六十人ばかりいる。引き続きやってみるよ」

「お願いします。俺は明神の記憶を頼りに調べてみますから」

「そうだな、大事な相棒の勘は信用してやらんと」

「相棒ってわけじゃありません」奇妙な照れを覚え、私は乱暴にパソコンの電源スイッチを押した。そもそも日本の警察では、アメリカと違って「相棒」という考え方がない。アメリカならだいたい、決まった相手と組んで動くようだが、日本の場合はその都度組み合わせを変えて捜査に当たる。それでも私と愛美が組む機会が多いのは間違いない。

データベースを呼び出して、愛美の記憶に合致するデータをチェックし始めると、電話が鳴った。醍醐が素早く受話器を拾い上げ、やたらと大きな声で応答する。しばらく話して電話を切り、立ち上がって私に向かって言った。

「長野さんです」

「何だって？」

「情報が二つあります。まず、詳しい解剖結果が入ってきました。傷口の内部に金属の小さな破片があって、それが刃物の破片だと断定されました。包丁か何かの先端が折れたようです」

「了解。もう一つは？」

「ネックレス、ですね」

「所持品か？　そんな話、出てなかったぜ」

「ついさっき、鑑識の連中が割り出してくれたようです。体の前面がひどく焼けてて、首から胸元にかけて食いこんじゃってたようですね。ようやく引き剝がして確認できたそうです。今、捜査本部の方にあるそうですけど」

「ちょっと持ってきてもらえるか？　写真だけでも」

「オス」

醍醐が部屋を飛び出していった。三分後、小さなビニール袋を持って戻ってくる。中には、黒く焦げたネックレスが確認できた。チェーン部分は直径五ミリほどの輪をつないだもので、ドッグタグがついている。タグは完全に黒くなって、一部が溶けて歪んでいた。こういうタグにはよく名前が彫りこんであるものだが……何も確認できなかった。

「名前ですか?」醍醐は、私がタグを凝視しているのにすぐ気づいた。

「ああ」

「これじゃ見えませんね。科捜研の方で何とかしてもらうしかないでしょう」

「そうだな。完全に溶けたわけじゃないから、刻印の跡ぐらいは読めるかもしれない」

「裏側は……何かヒントになりませんかね」

言われて、袋に入れたままひっくり返す。平板で、特に意匠《いしょう》はなかった。チェーンの三分の一ほどは、比較的綺麗な銀色を保っている。この辺りは首の後ろに隠れていたのだろうか。

「こういうネックレスをしてるのは、それなりに洒落者《しゃれもの》ということなんでしょうか」醍醐が鼻を鳴らした。ネックレスをする男など信用できない、とでも言いたそうだった。

「そんなに洒落た物でもないぜ」

「アメリカっぽい感じですね」

「というか、ミリタリー系か」

「殺されても戦場で身元が分かるように、ということですか？」

醍醐が目を細めて吐き捨てる。何でこんなに敵意を丸出しにするのだろう、と私は首を捻った。「ミリタリー系ファッション」という言葉があるぐらいで、最近の服装としては珍しくも何ともないのだが、それが彼には理解できない様子である。ミリタリー系のウエアを着る人間は全員好戦主義者、とでも思っているのかもしれない。

「ま、今回はこのタグも役に立ってないわけですけどね」醍醐が皮肉に言って、ビニール袋の上からネックレスを突いた。

「まだ分からないぞ。科捜研の分析能力は馬鹿にできない」

「そうですね……期待して待ちますか」

急に何かが頭の中に流れこんできた。どこかで見た……違う。愛美と一緒だ。何か、書類の中で見たような物。行方不明者の持ち物？　たぶんそうだ。

「高城さん？」醍醐が心配そうに声をかけてきた。「どうかしましたか」

「あ、いや……」私は喉仏の辺りに手刀を当てた。「ここまで出かかってるんだが」

「有名な高城の勘の発動ですか？」醍醐がにやりと笑う。

「そうじゃない。記憶力が怪しくなってるんだ」私は首を振った。「昔はすぐに出てきたんだが」

思い出そうと続ける無言の行を邪魔するように、舞が甲高《かんだか》い声を上げた。いつの間にか立ち上がって、私たちの横に来ている。

「あのお、思い出したんですけど」例によって語尾を引きずるような話し方。かすかな頭痛を覚え、私は額を揉んだ。

「何だ」

「さっきの件なんですけど、藤島憲《ふじしまけん》じゃないですか」

「それだ」一気に記憶が奔流《ほんりゅう》となって流れ、私は思わず大声を出してしまった。「何で分かった」

「そのネックレスですよ」

「ああ。被害者の唯一の持ち物らしいんだが」

「藤島憲の持ち物リストに、ネックレスがありましたよ」

私はリストを引っ張り出し、データを照会した。間違いない。「ネックレス一点」の記載がある。しかし、よりによって昨日の話ではないか。夕方報告を受けた話なので、簡単に報告書を読んだだけだが……自分で直接相談を受けていれば記憶も鮮明だったはずだ、と悔いる。藤島の件で家族の相談を受けたのは……舞だ。まったく、もっと早く思い出せ。しかし彼女は、何故か肝心のポイントにいることが多い。今回だって、たまたまネックレスが失踪課に持ちこまれたときそこにいて、昨日のデータと合致させたのだから。

それを意識してやっていないのは、凄いことなのか、それともただの偶然なのか。

藤島憲に関するデータに改めて目を通す。特異ケースを意味する「赤丸」はついていなかった。つけてもよかったのだが……職業が普通ではないのだ。藤島憲、作家。データベースの分類上は「著名人」に当たるケースである。名の知れたタレントやスポーツ選手だったら、即座に赤丸をつけて捜査に乗り出すところだ。

出身地の横須賀《よこすか》に住む妹と担当編集者が揃って失踪課に現れたのは、昨日の午後だった。応対に出たのは舞と森田である。あの二人に任せてしまったのは失敗だった、と悔いる。まともに事情聴取できたのだろうか。もちろん、別件でばたついていてフォローできなかった私にも責任はある。わざわざここまで訊ねて来るほど切羽詰まっている相談者に対しては、応対した人間から後で必ず事情を聞くようにしているのだが、昨日はそれをしなかった。

藤島は、一週間ほど前から連絡が取れなくなっていた。原稿の締め切りをすっぽかし、電話にも出ない。いつもならすぐに返信があるメールも途絶えてしまった上に、家を訪ねると契約を解除して出て行った、という話である。それで仰天した編集者が妹に相談し、昨日一緒に相談に訪れていた。

三十五歳。身長約百七十センチ、体重約七十キロ——体重は、編集者に「最近太った」

と零していたことから明らかになった。遺体の特徴とほぼ合致する。何よりはっきりした共通点は、肌身離さず身につけていたというネックレスである。純銀製で、デビュー作となる文学賞を受賞した時に、賞金で買ったものだという。「この新鮮な気持ちを常に忘れないために」という話だった。ドッグタグには自分の名前を彫りこんでいたはずだ、という証言もある。

当たりだな、という感触を得た。その感触を強化するために、舞と森田に事情を聴くことにした。相談者のために使う面談室に二人を誘い、デスクを挟んで向き合う。

「届け出てきたのは妹の……饗庭紗江子《あえばさえこ》と編集者の井村《いむら》。この二人だな」

「ええ」森田が答えた。舞はつまらなそうに髪を指で回している。「主に井村さんが話していました。井村さんが困って妹さんに相談して、一緒にここに来たんです」

「状況は？　連絡が取れなくなった、としかないけど」

森田が首をすくめた。叱責《しっせき》されていると思ったのかもしれない。まったく、びくびくしないでもっと自信をもってやればいいのに。これで拳銃《けんじゅう》の腕だけは超一流というのだから、分からない。

「書いてある通りです」舞が代わって答える。「電話もメールも通じなくて。普段反応がいい人だからおかしいって思ったそうです。家を直接訪ねてみたら、もう契約を解除してもぬけの殻になっていたって」

「夜逃げか」

「夜逃げするような理由は考えつきませんけど」

「というと？」

「相当儲《もう》けてるはずですよ」それが犯罪でもあるかのように、舞がしかめ面《つら》をした。

「俺は、この藤島という人を知らないんだけど、そんなに売れてるのか」

「有名ですよ」

「へえ」

「高城さん、売れてる本ぐらいチェックしないと。社会常識じゃないですか」舞が鼻で笑ってつけ加える。「どこの本屋でもコーナーができてます」

「ジャンルは？」

「ミステリ」

「それは、興味ないな」私は首を振った。「こっちは実際に事件を扱ってるんだぜ」

「私は読んだこと、ありますよ」

「ほう」

「私が本を読んだら変ですか」舞がむっとして言った。

「そうじゃなくて、君はミステリを読むようなタイプに見えないだけだ……とにかく、売れっ子だったのは間違いないんだな？　金銭的な問題が動機になって夜逃げするような理由はない、と」

「部屋には何もありません」珍しく森田が割りこんできた。「昨日の夕方、見せてもらったんですけど、まったく何も残っていないんです」

「で、引っ越し先は分からないわけだ」

「引っ越したんじゃなくて、失踪でしょう」舞が訂正する。「だからここへ相談に来たわけだし」

「動機は？」

「分かりません」舞が首を振った。「仕事は順調で、二年先まで予定が入っていたそうです。今まで一度も締め切りに遅れたことはないし、『書けない』って悩んでいた様子もない。失踪するような動機はまったく思いつかない、ということでした」

「取り敢えず、ここに来た編集者にもう一度会ってみるか。普段つき合いがあるんだから、家族よりも事情を知ってるんじゃないかな」

「だと思いますけど」

「了解。それで、捜査はほとんど進んでなかったんだな」届け出があったのが昨日で、今日は朝からリストの件でばたついていたのだから当たり前だが。「感触としてはどうなんだ」

「嫌になって出て行ったんじゃないですか」舞が言った。

「仕事が?」

「もしかしたら人生が」

「順調にやってたって言ってたじゃないか」

「傍《はた》から見て順調でも、本人はそう思ってないこともあるでしょう?　あまりにも忙しくて嫌になってしまったとか。お金はあるはずだから、逃げ出しても生活には困らないはずですよね」

「どうして金に困ってないって分かるんだ」

「儲けてたから」

「だから」私はボールペンでデスクを叩いた。話がぐるぐる回って最初に戻った。「どうして儲けてたって分かるんだ」

「だって実際、売れてますから。前に新聞の広告で『百万部突破』なんて出てたはずですよ。どの本かは忘れたけど、それだけ売れてれば、銀行の預金残高を心配する必要はないんじゃないですか」

「なるほどね」刑事には縁のない世界である。私は書類をまとめて立ち上がった。「じゃあ、俺はまずその編集者と会ってみる。二人は引き続き、リストのチェック作業を続けてくれ」

「藤島憲で決まりじゃないんですか」舞が不満そうに頬を膨らませた。もう、そういうことをして許される年でもないのだが。

「まだ分からない。確定するまでは、他の可能性も捨てちゃいけない」

「分かりました」溜息をつきながら舞が答える。

硬い雰囲気を残したまま、二人との面談は終わった。舞がさっさと部屋を出て行った後で森田を摑まえ、さらに話を聞く。

「ちゃんと面談して、家まで見ておいて、これしか情報がないのはまずいな」

「すいません」びくりとして、森田が頭を下げる。

「謝ることはないけど、もう少し突っこんでみてもよかったんじゃないか。特異ケースにしてもおかしくないし、判断できなければ俺に相談してくれればよかったんだ」

これは私のミスでもある。捜査に進展があった時にだけ報告すること、というのが、私が敷いたルールだ。できるだけ刑事たちの手を縛りたくなかったから。それが今回は裏目に出たと言えるだろう。もう少し早い段階で相談してくれていたら、さらに詳しく調べるように指示していたと思う。相手は作家。売れっ子なら、社会的な立場のある人間だと言っていいだろう。行方不明になれば、影響を受ける人も少なくないはずだ。

「一つ、頼めるかな」

「はい」

「銀行口座やカードの方を洗ってくれ。何か分かるかもしれない」

「分からないことがあったら、オヤジさんに聞いてみろ」法月は銀行関係に強いコネを持っている。

「分かりました」

「じゃ、その辺をよろしく」

「はい」

一礼して森田が出て行った。もう少し積極的な反応が欲しいのだが……何とか上手い方向へ持っていってやりたいが、この男は端《はな》から対話を拒否するような雰囲気がある。人との接触をできるだけ少なくする……その行為にどんな意味があるのだろうか。ある意味、引きこもっていた七年間の私と同じだ。その七年間で私が学んだことは、一つもない。

「禁煙」のプレートを見ながら煙草をくわえる。駐車場にある喫煙場所で一服したら、戦闘開始だ。


井村は不機嫌だった。午後三時。彼の勤める出版社がある神保町の喫茶店で落ち合ったのだが、たった今眠りから引き出されたように、目をしばしばさせている。欠伸を隠すために、口元に手を持っていこうともしなかった。電話をかけた一時間前は、もっと眠そうだったのだが。

「なかなかいい喫茶店ですね」いきなり本題に入るよりはと、私は適当な話題を振った。

「ああ、昔の喫茶店はこういう感じでしたよね。気取ったカフェなんかじゃなくて」ぼんやりした口調で井村が答える。外はJR御茶ノ水駅から続く賑《にぎ》やかな通りなのだが、雑居ビルの狭く急な階段を上がった二階にあるこの店には、喧騒《けんそう》は届かない。長いカウンター、窓際には分厚く巨大な木のテーブル。落ち着いたクラシックのBGM。コーヒーも美味かったが、私としては煙草を自由に吸えるのが何よりもありがたかった。今時こんな店は珍しい。

井村がぼうっとした様子で煙草を吹かす。濃紺のシャツにカーキ色のコットンパンツ、それにクリーム色のジャケットを合わせていた。隣の椅子の背に、艶々輝くナイロン地のコートを引っかけている。

「もしかしたら徹夜明けですか」

「あ？　ええ、まあ」

「私もあまり寝てないんですよ」ほとんど疲れは感じていなかったが。失踪課のソファは、私には最高のベッドなのだ。「しかし、お若いのにだらしないな」

「そんなに若くないですよ。もうすぐ四十ですから」

「それでも私よりはずいぶん若い」

「そうですか……何だか、警察の人と会う時は、ろくなことがないんですよね」井村が両手で顔を擦《こす》る。

「警察の取材もしてたんですか」

「そういうこともありましたけど、それ以外でね……」

「逮捕されたとか？」

「違いますよ」苦笑を浮かべて煙草に火を点ける。私たちのふかす煙草の煙が、明るい店内を白く染めた。「ところであなた、鳴沢《なるさわ》さんをご存じじゃないですか。鳴沢了《りょう》さん」

「ああ、名前だけは」あまりいい評判は聞かない。どういう事情か、新潟県警を辞めて警視庁に入り直した男。独断専行、単独捜査が好きな人間だという評判は私の耳にも入っている。触れるもの全てが黄金に変わるというミダス王を引き合いに出す人間もいた。何でもない事件に手を突っこんで、いつの間にか大騒ぎにしてしまうのだ、と。「鉛筆を電柱に変えてしまう男」という揶揄《やゆ》も聞く。幸いなことに、私は一緒に仕事をしたことがない。今後もそういう状況は避けたいと思わせる男だ。

「彼とはいろいろありましてね」

「トラブル？」

「いや、そういうわけじゃなくて、ちょっと情報提供をね……搾《しぼ》り取《と》られたって言った方がいいかもしれないけど」

「そういうタイプだっていう評判は聞いてます。安心して下さい。私は違いますから」笑顔で緊張を解しておいてから、本題に切りこんだ。「藤島憲さんのことなんですけど」

「はい」いきなり井村の表情から緩みが消えた。仕事モードというべきなのだろうか、緊張感が全身を支配する。

「あなたは昨日、失踪課に相談に来られましたね。最終的には妹さんが届けを出すことになった」

「見つかったんですか？」口調は完全に仕事用の真面目なものに変わっていた。

「見つかった、と断言できる状態ではありません」

「何ですか、それ」神経質そうに煙草を灰皿に打ちつける。「どうしてそういうもったいぶった言い方をするんですかね、警察の人は」

「事情がはっきりしていないからですよ」

「分からないな」忙しなく煙草を吸い、煙を通して私を睨《にら》みつける。「警察の人は、もっとはっきり物を言うと思ってました」

「亡くなった、かもしれません」

「はい？」

「亡くなったかもしれません」

繰り返すと、彼は完全に固まった。指先から立ち上る煙さえ、まったく揺らがず真っ直ぐ天井を目指していく。

「それはどういう……」辛うじて搾り出した言葉は震え、彼が受けた衝撃の大きさを自然に物語った。

「昨夜、渋谷駅の近くでスナックが火事になりました。そこで発見された遺体の一つが、藤島さんと特徴が合致するんです。ある程度、ですが」

「まさか、そんな……」

「まだ確定したわけではありません。遺体は損傷がひどいですから、あなたやご家族が見ても確認できないかもしれません」

「焼死なんですか」

「違います」

「でも、火事だって……」

「火災が発生する前に、刺殺されていた可能性があります」

「刺殺……」

「刺し殺されていた、ということです」私は声を潜めた。

「何てこった」呆然《ぼうぜん》として、井村がテーブルに両手をついた。短くなった煙草から煙が立ち上り、静かに時が固まる。ようやく言葉を発したが、ほとんど聞き取れないほどかすれていた。「もしもそうだとしたら……大変なことです」

「その通りです。あなたから聴いた話の中に……」情報は全て頭に入っているが、私はわざとらしく手帳をめくった。きちんと確認している、と相手に納得させるための動作。

「ネックレスの件がありましたね。いつも身につけているもの、と聞いています」

「はい」井村の喉仏が上下した。

「半分溶けている状態なので断言はできませんが、特徴は似ています。分析すれば、もう少しはっきりしたことが言えるかもしれません。それで、あなたにお願いなんですが……」

「行かないといけないようですね」深く溜息をつき、井村がフィルターの近くまで燃えた煙草を灰皿に押しつけた。「まさか、こんなことになるとはね」

「先ほども言いましたけど、遺体を見てもらっても確認できる保証はありません。取り敢えず、ネックレスを見てもらえますか」

「気を遣ってもらってるのかもしれませんけど、遺体を見るのは平気ですよ」井村が唇を歪めるように笑った。「こういう仕事をしていると、そういう機会もありましたから」

「小説の編集者が？」

「週刊誌の編集部にいたこともあるんです。そういう仕事だと、事件や事故の取材は避けられませんからね」新しい煙草を引き抜き、指の間で揺らす。「まあ、見ないで済めば、それに越したことはないけど」

「分かりました。その他にも、少し知恵をお借りしたいことがあります」

「何ですか」

「身元を確認するための方法ですよ。血液型は合致したようですが、それじゃ決定打にはならない。DNAを調べるしかないんですが、比較するものがないと無理です」

「そういうことですか」井村が首を振った。「ちょっと、今は頭が働かないな。後で考えましょう。行く前に、何本か電話をかけさせてもらっていいですか？　会社に連絡しないといけないし、他の社の編集者にも……何人かいた方が、知恵も出るんじゃないですか」

「藤島さんを担当していた人って、何人ぐらいいるんですか」

「各社で常時つき合いがあったのは、七人……八人ぐらいかな。そういう連中には、もう藤島さんが行方不明だということは伝わっていますから。協力してくれると思います」

「藤島さんがドル箱だから？」

井村が腫《は》れぼったい目を細めて私を凝視した。テーブルに視線を落とし、私の名刺を確認する。

「あのですね、高城さん、仕事の仲間が行方不明になったらどうしますか？　捜す動機は何ですか。他の人間に負担が行くと困るから？　違うでしょう」

「失礼」私は拳の中に咳をした。「口が滑りました」

「ちょっと失礼します」煙草とライターを乱暴にシャツの胸ポケットに押しこみ、井村が店を出て行った。コートと重たそうなトートバッグは置きっ放しだから、逃げるつもりはないだろう。窓から外を見ると、歩道に出た彼が身振り手振りを交えながら話しているのが見えた。しばらくうろつき回っていたが、やがて歩道と車道を分ける鉄柵に腰を下ろし、うなだれながら静かに会話を続ける。こんなところで善後策を話し合っていても何にもならないのだが……長くなりそうだと思い、私は寂しげな彼の姿を目に入れながら、煙草に火を点けた。

4

井村は遺体を見ても冷静だったが、やはり身元を確認することはできなかった。皮膚《ひふ》が焼けただれ、脂肪が落ちて一部骨が露出しているような遺体の顔から、生前の姿を頭の中で復活させるのは不可能である。それにこちらが余計なことを言えば、誘導尋問になってしまう。

私は彼を面談室に導き、コーヒーを用意した。ここではいい粉を使っている、というのが真弓の自慢である。相談に来た人を落ち着かせるようにと、什器《じゅうき》類も警察らしからぬポップな色遣いでまとめられていた。デスクは白い木製。椅子は座面がベージュ、背もたれが薄いオレンジ色で、コーヒーサーバーなどが載るキッチンワゴンは、スチールと黄色い合板を組み合わせたものだ。三方向がガラス張りで、駐車場に面した窓からは常に陽光が入りこんでくる。ただし今日は、今にも雪がちらつきそうな曇天《どんてん》なので、外光はほとんどなかった。

井村がかすかに震える手でカップを持ち上げ、コーヒーを一口飲んだ。そっと溜息をついて目を閉じる。ドアをノックする音に、びくりと体を震わせた。相当緊張を強《し》いたのだと申し訳なく思いながら、私はドアを開けた。醍醐がうなずき、ネックレスの入ったビニール袋を手渡す。

デスクに置くと、井村が少し身を引いた。遠視なのかとも思ったが、藤島の記憶につながるものを避けようとしているのかもしれない。

「外に出さなければ、触っても大丈夫ですよ」

「いや、遠慮しておきます」両手を膝に揃えたまま、井村が身を乗り出す。しばらくネックレスを凝視していた。その間ずっと息を止めていたようで、顔を上げた瞬間に細くゆっくりと吐いた。

「どうですか」

「こういうもの、どれぐらい大量に作られるんでしょうね」井村が首を傾げた。

「どうかな。メーカーによって違うと思いますけど」

「藤島さんがしていたのは、結構高いものだったはずですよ。五十万、だったかな」

「そんなに高いんですか？　宝石を使っている様子もないけど」

「この、チェーン部分なんですけどね」井村が指先をネックレスに近づけた。ビニール袋に触れないように、ほんの数ミリの間隔を保って指を止める。「ただのリングじゃないんです。細かい模様が彫りこんであるでしょう？　こういう技術で、値段が吊り上がるそうです」

「米粒にお経を書くようなものかな」私はネックレスに顔を近づけた。確かに。最初に見た時は単なるリングの連なりだと思っていたのだが、実際には幅二ミリほどの輪の側面に、細かい模様──花らしい──が彫りこまれている。ひっくり返して、タグの表側を見せた。

「ああ……そうかもしれません」井村が唾《つば》を呑んだ。

「こういうのには、名前を入れることも多いですよね」

「藤島さんのには、入ってましたね。この状態じゃ分からないけど。でも、下の方に穴が開いてるでしょう？」

「確かに」歪んだ穴で、しかも溶けて半分埋まっている。元々の形は想像しようもない。

「小さな十字型に穴が開いてたんです。それが溶けて、こんな具合になったのかもしれません。元の形とは全然違うけど、位置はこの辺りだったと思います」

「ずいぶん記憶が鮮明ですね」

「だって、これを一緒に買いに行ったのは私ですから」

「なるほど」舞たちの情報には具体的な記述はなかったが、二人のつき合いはかなり長いわけだ。「藤島さんが受賞作の賞金で買ったものですよね。何年前ですか」

「かれこれ八年前」

藤島が二十七歳の時か……ずいぶん若い気がするが、作家のデビューはこれぐらいが普通なのだろうか。

「新鮮な気持ちを常に忘れないように、ということだったと聞いています」

「その通りですね。一種のお守りみたいなものですよ」

「彼の経歴を簡単に教えてもらえますか」

「そんなもの、ネットで拾えますよ。有名人だから」井村が鼻を鳴らした。精神的に疲れ切っており、ぞんざいな言葉遣いを改める余裕すらないようだった。

「ネットには嘘や思いこみも多いでしょう。つき合いの長いあなたなら、正確なところが分かるんじゃないですか」

コーヒーを一口含み、一拍置いてから井村が話し始めた。

「藤島さんには長い修業時代がありましてね。大学を出て働きながら、ひたすら小説を書いていたんです。その頃は純文学志望で、何度も賞に応募しては落ちてを繰り返し……やっと賞を取ってデビューにこぎつけたのが、八年前だったんです。二十七歳の時でした」

井村がバッグから一冊の文庫本を取り出した。かなり古いもので、本全体がへたっている。装丁は深い青をベースにしており、ごく細い、頼りないと言っていいフォントでタイトルが記してある。『空と』。

「何だか珍しいタイトルですね」

「このまま出すかどうかで結構揉めましたよ」井村の顔に優しげな笑みが浮かんだ。揉めたことすら、懐かしい想い出になっているようだった。「賞の選考の時と実際に出版される時でタイトルが変わるのは、よくあることなんです。作家さんには、自分がつけたタイトルに思い入れがあるけど、売るためにはインパクトがあって、しかも中身をちゃんと要約したようなタイトルじゃないと」

「これは？」

「最初に藤島さんがつけたままです」

「ちょっと失礼」

文庫を手に取り、裏返す。極めて簡単な粗筋が帯に記載されていた。大手家電メーカーに勤める主人公が地方の工場に左遷《させん》され、そこで働く日系ブラジル人の若者と触れ合うことで、左遷で生じた心の痛みが癒《いや》されていく。ところが些細《ささい》な出来事で友情が憎しみに変化し、ついには青年を殺してしまう……触手が動く感じではなかった。題材は殺人であっても、基本的には地味な日常が淡々と綴《つづ》られるような内容ではないか。

「これで彼は売れっ子になったんですか」

「いや、全然」他人事《ひとごと》のように井村が言った。「小説を書く力はありましたよ。これだっていい本です。ただ、いかんせん地味だった。それに問題だったのは、藤島さん自身の体験がかなり入っていることです。会社の様子にリアリティがあるのは、そのせいなんですよ。それが会社にも知れることになって、藤島さんは二者択一を迫られたんです」

「会社と小説、どっちかをやめろと？」

「ええ。藤島さんは小説を取りましたけどね。私は止めたんだけど……何か他に上手い方法があるはずだって」

「でも、小説で食べていけるようになったんだから、藤島さんにすれば夢が叶《かな》ったわけじゃないですか。会社に固執する意味はないでしょう」

「小説で食べていくのがどれほど大変か、ご存じですか」挑発するような口調で井村が言った。「実際にはほとんど不可能なんです。今の日本で、作家専業の人なんて、百人もいないんじゃないかな。普通の人たちは、何か仕事をしながら書いてるんです。そうじゃなければ、誰か食べさせてくれる人がいるとか、親の遺産があるとか」

「そんなに厳しいんですか」

「そりゃそうですよ。本一冊書いて、いくらになると思います？　雀の涙ですよ。文芸誌に短篇が一本掲載されても、普通に働く一月分の給料にもならない。だから、作家専業になる思い切り——度胸と言った方がいいでしょうね——のある人なんて、ほとんどいないんです」

「何か、業界の構造的な問題のような気もしますけど」

「昔からこうなんですけど、特に最近は不況ですからね」井村が溜息をついた。「本が売れなくなってるのは否定できません。たまに大ヒット作品が出て目立ちますけど、それは他の本が売れていないことの裏返しですから」

「じゃあ、藤島さんは相当苦労したんですね？　賞の賞金と、この本を一冊出しての……印税ですか？　それで食いつなぐのは難しかったでしょう」

「仰《おっしゃ》る通りでね。あの賞はうちの社が主催しているし、私は個人的に藤島さんを買っていたから、仕事は積極的に回すようにしていました。でも残念ながら、小説っていうのはそんなに量産できるものじゃないんですね。しかも売れないと、他の会社は『使ってみよう』という気にはならない。残念ですけど、それが現実なんです。売れないために、優秀な作家さんがどれだけ消えていったか……いい小説と売れる小説は別だったりしますしね」

「私は、藤島さんは売れっ子だと聞いているんですけどね」どこかで話が食い違っている、と思った。

「それは変身後の姿です」

「変身？」

「藤島さん、生活も苦しかったし、書く方でも行き詰まってましてね。それで私は、思い切って方向転換したらどうだって勧めたんですよ。藤島さんが文芸誌に書いていた短篇で、犯罪物……そういうくくりはまずいか、とにかく犯罪者を主人公にした作品が何篇かあったんですけど、これが妙な迫力でしてね。だからその線を生かして、思い切ってミステリを書いてみたらどうだって。言ってみてどうかな、と思ったんだけど、吹っ切れたように凄い勢いで書いてきましてね。小説の持つ力が全然違いました。それが当たったんです。最初の一冊を出すまでは大変でしたけど、一度当たればそれ以降は、雪崩《なだれ》みたいなものでしたよ。犯罪者が主人公で、ちょっとダークな感じが、独特のカラーになって受けたんでしょうね。それからですよ、藤島さんが本当に小説だけで食べていけるようになったのは」

「そうですか……いろいろ苦労してたんだ」

「作家さんは皆そうですけど、とにかく売れてよかったです。藤島さんも乗って書いてくれてましたし。要するに藤島さんの場合、書くジャンルが間違っていただけなんです。卓越した発想力や文章力があっても、苦手なジャンルを無理に書いているせいで失敗している人は結構多いんですよ。特に純文系の作家さんには多いかな。純文でもエンタメでも、人間の深い部分に辿《たど》り着こうという努力は同じなのに、エンタメを純文の下に見るような人が今でもいるんですよね」

その辺の議論は、私には最も苦手な部分だった。首を振って話題を切り替える。

「藤島さんは家を引き払っていたという話ですが、他に仕事場はなかったんですか」

「ないです。家の他に仕事場を持てるようになるには、もう一段階上がらないと。東京の家は高いですからね」

「家を買うほどは儲けてなかったわけですか」

「そういうわけでもないと思います。彼の年収は、だいたい想像がつくんですよ。本が何万部出ているかは分かるし、そこから印税収入も計算できますから。今までの儲けで、山手線の内側に一戸建ての二軒ぐらいは買えていたはずです。でも藤島さんは、貧乏暮らしをしている時期が長かったから、慎重になってたんでしょうね。家を買うのはまだ先だって言ってましたよ。できるだけ余裕を作りたかったんでしょう」

「なるほど……住んでいた家を引き払ってしまったのは痛いですね。生活の場所からは、DNA鑑定に使える材料が採取しやすいんです。ブラシや歯ブラシとか、ね。もう一度、部屋を徹底的に調べてみるつもりではいますが、何か思い出したら協力して下さい」

「ええ。でも、DNAに関しては無理かもしれませんよ」

「どうして」

「藤島さん、異常に几帳面《きちょうめん》な人だったんです。潔癖症と言ってもいいぐらいで。家には塵《ちり》一つ落ちてませんでしたからね。仕事中もずっと、自動掃除機を動かしてたぐらいで」

「自動掃除機？」

「一種のロボットなんですけど」井村が両手で大きな円を作って見せた。「直径三十センチぐらいで、スイッチを入れて放っておけば、床をずっと勝手に掃除してるんです。それを一日二回は動かすと言ってましたね。それ以外にも、毎日自分で床を磨《みが》いてたし……風呂もトイレも、ホテル並みにぴかぴかでしたよ。普通の人はそこまではやらないでしょう」

「そうですか」そもそも引っ越しが終わったら、業者を入れて徹底的にクリーニングをしているはずだ。部屋から何か見つかる可能性は低い。

「これは、うちの刑事がもう聴いたことだと思いますけど、もう一度確認させてもらっていいですか」

「どうぞ」

「藤島さんが失踪する動機、何か思いつきませんか」

「それが全然分からないから困ってるんじゃないですか」井村の顔に困惑が広がった。

「仕事は相当詰まってましたけど、それで悩んでいた様子はなかったですからね。『大変だ』っていつも零してましたけど、基本的には笑ってました。忙しさを楽しんでたんじゃないかと思います」

「私生活の面では？　女性問題とか」

「それは聞いたことがないですね。部屋にはしょっちゅう行ってましたけど、女性の影は感じられませんでした。そういうの、何となく分かるものでしょう？　女性が来てる部屋には、それっぽい感じがするというか」

「そうですね」私はボールペンの尻で顎を突いた。失踪する理由が見つからないのに失踪……こういう場合、一つの可能性が浮上する。

藤島は事件に巻きこまれた。実際、あの焼死体が藤島なら、まさにそういうことになる。背中を刺され、火の中で死んでいったとすれば、事件以外の何物でもない。しかしそう断言するには、一つだけ大きな問題点があった。

藤島の家は、焼けた「ブルー」からさほど離れていないのだ。歩いて十分ほどだろうか。自ら身を隠そうとする場合、元の居場所からできるだけ遠く離れようとするのが常である。都会にいた方が目立たないのは間違いないのだが、同じ東京にいるにしても、渋谷ではなく新宿《しんじゅく》や池袋《いけぶくろ》に拠点を移そうと考えるのが普通ではないか。家を完全に引き払ってしまった後に、相変わらず渋谷の街をうろついているとしたら、「見つけて下さい」と言わんばかりである。本気で失踪したい人間は、そんなことはしない。

「藤島さん、お酒はどうでしたか？」

「人並み、じゃないですかね。昔はよく、愚痴を聞きながら一晩中呑んでたこともありましたけど、最近は控《ひか》えていたみたいですよ。仕事に差し障るからって。自分を律することのできる人なんです」

「行きつけの呑み屋なんかは？」

「どうでしょう。そもそも最近は、あまり行ってなかったんじゃないかな」

「他につき合いのある人はどうですか？　作家仲間とか」

「少なかったと思いますよ。基本的に藤島さんは、原稿を書くのに追われて、遊んでる暇がなかったし」

「前の会社や、大学時代の友人関係はどうでしょう」

「それこそ、私には分からない世界ですね」井村が首を捻る。「残念だけど、他の編集者も同じようなものでしょうね。基本的に、藤島さんは私生活についてあまり喋らない人だから」

「火災現場のスナック、『ブルー』なんですけど、彼はその店へ行ったことはあるんですか」

「そういう名前の店は、記憶にありません」

この場で、これ以上井村から聞き出せそうな情報はなかった。丁寧に礼をいい、外まで送っていく。既に夕闇が迫り、明治《めいじ》通りから冷たい風が吹きつけてきて、井村が思わず首をすくめた。階段を一歩下りたところで脚を止め、「あ」と短い声を上げて振り返る。

「どうしました？」私は大声で訊ねた。渋谷中央署は明治通りと青山《あおやま》通りの交差点に建っている。都内でも屈指の交通量がある場所で、声を張り上げないとまともに会話ができなかった。

「家族の方はどうするんですか？　この件、もう伝えたんですか」体を捻ったまま、井村が私をじっと見た。顔色は悪い。先ほど見た遺体の様子を思い出しているのだろう。

「いや、まだ連絡していません。あの遺体を見せるわけにはいかないし、他の証拠でもっと確実になってからでしょうね。ですからあなたも、話さないようにして下さい。嫌われ役は、我々が引き受けますから」

「分かりました」安堵の笑みを浮かべ、井村が一礼する。

嫌われ役……考えただけでも気が重い。遺族に死を告げる仕事、これだけは何回やっても慣れるものではない。


「リストはほぼ潰し終えた。残りは十五件だ。こうなってくると、ここに何かある可能性は低いな」法月が首を曲げて肩を叩きながら報告した。

「お疲れ様でした」私は自然に頭を下げた。「取り敢えず、身元不明の遺体は藤島憲の可能性が高い、という方向で捜査を進めます」

「そこまで分かってるなら、もう捜査本部に引き渡した方がいいわよ」珍しく室長室から出て、私たちの輪に加わっていた真弓が言った。「ある程度の目処《めど》がついたら、そこから先は事件の担当者に渡すのが筋だわ」

「そうですね」逆らわずに私は同意した。最初からこの件は「手伝い」なのだし、いつまでも長野と係わり合うのも疲れそうだった。動きがある時ならいいのだが……それでも真弓は、捜査本部に十分恩を売ったと考えるだろう。唯一私の頭に引っかかっているのは、愛美の存在だった。彼女のために、という気持ちがあったのに、このまま手放したら中途半端で終わってしまう。

「すいません……」消え入りそうな声で森田が言った。「あの、銀行の件なんですけど」

「ああ、どうだった？」森田が珍しく積極的に——声は小さかったが——手を上げたので、私は軽い驚きを覚えていた。森田が手帳片手に立ち上がる。

「口座は全て解約されていました」

「なるほど」当然だろう。当面の逃走・生活資金が必要だ。

「全額引き下ろして……額は五千万円を超えていました」

私は思わず口笛を吹きそうになった。井村の言葉を思い出す。「藤島さんは慎重になってたんでしょう」「家を買うのはまだ先だって言ってました」。安定した生活のために、必死に金を貯めていたということなのだろう。

「それと、カードも解約されてました」

「何だって？」

「クレジットカードです」

意味が分からない……わけではない。銀行口座を解約すれば、どんなカードもただのゴミになる。この状況が新たな謎《なぞ》を呼んだ。

「つまり藤島は、五千万円もの現金を抱えてうろうろしていたわけか？」過去形で喋ってしまったことにすぐ気づいた。まるであの焼死体が藤島だと断定されたかのように。一瞬首を振って続ける。「そこまで徹底して、足がつかないようにしていた理由は何だ？」

「まあまあ」法月が割って入る。「五千万だろう？　大きいバッグに入れれば、十分持ち歩けるよ。だいたい五キロ、積み重ねれば五十センチぐらいかな。上手く詰めれば、難しくはない」

「そんなもの持って、うろうろできないでしょう。特に電車なんか、怖くて乗れませんよ」藤島は車を持っていないということだった。

「どこかに隠れてるかもしれないじゃないか。他の銀行に口座を開いたかもしれないし、貸金庫を使ってる可能性もある。いずれにせよ、五千万あれば、五年や十年は楽に潜伏していられるぞ」

「でも、死んだんじゃないんですか」

醍醐の一言が、その場の空気を凍りつかせた。失言だと思ったのかもしれない、いきなり思い切り頭を下げて「すいません」と謝った。

「謝ることじゃない」私は彼に向かって小さな笑みを浮かべて見せた。「ただ、筋が通らないことが幾つもあるんだよな……」

「それも含めて、後は捜査本部に任せましょう」その場の議論を打ち切るように、真弓が両手を叩き合わせた。「高城君、今の情報は長野君に伝えておいて。それで今日は解散にしましょう。昨夜は遅かったんだから、早く引き上げて」

了解しました、と口の中でもごもごとつぶやく。ひどく中途半端な気分だった。謎と矛《む》盾《じゅん》が多過ぎる。この状態で手放すわけには……真弓がこちらをじっと見ているのに気づく。余計なことをするな、と無言で警告していた。

黙って引き下がるわけにはいかない。警告が逆に人の心に火を点けることもあると気づいていないとしたら、真弓も管理職としてはまだまだである。

「何ですか、これ」

「暇潰し」

私はベッドサイドのテーブルに文庫本を何冊か置いた。どれも藤島憲の本である。愛美がもぞもぞと体を起こし、一番上の一冊を手に取る。

「ミステリですか」

「そう」

「あまり興味ないですね。入院中に読みたいジャンルでもないし」

「恋愛小説の方がよかったかね。あるいは意表をついて歴史物とか」

「活字を追ってると頭が痛くなるんですよ」愛美が深々と溜息をついた。

「そこは我慢してくれ。これは仕事なんだから」

「仕事?」

「ああ。さすがだな、入院中でも、君はちゃんとポイントを稼いだ」

遺体は藤島の可能性が高い、と説明した。消灯時間まではまだ間があり、他の入院患者もいるので顔を近づけて声を潜める格好になったが。

「もうちょっとはっきり思い出しておけばよかったですね」色のない唇を愛美が噛んだ。

「書類は見てたはずなのに」

「俺は思い出しもしなかったよ。最初に応対したのが六条と森田だったし……」

「ああ」愛美の唇が皮肉に歪んだ。「零れなかっただけ、よしとしましょうか」

「そういうことだ。とにかく、藤島の本を持ってきたから、読んで研究してみてくれないか」

「本を読んでも、書いた人の性格までは分からないでしょう」

「そこは一つ、頑張ってくれよ」

「相変わらず無理矢理ですね」愛美が唇の端を小さく持ち上げた。

「で？　どれぐらいで退院できそうなんだ」

「分かりません。なかなか頭痛が引かないんです。大した痛みじゃないんですけど」

「午後のＣＴの検査、問題はなかったんだろう？」

「ええ」

「頭痛がするなら、鎮痛剤を貰えばいいじゃないか。ここは病院だぜ？　薬なら売るほどあるはずだ」

「頭がぼうっとするんですよ。高城さんみたいに呑み慣れてるわけじゃないですから」

皮肉をやり過ごし、積み重ねた本をぽん、と叩いた。確かに私は、健康を気にする人間がビタミン剤を常用するように頭痛薬を呑むが、好きでやっているわけではない。頭痛は長年の友なのだ。敵と呼ぶべきかもしれないが。

「ま、ゆっくりしてくれ。たまにはまとめて本を読むのもいいもんだぞ」

「高城さんに言われたくないですよ。本なんか全然読まないでしょう」

「俺はいいんだ」立ち上がると、腰と膝が悲鳴を上げる。ソファで寝てしまったのが、今になって効いてきたようだ。「それと……ありがとうな」

愛美が目を見開く。礼を言ったのは初めてではないが、まるで驚天動地の出来事が起きたような反応だ。もう少し素直に、柔らかい笑顔でも浮かべて小さくうなずくだけでいいのだが。

彼女も、学ばなければならないことは多い。刑事としてだけでなく、人として。

「高城さん、この件、これからどうするんですか」

「一課に引き渡すように、室長には言われたよ」

「そんな命令に従うつもりじゃないでしょうね」

「けしかけるな」苦笑しながら私は病室を出た。


一晩帰らなかった家は、どこか黴臭《かびくさ》かった。離婚して以来ずっと一人で住んでいる部屋で、ろくに掃除もしていないのだから当然だが……シャワーを浴びてからラジオをかけ、灯《あか》りを落とす。テレビがないので、家にいる時の暇潰しはラジオが中心だ。特にお気に入りの番組があるわけではなく、DJが煩《うるさ》く喋らないFMの音楽番組を流しているだけだが。今夜はクラシックの番組で、特集は現代音楽。複雑に錯綜する変拍子と気持ちを不安にさせる不協和音は、夜のBGMには相応《ふさわ》しくないが……いつもの「角」をストレートでゆっくりと呑みながら、出揃った材料を頭の中で整理する。

どう考えてもおかしい。

夕方の捜査本部の様子を思い出す。長野はいきなり私の話に乗ってきた。身元不明の遺体は間違いなく藤島だ、と興奮し、私の背中を二度、強烈に叩いて礼を言ってくれた。彼が大袈裟《おおげさ》なのはいつも通りだが……長野が興奮するのと裏腹に、私は冷めた。たまたま遺体と藤島にいくつか共通点があっただけで、説明できない矛盾点は幾つも残っている。むしろ矛盾だらけと言っていいだろう。

　手帳を取り出してメモを整理した。

　疑問点その一。藤島は何故失踪しようとしたのか。現在の生活を放り出す理由が想像できない。作家という人種が何を考えているかは分からないが、彼は長年の夢をようやく実現したはずだ。原稿の依頼が集中して大変だとしても、それは嬉しい悲鳴ではないだろうか。あるいは本当は、書くネタがなくなってしまったとか。才能の枯渇《こかつ》。作家が最も恐れる事態であることは容易に想像できる。

　疑問点その二。あまりにも徹底し過ぎている。何故、生活の痕跡を全て消さねばならなかったのか。それは普通、追われている人間がすることである。追跡されないように、手がかりになりそうなものを全て抹消するなら理解できるが、今のところ、藤島が誰かに追われていた形跡はない。

　疑問点その三。これが私にとっては一番大きな謎だが、逃げ出したとしたら、どうして家の近くにいたのか。失踪者はしばしば、失踪前と同じような生活を送っていることがある。住む場所が変わっただけで、前と似たような、あるいはまったく同じ仕事をし、よく似たタイプの異性と暮らしているケースを私は何度も見てきた。性癖は変えられないということだろうが、住む場所だけは変える。そうでないと、現状から逃げ出したことにはならないからだ。

疑問点から導き出される仮定。

その一。あの遺体はそもそも藤島ではない。

その二。藤島は何らかの犯罪に巻きこまれ、あのスナックで殺された。

長野はどういう方向で捜査を進めるだろう。まずは何よりも遺体の身元確認だ。遺体の指紋が確認できなかったということは、既に彼から聞いている。となると、頼りになりそうなのはＤＮＡ鑑定だけだ。比較対照する物が見つかるかどうか……望み薄ではないか、と思う。借りていた部屋は当てにならない。しかも故郷を出てから十数年、最近はほとんど帰郷していなかったというから、そちらで何かが見つかるとも思えなかった。

引いてしまってもよかった。この状況では、捜査本部が組織的に動いた方が効率もいいだろう。少人数の失踪課でできることは限られている。

酔いが回ってきた頭の中で、「別にいいではないか」という諦めが募ってくる。やるべきことはやった。手がかりは提供できたのだから、これ以上手を突っこむのは明らかなお節介になる。

それでも何とかしたい、事態がはっきりするまで動きたいという気持ちを消すことはできなかった。一つには、捜査本部を仕切っているのが長野だからということもある。あいつなら、私が手を出してもむしろ歓迎するだろう。もう一つ、愛美の存在があった。彼女が現在、相当なストレスに晒《さら》されているのは想像できる。「謎の端緒」とでもいうべき状況に直面したのに、何も調べられない。自分が手がかりを提供したというだけでは、決して満足できないだろう。彼女のために——そう、そういう動機があってもいい。調べたことを逐次教えれば、愛美も自分が捜査に参加している気になるだろう。人のために何かしてやる。仲間を元気づけてやる。そういう気分になるのは悪いことではあるまい。

そういうことを考えると、何とはなしに照れる。照れ隠しにぐっと呷ったウィスキーはいつもより少しだけ甘かった。

5

軽い二日酔い——つまり私にとってはごく日常的な朝を迎えたが、気を奮い立たせて早目に出勤することにした。一度失踪課に顔を出して出勤のアリバイを作れば、その後は勝手に動き回っても真弓は文句を言わないだろう。長野とも話をしておきたかった。捜査本部ができると、彼はほとんど現場の署に泊まりこむ。忙しくなる前に摑まえれば、ゆっくり情報交換ができるはずだ。

案の定、長野は朝の捜査会議が始まる前から、捜査本部の置かれた会議室に入っていた。刑事たちが三々五々集まって来て、早くも騒々しい雰囲気になっていたのだが、その輪の中心にいてのんびりと朝食を食べている。近くのコンビニエンスストアで仕入れたらしいサンドウィッチとアンパン、牛乳。昔を思い出して、私は思わず頬を緩めた。若い頃、二人で徹夜の張り込みをした後、彼の朝食はいつも同じメニューだった。卵のサンドウィッチとアンパン。よく飽きもせず……指摘して昔を思い出させてやったが、長野は納得できないとでもいうように首を振った。

「同じじゃないよ。最近はコンビニのパンも美味くなったんだぜ」

「いや、そういうことを言ってるんじゃなくて」

「違うのか？」

私は肩をすくめた。事件に関する以外は、微妙に感覚がずれた男である。椅子を引き、下の自動販売機で買った紙コップのコーヒーを二つ、折《お》り畳《たた》み式のテーブルに置いた。長野が新聞から顔も上げず、「悪いな」とだけ言ってカップを引き寄せる。

「マスコミさんはどんな具合だ？」

「朝刊ではもうほとんど書いてない」ばさばさと音を立てて新聞を畳み、長野が短く結論を出した。「昨日の朝刊と夕刊で、取り敢えず書き尽くしたんだろう。遺体の身元が藤島憲だと割れれば、騒ぎになるだろうけどね」

　この情報は、昨日のうちに彼に伝えてある。

「その話、マスコミにはまだ出すなよ」と釘を刺す。

「今の段階じゃ喋れないよ。それに俺は、広報担当者でもないんだから」長野が渋い表情を浮かべた。

「高嶋さんの線はどうなんだ？」私は話題を変えた。「昔の前科の関係とか」

「今のところは何も出てないな。ヤクザとの関係は切れてるようだ」

「確かに、随分昔の話だからな」

「ああ」長野が、傍らに置いた藤島の本を引き寄せた。文庫本で、『冬の罠《わな》』のタイトルが見える。私が昨夜愛美に渡した何冊かの中にも入っていた。

「こいつが出世作だったんだな」長野がぱらぱらとページをめくる。「俺としては、中身に関しては何とも言えないけど」

　長野の手から文庫を奪い取り、奥付を確認する。五年前に単行本で出て、二年前に文庫になっていた。文庫の版数は既に十五。帯では、ある賞の受賞作だと謳《うた》っていた。藤島がデビューした純文学系の賞ではなく、ミステリ系の賞。純文学で世に出た作者が、読者を純粋に楽しませるエンタテインメント系の本を出し、賞まで獲得する。スピードスケートの選手が突然フィギュアに転向するようなものだろうか。

「こういう商売をやってると、ミステリなんか読んでられないよな」長野が私の手から本を取り戻した。

「嘘が多くて？」

「嘘というか、小説にするために事実を捻じ曲げてるんじゃないか？　結構取材してるのが分かる本もあるけどな。こういう人たちに協力する馬鹿な刑事もいるから困るんだよ」

「何だ、結構読んでるじゃないか」私は含み笑いを漏らした。

「煩いな……でもこういう話は、捜査の方法をリアルに書けば書くほど面白くなくなるみたいだな。だいたい、聞き込みしてるところなんか読んでもつまらないだろう」

「その割に、お前は夢中になってるんじゃないのか」

「あくまで参考として、だよ」長野が欠伸を嚙み殺して、文庫本をテーブルに置いた。

「とにかく、藤島さんが警察から相当取材してるのは間違いないな。捜査のディテールに大きなずれはない」

「全部読んだのか？」

「まあ……読んだよ。昨夜、三時までかかった。こういうのは仕事のうちに入らないよなあ」

　私は苦笑を浮かべた。長野が仕事以外のものに夢中になるなど、想像もできない。

「藤島さんの、警察内部のネタ元を捜したらどうだ？」

「さすが、高城」長野がにやりと笑った。「俺も昨夜、同じことを考えたんだよ。今、探りを入れてる。そういう人間から話を聴けば、何か参考になるかもしれない」

「名乗り出てくるかな。外の人間に情報を漏らしたなんて、絶対認めないはずだぜ」

「どうかな。特定の事件についての話じゃなければ、別に問題ないんじゃないか？　アメリカ辺りだと、むしろ積極的に情報提供するらしいぜ。実際の事件を基にした映画やテレビドラマを作る時、アドバイザーみたいな感じで名前を連ねることも珍しくないらしい。結構な金も貰えるそうだ」

「何でそういう余計なことを知ってるんだよ」私はコーヒーを一口飲んだ。既に冷え始めており、苦味が強い。

「雑学は何かと役に立つんだ」

「そんなこともないと思うけど……ところで、俺の方でももう少し手伝おうと思う」

長野が右眉をくっと上げた。コーヒーを啜ってから、カップを両手で包みこんで身を乗り出す。幅が三十センチほどしかない折り畳み式のテーブルを挟んでいるだけなので、顔がくっつきそうになった。

「阿比留室長は、取り敢えず終了って言ってなかったか？」

「室長は終了。俺は終わらない」

「なるほど」長野がにやりと笑う。

「うちの刑事が怪我してるしな。中途半端に終わらせたら、彼女も不満だろう」

「明神か……あいつは普段、どんな様子だ？」

「よくやってるよ。来たばかりの頃は、不満ばかり言ってたけど」愛美の異動はイレギュラーなものだった。本当は所轄から捜査一課に上がるはずだったのに——まだ二十七歳で、しかも警察という組織内では何かとハンディがある女性だという事実を考えると、評価が高かったことが分かる——所轄の若い刑事が拳銃自殺したことで、パズルのピースがずれるように予定が狂い、玉突き状態で失踪課に流れてきたのだ。彼女にしてみれば事故のようなものであり、失踪課はあくまで腰かけと考えていてもおかしくはない。異動してきた頃は、そういう考えを隠そうともしなかった。

「頑張ってるなら、次の異動でうちに引っ張ってもいいな」長野が薄く髭《ひげ》の浮いた顎を撫でた。「もともと一課に来る予定だったんだし、元に戻すということでどうだろう。本人もその方がいいんじゃないか」

「たぶん、な」鋭い針で胸を刺されるような痛みが走った。「ただあいつは、うちにとっても貴重な戦力だ」

「それは知ってる。失踪課にお荷物が多いことは公然の秘密だからな。明神は掃き溜めに鶴ってやつか？」

「おいおい」

「お前の立場なら、少しでも役立つ人間を手元に置いておきたい気持ちは分かるけど、全体のバランスも考えないと」

「警視庁全体のバランスか？　俺は、そんなことを考える立場にないよ。それより、遺体の確認はどうするんだ？　家族に見せるのか」

「あの状態じゃ、見ても分からないだろう。見せるのも残酷だ」長野が顔をしかめる。「他の方法を考えるよ」

「そうだな……」一晩経って、私は気が変わっていた。「俺が当たってみてもいいぞ。ネックレスを見てもらうのも手だ」今のところ、動ける余地はそれぐらいだ。

「それはもう少し待ってくれないか。かっちりした証拠を用意したいんだ。家族に遺体を確認させるようなことはしたくないし」

「分かった」

分かったと言いながら、結局横須賀へ行くことになるだろうな、と私は確信していた。このままでは、長野が言う「かっちりした証拠」が見つかる可能性は低い。藤島を捜すのは失踪課本来の仕事なのだから、私が動き回っても長野に文句を言われる筋合いはないのだ。

失踪課には戻らず、藤島が借りていた部屋に向かった。「ブルー」から徒歩十分ほどの住宅街にある、四階建てのマンション。外観は小綺麗で、まだ新しそうだった。最上階の部屋のドアを開けると、刑事たちの鋭い視線が突き刺さってくる。

視線の一つがすぐに和らいだ。私が捜査一課にいた時期に一緒だった――当時はまだ二十代の若手だった――青山《あおやま》。今は三十代も半《なか》ばを過ぎ、顔には苦労の跡を示す皺が刻まれ始めている。額も少し広くなったようだった。

「高城さん」よく通る低い声で挨拶し、青山が頭を下げた。私は玄関に立ったままだったが――さすがにこれだけの人数が入ると、靴で埋まっている――青山の方ですぐに近づいて来てくれた。手を挙げて応《こた》える。

「久しぶり」

「どうも、ご無沙汰してまして」また頭を下げる。分厚いダウンジャケットを着たままだったので体形は分からないが、少し太ったようだった。昔はシャープだった顎の線がぼやけており、実年齢よりも老けて見える。

ふいに、苦い記憶が蘇った。八年前、娘の綾奈《あやな》が行方不明になった後、必死に走り回ってくれた仲間の一人が青山である。妻と二人、暗い夜の中で黙って座りこんで何もできなかった時、私的に捜索してくれたのだ。彼らの努力は全て無に帰し、私はその後アルコールに逃げて妻とも離婚した。仲間の恩を仇《あだ》で返すようなやり方……失踪課に赴任してきて、少しはまともに仕事をするようになっていたが、当時の仲間たちに会うのは極力避けてきた。

謝罪の言葉しか浮かばないから。

そして仕事においては、謝罪の言葉が邪魔になる時もある。今もそうだ。「あの時は申し訳なかった」と言おうかどうか迷い、結局やめにした。今は他に口にすべき言葉がある。

「どんな感じだ」

「望み薄ですね」青山が素早く首を振る。

「普段から綺麗に掃除してたらしいよ」

「しかも、業者がクリーニングを終えてます。今、風呂場を中心に鑑識が入ってますけど……」

「ちょっと中を見せてもらってもいいかな」

「どうぞ」青山の顔が輝いた。「久しぶりですね、高城さんと仕事をするの」

「当てにするなよ。俺の勘はだいぶ鈍ってるぞ」

「そんなこともないでしょう。失踪課でのご活躍は聞いてます」

「お前の耳は腐ってるんじゃないか」私は鼻で笑ってやった。「活躍した記憶なんかないぜ」

「高城さんこそ、少し記憶力が危なくなってるんじゃないですか」笑いながら青山が切り返した。

「本当に年を取ると、自分に都合のいいことばかり覚えてるようになるものさ。その点、俺はまだ大丈夫だ」

軽口を打ち切り、私は他の刑事たちの靴を片づけて部屋に入った。壁紙が少し黄ばんでいるのを除いては、それほど古くなってはいない。玄関から続く短い廊下の先が十二畳ほどのリビングルーム。私は、井村から聞き取った部屋の間取りを図にして、持ってきていた。このリビングルームが仕事場だったという。窓際にデスクを二つ並べて設置し、片方をパソコン用に、もう片方を資料を広げるために使っていた。二つのデスクと直角になる形で、壁一面に本棚が置かれている。その反対側にはソファと低いテーブル。そこで寝てしまうこともよくあったという。リビングルームの左側は六畳の寝室、右側はキッチン。先にキッチンを見てみたが、ほとんど使っていなかったようだ。シンクは曇《くも》ったままである。よく料理をする人は台所も磨き上げているものであり、シンクなどにはヘアライン模様のような細かい傷ができる。藤島がここを使うのは、コーヒーを淹《い》れる時ぐらいだったのではないか。

寝室はカーテンが閉まっており――どうやら放置していったようだ――薄暗い。カーペット敷きで、どこか湿《しめ》った空気が籠《こも》っていた。窓を開けて冷たい風を入れたい、という気持ちを抑え、床の上に四つんばいになる。頬をカーペットにつけるようにして目を凝らしたが、肉眼では何かが落ちているようには見えなかった。手を叩きながら立ち上がり、青山に訊ねる。

「この部屋にはもう、鑑識は入ったんだよな」

「ええ。何も出なかったようですね」

床を調べる時は、掃除機や粘着性のテープを使って、落ちている物を徹底的にかき集める。普段から一日二回掃除機をかけ、しかも業者がクリーニングしてしまった後となっては、証拠の発見はまず期待できない。

私は意図的な何かを感じていた。藤島は自分の痕跡を消す前提として、普段から徹底して掃除をしていたのではないか。そうする理由はまったく分からないが。

「青山、ルミ反始めるぞ」くぐもった声で誰かが呼びかけた。

「了解です」青山は怒鳴り返してから私の顔を見た。

「風呂場か？」

「ええ。念のため、お願いしました」

風呂場には二人の係員が入り、噴霧器《ふんむき》で壁一面に液体を吹きかけていた。細かい霧が狭い風呂場に満ちていく。ドアの細い隙間から見た限りでの私の感想は、あまりにも綺麗過ぎる、というものだった。男の一人暮らしで最初に汚れるのは風呂場だ。私の家の風呂場も……そろそろ掃除しないとまずい、という時期はとうに過ぎている。

ルミ反——ルミノール反応は、血痕《けっこん》を調べる最も手軽、かつ効果的な方法だ。血痕が残っていれば、試薬であるルミノールに反応して蒼白く発光する。マスクをした二人の係員が噴霧を終え、一度風呂場を出た。照明を消すとほとんど真っ暗になり、特徴的な発光も見られなかった。

「ま、予想してたことですけどね」青山が肩をすくめた。

「そうか」異様に清潔好きな男——井村の評価が脳裏に蘇る。

「藤島さんの足取りについて、何かヒントはないんですか」

「今のところはな……ちょっと煙草でも吸わないか？」

「俺、禁煙したんですけど」青山が鼻に皺を寄せる。

「この裏切り者が」

私は彼の肩を小突いたが、青山は薄い笑みを浮かべてうなずくだけだった。

「つき合いますよ。だけど、勧めないで下さいね」

マンションの前の歩道まで出て、私は煙草に火を点け、コートのポケットから携帯灰皿を取り出した。

「相変わらずきついのを吸ってるんですね」

止める人間もいないからな、と言おうとして、それが過去の記憶を呼び覚ますものだと気づいた。娘は私の喫煙を嫌っていた。生活を共にする人間がいた時の煩《わずら》わしさすら、今では懐かしい。「きついのじゃないと、吸った気がしないんだよ」とだけ答えておいて、深く煙を吸いこんだ。

「例の死体、藤島さんだと思いますか」

「今のところは、その可能性が高いだろうな」

「変ですよね。ここから現場まで、歩いて十分でしょう？　夜逃げしたみたいにいなくなったのに、家の近くで酒を呑んでて殺されたっていうのは、筋が通らないな」

「さすが、青山だ」私はにやりと笑ってやった。「俺と目のつけ所が同じだ」

「まあ……ここはありがとうございます、と言うところですかね」

「好きにしろ」今朝の煙草は妙に苦い。早々と携帯灰皿に落としこんで潰し、咳払いをした。「俺が言う必要もないだろうけど、両面を想定しておいた方がいいぞ」

「遺体が藤島さんであっても、そうじゃなくても」

「そういうこと。別人だと、失踪課としては別の問題を抱えこむことになる。藤島さんの捜索は一からやり直しだ」

言葉を切って周囲を見回す。代官山の駅に近い高級住宅地で、目の前を立て続けにベンツが二台、通り過ぎていった。この辺りでは、外車は珍しくもないのだろう。そういえば、死んだ「ブルー」のマスター、高嶋の家もすぐ近くだった。店主と客という関係ではなく、普段から近所づきあいがあった可能性はないだろうか——一度浮かんだその考えを、すぐに否定する。藤島は度を越して忙しかったはずだし、集合住宅に住んでいる人間は、普段の生活では戸建ての住人と触れ合う機会はほとんどない。

「図々しいことを聞いていいですか？」青山が慎重に切り出した。

「遠慮するのはお前らしくない」

「じゃ、正直にいきますよ」青山が一度言葉を切り、タイミングを計った。「この程度の人だと、どれぐらい本気で捜すものなんですか」

「正直言って難しい」無意識のうちに周囲を見回した。人に聞かれていい話ではない。「うちの書類の中でも、特異事案にはなってなかった」

「でも今回は、著名人の失踪に入るんじゃないんですか」青山が目を見開く。「俺はよく知らないけど、結構売れてる作家さんですよね」

「だけど、状況的に、明らかに自分の意思で姿を消した感じだからな」自分の言葉が舞や森田、果ては自分自身を庇《かば》うものだと意識しながら言った。間抜けな奴らがヘマをした、と素直には認められない。

「有名な高城の勘も発動しなかったんですね」

「俺は別件にかかってて、この件をほとんど見てなかったんだ。失踪した状況については、事件性は感じられないけどな。誰かが拉致《らち》して痕跡を消したとしたら、ここまで徹底的にはできない。本人じゃないと無理だろう」

「どうなんでしょうねえ」青山が首を捻る。「作家さんなんて、我々一般人とは考え方が違うような感じがしますけど。昔からよく自殺したりするでしょう？　夜逃げぐらいは珍しくもない気がするけど」

「それは昔の話じゃないのかな。藤島は順調に仕事をこなしていたし、金にも困ってなかったんだから」銀行の口座を解約し、預金を全て引き出していたことを説明した。

「つまり、現金を持ってトンズラですか」納得したように青山がうなずいた。「それじゃあ確かに、事件性は考えられませんよね……となると、遺体はやっぱり別人なのかな」

「その可能性も頭に入れておいた方がいいだろうな」

「それで高城さん、この件はどうするんですか」

「藤島憲という人間について、もう少し調べてみるつもりだ。事件と関係なくても、捜索願が出ているのは間違いないし、もしかしたら事件に結びつくかもしれない」

「上手くいくといいんですけどね……」

「何か分かったら連絡を取り合おう。長野を飛ばしてな」

私の言葉に、青山が苦笑しながら頬をわずかに引《ひ》き攣《つ》らせた。長野は自分の部下を洗脳するように日々努力しているが、青山は完全にその色に染まっているわけではないようだ。

「高城さんは、失踪の原因についてはどう考えてるんですか」真顔に戻って青山が訊ねる。

「可能性はいくらでもあるよ。例えば文学的な悩み、とかな。藤島は純文学系の小説でデビューしたけど、その後鳴かず飛ばずだった。それがミステリに転向してヒット作を飛ばして、今や売れっ子だ。でも人間、金が全てじゃないと思う。本当に書きたいことが書けなくて悩んでいた、とかね」

「へえ」心底感心したように、青山が声を上げた。「高城さんらしくないですね。何ていうか、そういう文学的な話は……」

「馬鹿野郎」私は笑いながら彼の肩を拳で打った。「失踪課にいると人間が変わるんだよ。高尚なことを考える余裕もできる。お前もちょっと、うちに草鞋《わらじ》を脱いでみるか?」

「ご冗談を」

これで青山の本音が分かった。私に対しては、昔の先輩ということできちんと接してくれる。しかし失踪課に対しては、他の刑事たちと同じ印象を抱いているようだ。いわく、刑事部の盲腸。落ち零れた人間の吹き溜まり。まあ……当たっていないでもない。

青山と別れ、私は火災現場に向かって歩き出した。急に風が強くなったように感じ、コートのボタンをとめ、体を抱くようにした。それでも寒さは防げない。それが飢餓《きが》感《かん》によるものだということは分かっていた。あまりにも手がかりが乏しい事件を追っている時、心には冷たい風が吹く。

桜丘町の火災現場の騒動は落ち着いていたが、まだ黄色の封鎖テープでビルへの出入りは規制されていた。鎮火からかなり時間が経つのに、なおも焦げ臭さが消えていない。中ではライトが灯《とも》り、何人かの鑑識の係員が床に這いつくばるように動いていた。邪魔するのも悪いと思い、現場を封鎖している制服警官に一声かけて、規制テープの内側に入りこむだけにした。狭いドアの跡から店内を覗きこむ。高温の炎が一気に店内を舐めたせいか、焼け焦げがひどかった。ビルでなければ、骨組みすら残らない状態まで燃えていただろう。床には、元が何だったか分からない雑多な物が散乱している。残っている立体的な部分は、カウンターらしきものの残骸《ざんがい》だけだった。

見知った顔に気づく。高嶋の弟、健だ。警察から借りたのだろう、ビニール製のオーバーシューズを履き、青い作業服姿の係員にあちこち引き回されている。一瞬こちらを向いた時に、その顔に困惑が浮かんでいるのに気づいた。お決まりの手順。現場から何かなくなっているものがないか、確認しているのだろう。

一段落したのか、現場から宮崎が出て来る。外は身をすくませるほど冷たい風が吹いているのに、額にびっしり汗をかき、青い現場服の脇の下が黒くなっていた。眼鏡を外して袖口で顔を拭い、かけ直すと初めて私に気づいた。健と話すのは何となく気が引け、私は宮崎から事情聴取すべく、彼を道路の反対側まで引っ張っていった。煙草を勧めてやりたいところだが、そもそも彼は吸わないし、この辺りが路上禁煙になっていることを思い出してやめにした。

「何か異常は？」

「金庫、ですかね」

「金庫？」

「ええ」宮崎が作業服のポケットから一枚の紙を取り出す。何度も折り畳まれて皺だらけになってしまい、描かれた内容もかすれかけていた——鉛筆描きなのだ——が、店内の見取り図だということはすぐに分かった。宮崎はシャープペンシルを取り出し、先ほど私がカウンターと見た出っ張りの付近を示した。

「この中がキッチン？」

「そうですね。ここから金庫が消えてるそうです」

「金庫があるような店だったのか」そこまで流行っていたのだろうか、と首を傾げる。

「ええ。高嶋さんは、夜中に金を持って家に帰るタイプじゃなかったらしいですよ」

「店に置いておく方がよほど危険だと思うけどな」

「昔は家に持ち帰っていたそうです。ただ、しばらく前に、渋谷駅の近くで悪質なひったくりが何件かありましてね。ひったくりって言うか、強盗か……何人も怪我してたから。それ以来用心深くなって、売り上げは金庫にしまって店で保管するようにしていたそうです」

「金庫も燃えたんじゃないのか」

「いや、耐火式だったそうですから、無事じゃないかな」

「そういう金庫、おもちゃみたいなものも多いけど」

「本格的だったらしいですよ」どこで仕入れた知識なのか、宮崎はＪＩＳの一般使用〇・五時間標準加熱試験合格、と金庫のスペックをすらすらとそらんじた。「実際に店内が燃えていたのは案外短い時間だったから、十分耐え切ったはずです。ところが、その金庫がない」

「誰かが持ち去った？」

「そうですね。だから、強盗殺人の可能性もあるんじゃないかなあ」宮崎が丁寧に紙を畳んでポケットにしまった。

私も頭の中でその可能性をこねくり回した。強盗殺人となれば、あの店内に死んだ二人の他に第三の男――あるいは第四の男も――いた可能性がある。犯人は藤島を刺殺し、高嶋を殴り殺して、金庫を奪って店に火を点け逃げた。

「いや、それはおかしい」

「どうしてですか」

「何故藤島さん――あれが藤島さんだとしてだけど――だけが刺されていた？　マスターは頭を殴られたんだぜ。凶器が違うのは何か変だよ」

「藤島さんを刺した凶器が使えなくなったとか」

宮崎の反論は合理的だ。刃先が欠けていた、という長野の話を思い出す。

「しかし、やり過ぎじゃないかな」

「確かに」宮崎が腕組みをして首を捻った。「例えばですよ、藤島さんを刺して、本気だということを示した上で金を奪った、という線はどうですか」

「それならあり得るかもしれない」外国人、という線が浮かんだ。あいつらはとかくやり口が荒っぽい。不必要に人を傷つけることもしばしばだ。「まあ、そこのところは俺が悩んでも仕方ないけどな。捜査本部は強盗の線で動いてるのか」

「分かりません。金庫がないというのが分かったのが、ついさっきですから。これから報告が上がるはずですよ」

「そうか」焼け跡に目をやる。係員の一人に付き添われて、健が出てきたところだった。オーバーシューズを脱ごうとしたが、バランスを崩して倒れそうになってしまう。結局跪くようにして、慎重に脱いだ。それで縛《いまし》めから逃れられたとでもいうように、ほっと安堵の表情を浮かべる。今なら話を聞いても大丈夫だろうと思い、私は右側から走ってきたワゴン車に向かって手を上げて停めてから、道路を横断した。

挨拶すると、健が目を瞬《しばたた》いた。一瞬の間を置いて私だと気づいたようで、軽く会釈する。

「大変でしたね」

「何だか、喉と目が……」右手で喉を押さえる。確かに彼の声は、少しだけしわがれていた。

「火事場ですから。ところで、一つ何っていいですか」

「何でしょう」

「あなたにいただいた名簿のチェックを進めていますが、その中には、あそこで亡くなった方はいないようです」

「そうですか……」健が深く溜息をついた。せっかく協力したのに無駄になったか、という空《むな》しい溜息。

「一人、名簿とは関係なく、可能性のある人物がいます。藤島憲という人をご存じないですか」

「作家の？」健が眉をひそめる。

「ご存じですか」

「ええ、名前は。本は読んだことはないですけど、その人なんですか？」

「今のところ、その線で捜査を進めています。藤島さんが『ブルー』の客だった、という話は聞いていませんか？」

「ないですね」

「そうですか……」私はワイシャツの胸ポケットに指先を突っこんで煙草に触れた。三百円の精神安定剤。「売れっ子の作家さんでも、顔を見ただけでは分からない人はたくさんいるでしょうね」

「いや、来ていれば兄は話したはずです」やけに自信たっぷりに健が言った。「ミステリが大好きでしたから。家は、一部屋が本専用になってるぐらいなんですよ。藤島さんは、普通に顔は出していたんでしょうか？　覆面作家ということはないですよね」

「ええ、雑誌のインタビューなんかでは、顔写真は出ていますよ。新聞の広告に顔が出ていたこともあるそうです」

「だったら、顔と名前は一致すると思います。兄は元々、人の名前と顔を覚えるのは得意だったから。家にはたぶん、藤島さんの本もあるんじゃないかな」

「愛読者、ですか」

「そこまではっきりしたことは分かりませんけど……とにかく何度も店に来ていたら、私にも絶対話していたと思いますよ。兄は、有名人大好き人間だったから。もう焼けちゃって分からないけど、店には結構色紙が飾ってありましたよ」

「そんなに頻繁に有名人が来る店だったんですか」

「時々ですけどね」例えば、と言って健が演歌歌手の名前を挙げた。最近どんな曲を出しているかは分からないが、代表曲は誰でも知っているような歌手だ。「彼が来た時なんか、半年ぐらい、会う度《たび》にその話をされましたから。店に来たのは一度だけだったのに」

「じゃあ、藤島さんは客じゃなかったのかな……」

「今となっては分かりませんけどね」健が首を振った。急に何かに気づいたように、思い切り首を捻って自分の肩の臭いを嗅《か》ぐ。「参ったな……臭いが染みつくんですね」

「火事場は、どうしてもそうなりますよ」

「今日はこれから会社にいかないとまずいんです。昨日休んでしまったんで、取り敢えず顔だけは出しておかないと……来週は、葬式も出さないといけませんから」

「そうですか」

言われて初めて、彼がスーツ姿なのに気づいた。いつの間にか宮崎が近づいて来て、どこかに置いておいたらしいコートを手渡す。

「いろいろ大変ですね」

「大変です、本当に。お蔭様で……と言ったら変かもしれませんけど、悲しんでいる暇がありませんよ」健が溜息を漏らした。

「そうですか。奥さんはどんな具合ですか」

「まだショックが抜け切らなくて。葬儀に関しては、私が全部仕切ることになるでしょうね。まさか、こんなに早くねえ……」コートを着こみながら、また溜息を漏らす。「あの、これはどういう事件なんでしょう。あまりはっきり説明してもらってないんですけど、どうしてなんですか？」

健の目に暗い疑念が宿った。自分の兄が被害者ではなく加害者なのではないか、と考えているのかもしれない。その思考方法は自然だ、と思った。死者が二人——一人は刺殺されており、それは高嶋ではない。

「私には、喋る権限がないんです」申し訳ないと心の中で手を合わせながら言い訳をした。

「直接捜査本部で仕事をしていないので。でも今のところは、何も分からないというのが本当だと思いますよ」

「そうですか……警察の人とはしばらくおつき合いしないといけないんでしょうね」

「事件の真相を調べるためです。ご協力、よろしくお願いします」

「じゃあ、私はこれで」健が力なく頭を下げた。

「駅までお送りしましょうか？」

「いや、結構です」

断りの言葉は、やけにはっきりしていた。早くも警察のやり方にうんざりしているのだろう。長野が「容疑者の家族」という扱いをしていないことを祈った。

「確かに、何も分からないんですよねえ」小さくなる健の背中を見送りながら宮崎が言った。

「放火かどうかぐらい、はっきりしないのか」

「一番燃えてるのがガス台付近なんですよ。そこが出火元になる火事は多いでしょう？放火かどうかは、もう少し細かく分析してみないと分かりませんね。とにかく、かなり短時間で一気に火が燃え広がったわけだから、使えそうな証拠物件が見つからないんです」

「爆発物がしかけられていた可能性はないかな？」吹き飛ばされる愛美の様子を思い出しながら訊ねた。「バックドラフトだと思ってたけど、あれだけの爆風だ。実際は爆発だったんじゃないか」

「その可能性は今のところ、ゼロだと考えておいて下さい。あるいは、俺らの知らない爆発物が使われたのかもしれないけど」

その言葉を宮崎のプライドの発現と理解し、私はその場を離れることにした。宮崎には宮崎の仕事がある。私には私の仕事があった。藤島という人間をさらに深く調べる仕事が。

6

井村からは、藤島と関係のある人間を何人か紹介してもらっていた。ほとんどが編集者である。昼前、私は編集者の一人に会うために、再び神保町に足を踏み入れた。今度は外で面会するのではなく、相手の会社に直接足を運ぶことにする。

井村からは既に話が通っており、竹永《たけなが》と名乗った編集者は、落ち着いた様子で応対してくれた。会社の一階ロビーにある打ち合わせスペース。足を踏み入れた途端に、どこか落ち着かない気分になった。道路に向かって全面ガラス張りで、寒々とした冬の光景が嫌でも目に入ってくる。背中を丸めて急ぎ足で通り過ぎる人、寒風に揺らされ、今にも落ちそうな街路樹の枯れ葉。スカイブルーと白を基調にしたポップなカラーリングの什器が、落ち着かない気分に拍車をかけた。もしかしたら、真弓が苦心して整備した失踪課の面談室も、依頼人を落ち着かせる効果はないのではないか、と不安になる。

「お待たせしまして」一度私を席に案内してから立った竹永が、スタイロフォームのカップに入った緑茶を二つ、それに単行本を二冊脇に抱えて戻って来た。藤島の本だとすぐに分かる。

「これが、うちから出てる藤島さんの本なんですけど」

そのことと彼の失踪に何の関係があるのか、と思ったが、無言でうなずいて本を手に取った。ぱらぱらとページをめくり、すぐにデスクに戻す。

「藤島さん、亡くなったんですか」竹永が眉をひそめる。極端に太い眉なので、毛虫がのたうっているように見えた。

「断定はできません。藤島さんがいつも身につけていたネックレス、ご存じですか？」

「ああ、シルバーのやつでしょう？　知ってますよ。『空と』の受賞記念で買ったものですよね。あまり洒落っ気のない人の、唯一のお洒落って感じで」

「もう井村さんから聞いているかもしれませんけど、火災現場で見つかった遺体の一つからネックレスが見つかりました」

竹永がぎゅっと唇を引き結び、素早くうなずいた。

「ということは、やっぱり……」

「確定できません」私は首を振った。「ネックレスには名前が彫ってあったようですけど、まだ確認できないんです。激しく燃えてましてね、詳しい鑑定が必要なんです」

「そうですか」竹永が鼻の下に蓄《たくわ》えた髭を指先で擦った。「参ってるんですよ、正直言って」

「どうしてですか」

「この夏、書き下ろしの作品をいただく予定なんですよねえ」竹永が、宣誓するように掌を本に乗せた。「それが危ない状況です」

「こんな時にも商売の話ですか」私は目を細めて竹永を見詰めた。

「いや、そういうわけじゃないですよ」長い髪の隙間から覗く竹永の耳が少し赤らんだ。

「藤島さんには無事でいて欲しいんです。それは各社とも同じ気持ちだと思いますよ。元気で長く、原稿を書いていただきたいんです」

「そうですか」それは結局商売の話ではないかと思いながら、私は本の装丁に視線を落とした。血のような赤。それも、少し乾きかけた、茶色がかった赤が全面に広がっている。

それだけなのだが、シンプルな分、インパクトは強い。「これもミステリなんですか」

「ええ。藤島さん得意のパターンです。犯罪者側から見た犯罪、ということなんですけど……いわゆる倒叙物とは違います。犯罪者が、たまたま他の犯罪に巻きこまれていくというパターンですね。悪いことをする人間にもいろいろ種類があるでしょう？　倫理観の違いというか……世間的には悪者だと思われている人間が、もっと悪いことに巻きこまれていく。その経緯がスリリングなんですよね。これなんか、主人公が連続殺人犯ですから」

「シリアルキラー？」

「さすが刑事さんだ」竹永の表情がわずかに綻《ほころ》んだ。「藤島さんの描く犯罪者心理は、非常にリアルなんですよ。そこも読者に受けている理由なんでしょうね」

「一つ、いいですか」無性に煙草が吸いたくなった。連続殺人の話題は、人を——少なくとも私を落ち着かなくさせる。長野なら大喜びだろうが。「シリアルキラーは、基本的に常人には理解できない考え方をします。その心理をまともに描写することは不可能です。少なくとも私の経験では」

「その心理を描くのが小説の役目でしょう」

「病的な心理を？　あなた、子どもを立て続けに三人も殺して群馬の山中に埋めた犯人に会ったことがありますか？　あいつらの心には何も入っていない。自分でも説明できない、でかい空洞があるだけなんです」

「だからこの小説が駄目だとでも？　批判は読んでからにして欲しいですね」竹永の声にわずかな怒気が滲む。

私は反論しなかった。小説は人間の心の深みに迫る役割を負っているかもしれないが、迫る必要のない心もある。普通の人が病的な犯罪者の気持ちを知って、何の意味があるというのか。

「藤島さんは、デビュー作からずっと、犯罪者心理に深く踏みこんだ作品を発表してきました。その点は、文学的にも高く評価されてるんですよ」

「そういうことにこだわりがあったのは、彼自身、犯罪者だったから？」

「刑事さん――高城さん、いい加減にして下さい。どうせもう、調べてるんでしょう？　藤島さんには前科はないはずですよ」

うなずいて認めた。ただし未解決事件、あるいは発覚していない事件の犯人ではないとは断言できない。

「彼の心理状態が、失踪につながる理由になった可能性もあると思ってお聞きしただけです。どうなんですか？　あなたの目から見て、藤島さんは現実逃避しそうなタイプでしたか」

「違います」挑みかかるように竹永が断言した。「基本的には、職人タイプの律儀な人です。スケジュールは詰まっていて、縛られているように感じていたかもしれないけど、そういう状況でこそ実力を発揮できる人もいるでしょう。自由な時間があり過ぎると、かえって自分を律することができない人がいますけど、藤島さんはまさにそういうタイプでした」

「なるほど。だったら、忙しくて追いまくられている今の状態は、彼にとっては理想的だったんですね」

「それは……どうでしょうね」自信に満ちていた竹永の口調がわずかに揺らいだ。「藤島さん、あまり本音を言わない人だから」

「そうですか」私はコーヒーを一口飲み、胸ポケットの煙草に触れた。「私にはちょっと想像できない世界ですね。小説の仕事って、基本的に一人きりなんでしょう？ ずっとそんなふうに仕事してたら、息が詰まりそうだな」

「それに耐えられる人じゃないと、そもそも小説は書けないと思いますよ」

「あまり外で遊ぶこともなかったそうですけど、特に親しい友人はいなかったんですか？ 作家仲間とか」

「そうですねえ……」竹永が顎に手を当て、斜め上に視線を投げた。「パーティーなんかにも積極的に出てくる人じゃなかったし、友人と言えるような人は……ああ、一人、いたかな」

「誰ですか」

「作家仲間で、花崎《はなさき》さんというんですけど。花崎光春《みつはる》さん。時代物を書かれてる人ですけど、ご存じない？」

頭の中の引き出しを次々に開けてみたが、見当たらない。この分野に関しては本当に疎いのだ、と実感した。

「申し訳ないですが」

「デビューが同じ年で、作家になるまでのキャリアも似てるんです。花崎さんもずっとサラリーマンをしながら小説を書いてて、四十歳でデビューした人なんですよ。ジャンルがぶつからなかったし、花崎さんの方が年上だから、藤島さんは頼れる兄貴分だと思ってたんじゃないかな」

「会えますかね」

「どうかな」竹永が歪んだ笑みを見せた。「彼も忙しい人ですからね。この近くに仕事場があるんですけど、起きてる時間は常に原稿を書いてる人なんですよ。邪魔されると物凄く不機嫌になります。我々も、接触する時は気を遣いますからね。電話やファクスをかける時でも、まずメールでご機嫌伺いをして、それから連絡を取るんです」

「そういうのも作家らしいんじゃないですか。住所、教えてもらえますか」

竹永が手帳を開き、花崎の住所を教えてくれた。その間ずっと、顔に張りついた笑みははがれなかった。私が花崎に撃退される場面を想像しているのかもしれない。

「ああ、本を持っていって下さい」私が住所を手帳に書き写し終わると、竹永がいきなり立ち上がって言った。

「本って、どの本ですか」

竹永はロビーの一角にあるディスプレイに向かい、一冊の文庫本を取り上げた。藤島の本の上に重ねて置く。表紙を開くと、着物姿に丸坊主――禿《は》げているのではなく剃《そ》り上《あ》げているようだった――という異様な風体の男が睨み返してくる。

「この人が？」

「そうです」竹永がにやりと笑った。「花崎光春さんです」

「この頭は……」

「ちょっと薄くなってきた時に、思い切って剃っちゃったんだそうです。着物は普段から着てますよ。時代小説を書くにはまず格好から、が持論の人ですから」

「この頭で街を歩いてたら、目立って仕方ないでしょう」

「そうですね」竹永の顔に浮かぶ笑みが大きくなった。「だから、出歩く時は必ずかつらを被るんです」

作家というのは、どこか変な性癖を持っているものだろうか。藤島に関しては、生真面目に作品に取り組んでいたという印象しかないが、花崎はどうだろう。着流しで頭を剃り上げ、外に出る時はかつらで変装する男……面倒な相手のようだ。一癖も二癖もある人間を相手にするのは、ベテランの法月の得意技なのだが、わざわざ呼び出すのは気が引けた。何より今日は寒い。心臓に問題を抱えた法月に無理をさせるわけにはいかなかった。

取り敢えず昼飯にすることにした。気合を入れるためにも、何かがつんと腹に溜まるものがいい。店を捜して、騒々しい白山通りから神田すずらん通りに入った。神保町には、学生時代に何度か来たことがあったが、当時とはすっかり街の表情が変わってしまっている。駿河台下の交差点に向かって歩いて行く途中、右側に視線を転じると、ビルの隙間から高層ビルが覗いた。こういう大きな建物は、私が学生だったバブルの時代にはなかった。もっともすずらん通りには、昔ながらの神保町の空気が濃厚である――間違いなく昭和の臭いだ。

少し脂《あぶら》を入れてやることにした。昔からある洋食屋――昼を過ぎているのにほぼ満席だった――に入り、カツカレーを注文する。愛美が一緒だったら、必ず一言皮肉をぶつけてくるだろうと考えると、少しだけ寂しかった。いつも横にいる人間がいないと、体を叩く冬の風が一層冷たい。

皿の上は独特の風景だった。ご飯とキャベツを高く盛り上げたところにカツを斜めに立てかけ、やけに黒い色のカレーがなみなみと注がれている。大昔、この店で同じようにこのカツカレーを食べたことがあったのを思い出した。キャベツをルーと混ぜてしまい、カツにはソースをかけ回す。一気にジャンクフードの度合いが増したが、味は上々だった。時には強烈な刺激も必要なんだよと、ここにいない誰かさんに向かって胸の内でつぶやく。

「失礼」

声をかけられ、無意識のうちに体を脇に寄せる。椅子がくっついた狭いカウンターに座っていたのだが、隣が空いた瞬間に次の客が滑りこんできたのだ。狭い店だから、肩が触れ合ってしまうのは仕方ない。しかし私のコートに触れる感触が何か異質だった。ウールやナイロンではないような……ちらりと横を見ると、濃紺の着物を着た男が座っていた。ウェーブがかかった髪は耳を覆い隠す長さで、額にもだらりと垂れている。顔の上半分は、髪と巨大なサングラスですっかり隠れてしまっていた。まさか、こんなところで……いや、住所からすると花崎の仕事場はこの近所だから、この店に昼食をとりに来るのもおかしくはない。どうするか——しばし迷ったが、食べてしまって一度外に出る、という結論に達するのに時間はかからなかった。私はほとんど食べ終えていたし、彼はこれからだ。混み合っている店内で、花崎が食べ終えるのを待つわけにはいかないし、ここで話しかけたら互いに気まずくなるだろう。

立ち上がりざま、少しだけ時間をかけて花崎の顔を見やる。かつらはともかく、顔立ちは本に載った写真そのままだった。こういう店に一人で来ると、普通は料理が出来上がるまで本や新聞を読むか、携帯電話と睨めっこをしているものだが、花崎は腕組みをしたまま、ひたすらカウンターの向こうの調理場を凝視している。怒っているわけでも急《せ》かしているわけでもなく、料理人たちの手際を見るのが客の義務だとでもいうように。

店を出て、近くの自動販売機で暖かい缶コーヒーを買った。この辺りも路上禁煙なので煙草は我慢し、店の向かいに立って店内の観察に集中する。花崎はやはりカツカレーを頼んでおり――客の八割がこれを注文するようだった――ひどくゆっくりと食べ始めた。もともと早食いには向かない食べ物だが、それでもあまりにも遅過ぎる。冷めてしまうと脂の臭みが鼻につくのだが、と余計なことが心配になった。

店に入ってから三十分後、ようやく花崎が出て来た。その時初めて、彼が下駄を履いていることに気づく。同じ神田でも、古くからの店が残っている須田町辺りを歩いていると、本当にはまって見える格好だろう。花崎は一つ伸びをすると、駿河台下の交差点に向かってゆっくりと歩き出した。

仕事場の場所も分かっているし、わざわざ尾行する理由はない。「邪魔されると物凄く不機嫌になる」という竹永の忠告を思い出し、追いついて声をかけることにした。仕事場を急襲するよりも、歩くのを邪魔する方がリスクが少ないだろう。

「失礼ですが、花崎さんですね？」

からん、という軽快な下駄の音が消え、立ち止まった花崎が振り返る。体がくっつくほど近づき、小声で「警視庁失踪課の高城と言います」と名乗る。花崎は片眉をくっと上げたが、動揺する素振りは見せなかった。警察官から声をかけられ、平静でいられる人間は多くはないのだが。

「何でしょうか」よく通る低い声。

「藤島憲さんのことでお話をうかがいたいんですが」彼がうなずいて納得するまで、顔の前にバッジを翳《かざ》し続《つづ》ける。

「藤島君？　彼がどうかしたんですか」

彼の声には、演技している様子はなかった。藤島が失踪していることは知らないようだ。それも当然かもしれない。現段階では事件に巻きこまれたと決まったわけではないし、井村や竹永たちも、話を大きくしたくはないだろう。行方不明者が見つからない原因の多くは、この「大袈裟にしたくない」という関係者の感覚なのだが。届け出を躊躇《ちゅうちょ》しているうちに、手がかりはどんどん薄れてしまう。

「どこか落ち着いて話ができる場所はありませんか」

「それなら……」花崎がちらりと右手を見た。「私の仕事場がすぐ近くだけど、そこでは？　喫茶店でも構いませんけど、他の人に聞かれたらまずい話でしょう」

「そういうことです」

「じゃ、こちらへどうぞ」

悠然とした足取りで花崎が歩き出す。私は彼の横に並んだが、話しかけるのが何となく躊躇われた。花崎は自分のペースで散歩でもしている感じであり、ややこしい話を受け入れる気もないようだった。

　時代小説の書き手とあって、長屋のような建物を想像していたのだが、花崎が案内してくれた仕事場は、ごく普通の雑居ビルの三階にあった。十二畳ほどの、素っ気無い事務用のスペース。室内は二つのデスクと本棚でほとんど埋まっていた。執筆用に使っているデスク——パソコンが載っているのですぐに分かった——は壁を向いており、右側には巨大な本棚が置かれている。そのせいか、穴倉の奥に潜りこんでいるようにも見えた。視線をパソコンのモニターから外しても、見えるのは汚れた壁だけ。この方が集中できるかもしれないが、気が滅入らないのだろうか。もう一つのデスクは窓に向かっていて、そちらにはゲラが散らばっていた。

「さて、どこに座ってもらうかな……」花崎はかつらを取らなかった。帽子を脱ぐのとは違うのだろう。

「ソファだとまずいんですか」

「あれはベッド代わりですよ。忙しくなると、泊まりこむんです。そんな所に座りたくないでしょう?」確かに、ソファの隅には畳んだ毛布が置かれていた。この毛布一枚では、冬は相当辛いはずだが。「取り敢えず、そっちの椅子を使って下さい」

　もう一つのデスクの椅子を引き出した。間に何もない状態で向き合うと、何となく、就職のための面接を受けているような気分になる。

「それで、藤島君がどうかしましたか」

「何と」

「行方不明なんです」

あまり驚いた様子ではなかった。それを告げると、花崎があっさり答える。

「そのうち、こういうことになるんじゃないかと思ってたんですよ」

「そうなんですか？　いろいろな人に話を聞きましたけど、失踪するような理由は思い当たらないという話でした」

「話を聞いた相手は、編集者連中？」

「ええ」

「藤島君は、彼らとは本音では話さないよ。仕事の相手だから弱みを見せたくない、ということもあるだろうし」

「あなたには本音を話してたんですか」

「それは……どうだろう」

花崎がいきなり、帽子を脱ぐようにかつらを取った。蛍光灯の灯りを浴びて、禿頭が鈍く輝く。急に年を取ってしまったように見えた。私は驚きを表に出さないよう、唇をきつく嚙み締めた。これが本当の姿なのだと分かっていても、やはり軽いショックはある。

「失礼ですが、花崎さん、お幾つなんですか」藤島と同じ時期にデビューし、その時に四十歳だったというからだいたいの想像はつくが、念のために確認した。

「そんなことが気になりますか」花崎は気を害した様子もなく、むしろこの質問を面白がっている様子だった。

「いや、かつらという趣味は相当変わってませんか」

「ああ」頭をつるりと撫でた。「四十九になりました」

私と三歳しか違わないわけか。真弓と同い年。確かに髪はないが、顔にはまだ若々しさが残っている。肌艶はいいし、皺も見当たらない。栄養が十分足りている、という感じだった。着物がしっくり似合っているのも、腹にある程度脂肪が乗っているからだろう。

「四十になった時に、思い切って剃ったんですよ。三十代の半ばぐらいから段々薄くなってきて、そのうちいろいろ足掻《あが》いてるのが馬鹿らしくなって。剃ってしまえば、かつらでいくらでも変装できるから面白くなりましてね。顔がばれなければ、ちょっとぐらい悪さをしても分からないでしょう」

「なるほど」そういう発想は理解できなかったが、話を進めるために同調する。

「藤島君のことね」

「ええ。親しかったそうですが」

「数少ない友だちと言っていいと思いますよ。彼も私も、どちらかと言えば非社交的だし、仕事も忙しいからね。友だちと言っても、たまに会って愚痴を零し合うぐらいでしたけど」

「愚痴を零していたんですか、藤島さんは」

「最近、とみにね」花崎が、デスクの上の分厚い日記を股に置いた。ぱらぱらとめくり、すぐに目当ての日付を探し出す。「今年だと、年明けの一月七日。それに今月も三日に会ってます。会う度に愚痴がひどくなってたな」

「何についての愚痴なんですか」

「仕事。といって、やってることに不満があるわけじゃなくて、断り切れない自分に困っているっていう話だったんだけど」

「忙しかったとは聞いてますけど……」

「ある意味、自業自得だよね」花崎が皮肉な笑みを浮かべる。「私も彼もそうだけど、基本的に仕事を断れないんですよ。断ると次がなくなるような感じがしてね。この商売は依頼があって成り立つわけだから、断れば、『あの人は頼みにくい』とか『断るなんて生意気だ』と言われるんじゃないかって心配になるんです。それで結局、いつもニコニコしながら引き受けてしまうんだな。藤島君は良心的だから、書き過ぎてクオリティが落ちるんじゃないかって心配してましたよ。断る上手い方法があったら教えて欲しいって言ってたけど、それは私の方でも知りたいよね」

結局、売れっ子同士の自慢のような会話ではないか、と私は思った。

「だけどそれが、失踪するほどの悩みになるんですか？　それだけ仕事に責任感を持っていたら、失踪なんてしそうにないけどな」

「まあ、作家らしいといえばらしいんじゃないかな。実際には絶対に無理だけど、私も時々妄想することがありますよ」花崎が煙草を手にした。これで吸えると思い、私は彼より先に素早く煙草に火を点けた。自分用に携帯灰皿を取り出す。花崎は葉巻でも吸うようにゆっくりと火を点け、丸い煙を天井に向かって吐き出した。「一週間……一か月、自分がいなくなったらどうなるかなって。締め切りの約束がある編集者は心配して捜してくれるだろうか、そのまま締め切りを飛ばしたらどれぐらいの人が困るだろうか、なんてね。つまり、自分がどれだけ必要とされてるかを試してみたくなるんです」

えらく不健康な考え方に思えたが、普通のサラリーマンも同じようなものかもしれない。誰でも、所属する組織の中での自分の重みを知りたいものだ。それにどれだけ仕事が殺到しても、いつ切られるか分からない不安も消えないだろう。

「彼は、何かトラブルに巻きこまれていませんでしたか」

「トラブル？」一転して花崎の声が甲高くなった。「まさか。そういうことがあれば、私には相談してくれていたはずですよ。何か、そういうことがあったんですか」

「藤島さんは、殺されているのかもしれません」

花崎の口がぽっかりと開き、火の点いたままの煙草が零れた。股に落ちて初めて気づき、慌てて払いのける。リノリウムの床の上でぱっと火花が散り、花崎はそれまでのゆったりした動きからは想像も出来ない素早さで煙草を拾い上げた。まだ煙が上がっていたので、吸うべきかどうか迷っていたようだが、結局灰皿に押しつけて消す。新しい煙草に火を点けようとしたが、手が震えて煙草の先とライターの火が重ならない。この動揺は演技ではない、と判断する。

事情を説明する間、花崎はたて続けに煙草を灰にした。見ていて気の毒なほど動揺している。私の話が終わると同時に激しく咳きこみ、顔から剃り上げた頭まで真っ赤になってしまう。

「本当に殺されたんですか、彼は」

「分かりません」私は久しぶりの煙草に火を点けた。「今はまだ、身元さえ確定できない状況ですから」

「そうですか……」顎を掻きながら、花崎が天井を仰ぐ。「しかし、殺されたって……いや、殺されたとしたら……」

「本当に何か、思い当たる節はありませんか」

「ないですよ」それまでの動揺と戸惑いが嘘のように、花崎がきっぱりと言い切った。

「少なくとも私は聞いていない。そんな、殺されるようなトラブルは」

「借金は？」

「分かりません。我々の間では露骨に金の話はしないからね」

「人間関係で悩んでいたということは？」

「どうだろう……私の知る限りではないですな。それにしても参ったな」花崎が顔を手で拭い、煙草を灰皿に置いた。既に一杯になっており、消えきらなかった吸殻から煙が立ち上っている。側にあった湯呑みから何か液体を注ぐと、小さく音がして煙は消えたが、代わりに嫌な臭いが漂い始めた。コーヒーで消火したのだろう。

「身の周りのものを全て処分して失踪し、その後殺されたとなったら……」

「そういう物騒な話とは縁遠い人間だと思うんですけどねえ」

「そうなんですか？」

「彼は基本的に、小説さえ書いていれば満足、というタイプだから。気持ちが追い詰められることはあっても、やっぱり書いている時が一番だ、という男ですよ。最近はほとんど呑みにもいかない、サイン会も開かない、取材もできるだけ避ける。世間との係わりを断つようにして仕事に打ちこんでたんですよ。だから、世間と変な風に係わり合うことはないはずだ。つまり、トラブルの原因は考えられないということです」

「普段つき合いのある人は、編集者と花崎さんぐらいですか」

「私を疑っているんですか」花崎の顔が耳まで赤くなった。

「そういうわけじゃありません。編集者の人はどうでしょう。私生活にトラブルの原因がないとすれば、仕事しか考えられません」

「ないと思う」断言する口調は非常に強かった。「これは編集者連中から聞いた話だけど、彼は一度も原稿を遅らせたことがない。クオリティの低い原稿を出したこともない。編集者にすれば、これほどありがたい作家はいないですよ。何かあればサボる言い訳を見つけるのが、作家という人種だから」

「他に、藤島さんと親しい人を知りませんか？　彼の私生活について知っているような人を」

「残念だけど、私の知る範囲ではいないですね。もっともこの世界、ネットワークはあまり強くないんだよね。皆蛸壺《たこつぼ》に入って、隣に誰がいるかも分からずに必死に原稿を書いてるだけなんですよ」花崎が力なく首を振る。それを見て私は、人間は周囲と濃厚な関係を築かずとも生きていけるのだ、と思い知っていた。思い知った、はおかしいかもしれない。既に知っているのだ、失われた七年間として。

「今日はずっといなかったわね」午後遅く失踪課に戻ると、真弓がすかさず突っこんできた。

「ええ、いろいろと」自分のデスクにつき、「未決」箱に入った書類がさほど多くないことを確認する。これなら少し残業するだけで済みそうだ。「暇だったんで管内巡視を。書類はこれから確認します」

「そう」短く言葉を切って、真弓が私をじっと見詰める。大抵の容疑者は、これで彼女が内に秘めた冷たい情念に気づき、自白を決めるだろう。私は慣れた。こういうやり取りは、一種のゲームに過ぎない。

「今日は平穏だったみたいですね。捜査本部の方は何か言ってきましたか」

「特にないわ。身元不明の遺体は藤島さんだという線で調べを進めてます」真弓が、空いている愛美の席に腰を下ろし、足を組む。スラックスの生地が擦れるしゅっというかすかな音が、私の耳を刺激した。

「確認できるんですかね」

「難しいかも。だから、マスコミ向けにもまだ何も発表できないのよ。あなた、何か考えはない？」

「そうですね……」ふと頭に浮かんだことがあった。「ないわけじゃありません。俺が直接確認してみていいですか」

「捜査本部を出し抜くつもり？」真弓が悪戯《いたずら》っぽい笑みを浮かべた。

「まさか。相手は長野ですよ」私は顔の前でひらひらと手を振った。「友だちのために、ちょっと便宜を図ってやるだけです」

「だったらご自由に」

諦めたように軽い溜息をつき、真弓が席を立つ。私は電話を取り上げ、どうして今までこんな簡単なことに気づかなかったのかと自分を責めながら、井村を呼び出した。前のめりになったのは彼の方だった。

「何か分かったんですか」

「残念ながら、まだです」

「そうですか……」風船から空気が抜けるように、井村が勢いを失う。

「一つ、協力して欲しいことがあるんです。それが手がかりにつながるかもしれない」

「何ですか。何でもやりますよ」

「藤島さんからの手紙はありませんか」

「手紙？」

「そうです。切手ですよ。唾液からもＤＮＡは採取できる」

「なるほど」その場にいれば、即座に手を打ったであろうと想像させるような快活な声だった。「それはすっかり頭から抜けてました。最近はやり取りもメールばかりだから……でも、何かあるはずです。ゲラや契約書をやり取りするのは郵便ですからね。捜してみますよ。新しいものの方がいいんですか」

「古くてもあまり差はないようです。見つかったら渡してもらえますか？」

「ちょっとデスクを漁《あさ》ってみます。いやあ、しかし何でこれに気づかなかったのかな」

「気づくのは我々の仕事ですよ」自責の念をこめて言い、電話を切った。

「なるほど、切手ね」いつの間にか戻って来て話を聞いていた真弓がうなずいた。

「長野もぼけたんじゃないかな」私は肩をすくめた。「とっくに気づいているべきでした。切手が出てくればDNAは分かるはずです」

「分からなかったら?」

彼女の突っこみが、私の胸に突き刺さった。警告なのか挑発なのか、見極めようとする。読みきれなかった。挑発だと予想し、話を先に進める。

「我々としては、藤島さんの行方を追うだけです」

「今のところは、重要な失踪人とは認められないわよ。火事と関係ないとしたら、事件性があるとも言えないし」

「いや、特異な失踪と判断していいと思います。有名人ですからね。他の事件に巻きこまれている可能性もあるし……それで、一つお願いがあるんですが」

「何?」真弓が小さく溜息をついた。私の「お願い」がろくな話でないのは、よく知っている。

「明日と明後日《あさって》、東京を離れます」

「まさか、横須賀へ行く気じゃないでしょうね」真弓はあっさり私の考えを見抜いた。

「そのつもりですけど、何か問題ですか？」問題がないのは分かっている。仕事で失踪者を追うのだから。ただし彼女は、即座に費用対効果を計算する。出張させるに見合うだけの結果が出るだろうか、と心配しているのだ。「自腹で行きますから」

「そういうルール違反は困るわ。車を使っていいわよ」

「寛大ですね」

「仕事だから」渋い表情だが、真弓が素早くうなずいた。

「必ず何か持って帰ります」宣誓するように、私は顔の横で掌を立てた。

「トラブルを起こさないでね」

「俺が今までトラブルを起こしたことがありますか」

「本気でそう思ってるなら」真弓が人差し指を突きつけた。「あなた、自分のことが全然分かっていないか、図々し過ぎるか、どちらかよ」

7

「横須賀ですか」愛美が目を見開く。うなずきながら、藤島憲の本を新たに積み上げる。

「ちょっとした小旅行だな」

「二月の横須賀は寒いですよ。海が近いところは風が強いですから」

「寒いのは平気なんだ」

「室長、よくOKしましたね」

「うちのポイントになる可能性もある」

愛美が小さく溜息をついて肩をすくめた。細い上半身の動きは頼りなく、体が出来上がっていない十代の少女のようだった。

「読みましたよ、藤島さんの本」

「どうだった」活字を追うと頭が痛くなると言っていたのだが……愛美の様子はごく自然だった。

「自分で読む代わりに私に押しつけないで下さいよ」

「読む暇がないんだ」私も肩をすくめた。「ここで、行方不明者に関連する書類を読んでいると思えばいいじゃないか」

「そうかもしれませんけど……藤島さんって、根っこでは犯罪者なのかもしれませんね」

「どうしてそう思う?」

「私はそういう印象を受けました。何ていうか……犯罪者心理がリアル過ぎます」

「刑事がそんなこと、言うなよ。君はいつも、本物の犯罪者と向き合ってるじゃないか」

「だからそう感じたのかもしれませんよ」愛美が力説した。声が一段高くなった瞬間、眉をひそめる。まだ頭痛は完全には引かないようだ。「私たちだって、犯罪者心理を完全に把握してるわけじゃないでしょう。いつも近くにいるのは間違いないけど……藤島さんは違うんですよ。どうして人は罪を犯すのか、本を読んでいると一々納得できます」

「おいおい、何か変な影響を受けたのか?」

「違います。ちゃんと刑事の目で読んでますよ」むきになって愛美が反論した。「特に、売れる前のデビュー作……『空と』ですか? あれは物凄くリアルでした。それなりの大学を出て、それなりに誇りを持って仕事をしている若者がレールを外れて、ちょっとしたきっかけで異質な者に対する憎しみを抱くようになる……」

「分かった、分かった。粗筋は知ってる」私は顔の前で両手を挙げた。「だけどその印象が藤島の失踪とどうつながるんだ? 彼が何か事件に係わっているとでも?」

「そうは言いませんけど……」愛美が唇を噛んだ。ふっと顔を上げると、途端に目を細めて怒りを撒《ま》き散《ち》らす。「何がおかしいんですか」

「いや」自分でも気づかぬうちに、にやけた表情を浮かべてしまったらしい。仕事のこと以外で、彼女がこれほどむきになるのが珍しかったのだ。いや、これもあくまで仕事の一つか。

「ちょっと考えたんですけど、未解決の殺しを調べてみるのも手じゃないですか。日系ブラジル人の若者が殺されて、犯人が分からないような」

「あの話が実話だっていうつもりか」

「読んだら本当にそう思いますよ。説得力があります」愛美が『空と』を手に取り、力説した。

「まあ……分かった」入れこみ過ぎだと思ったが、こういう言い合いでは愛美に負けることも多い。私は一歩引いた。「俺も読んでみるよ。他には？」

「他の小説も、犯罪者視点で書かれたものがほとんどでしょう？　やっぱり藤島さんは、犯罪そのもの、犯罪者心理に興味があったんだと思います。そうじゃなければ、こんな本を立て続けに何冊も出せないでしょう」

「犯罪は、人の究極の心理を描き出すのに相応しい舞台だぜ」

「誰の受け売りですか、それ」

急に険悪になった二人の間の空気は、のんびりした声で突き破られた。

「愛美、大丈夫？」

「はるか」

怒りの仮面がひび割れ、愛美の顔に穏やかな微笑が浮かんだ。それこそ高校生のように、両手を顎の下でひらひらと振っている。私はできるだけゆっくり振り向き、硬い笑みを浮かべてやった。天敵の一人、法月はるかの登場だ。法月の一人娘にして弁護士であり、私とは基本的にウマが合わない。唯一の救いは、法月も一緒だったことだ。

椅子が一つしかない。私ははるかを座らせ、二人が会話を楽しむに任せた。愛美の顔には幾分赤みが射している。

「明神、メロンはどうだ？」法月が箱入りのメロンを掲《かか》げて見せた。

「いいんですか？」

「当たり前だろう？　食べてもらうために持ってきたんだから。ちょいと切ってこよう」

「すいません」

愛美はひょいと頭を下げる。二人のやり取りをぼんやりと聞いているのも馬鹿らしく、私は法月を追って病室を出た。法月はメロンを腹の前で抱えたまま、のんびりと歩き出す。

「ナースステーションでナイフでも借りようか」とつぶやいた。

「どうしたんですか、今日は」

「邪推するな。ただの見舞いだよ。娘も心配してたから、ついでにくっついてきただけだ……でも、元気そうじゃないか、明神は」

「週明けには退院できるでしょう」

「そいつはよかった。で、退院して来た時には、何か土産《みやげ》話を渡せるんだろう？　横須賀の」

「何だ、聞いてたんですか」

「あの狭い部屋であれこれ話していれば、嫌でも聞こえるよ。分かってると思うけど、お前さんが何か手がかりを持って戻って来れば、室長は自分の手柄にするぞ」

「構いませんよ、俺は別に手柄が欲しいわけじゃないし」

「そこが分かってるならいいよ。室長の態度ががらっと変わっても、あまりかりかりしないようにな」忠告してから、法月がナースステーションで「ナイフを貸して下さい」と声を張り上げた。

　メロンを切り分けて病室に戻ると、愛美とはるかは額をくっつけ合うようにして話していた。二人とも笑いながら話しているのだが、どうしてそんな話し方ができるのか、私には謎だった。四人でメロンを食べ、他愛もない話に花を咲かせた——主に愛美とはるかが。法月はそんな二人の様子をにこにこしながら見ていた。こうしていると本当に好々爺《こうこうや》という感じである。

「明神、月曜日には出て来られそうだって?」

「その予定です」愛美がすっとうなずいた。

「あまり無理させないで下さいね」はるかが私に釘を刺した。面長のすっきりとした顔立ちに、肩まである漆黒《しっこく》の柔らかそうな髪。法廷での冷然とした態度から「氷の女王」と陰で呼ばれているそうだが、法廷でなくてもその瞳は人を縮み上がらせる威力を持っている。しばらく前に法月が発作で倒れた時、私もその冷たい瞳でずいぶん責められた。

「若いから大丈夫ですよ。すぐ回復するでしょう」

私は当たり障りのない話で誤魔化した。はるかも、想像していたよりも愛美が元気だと思ったのだろう、それ以上厳しく追及しようとはしなかった。

それからしばらくして、私たちは病室を辞した。私が最後になったが、愛美が背中から声をかけてくる。

「高城さん」

「何だ？」右足を廊下に踏み出した状態で振り向く。背中が引き攣るようだった。最近、ますます体が硬くなっている。

「月曜日、行きますからね」

「ああ、待ってる」サイドテーブルに積み重ねた本に視線を投げた。「それ、月曜までにちゃんと読んでおいてくれよ」

「仕事として？」

「仕事として。詳しくは月曜に話をしよう」

「分かりました」釈然としていない様子だったが、愛美はうなずいた。

彼女のことだ、内心では不満を抱えていても本は全部読むだろう。そこから藤島の行方につながる手がかりが出てくるとは思えなかったが、彼女には藤島という人間を、その作品から知って欲しかった。歩き回れない代わりの、彼女なりの捜査だ。

問題は私の方か……横須賀で何か手がかりを得ないと、月曜日、愛美に合わせる顔がない。

土曜の早朝、人気の少ない渋谷中央署に出向き、失踪課のスカイラインを借り出す。がらがらの国道二四六号線を下り、環八《かんぱち》経由で第三京浜《けいひん》を使って横浜方面へ。幸い道路は空いており——第三京浜が混んでいた記憶はないのだが——思い切りアクセルを踏みこんで快適な加速を楽しむことができた。ここから横須賀までは一時間ほどだろう。助手席には、途中コンビニエンスストアで仕入れてきたサンドウィッチがあったが、運転しながらでは食べられない。カップホルダーに挿《さ》した大カップのコーヒーをちびちび飲んで空腹を紛らせた。

第三京浜から横浜新道経由で横浜横須賀道路に入ると、道路が微妙に混み始め、別所インターを越えると完全に詰まってしまった。そのタイミングでサンドウィッチの袋を開け、手早く朝食を済ませる。窓を少し下ろすと、湿り気を帯びた冷たい風が車内を洗った。愛美の言っていた通り、海が近いと寒さが厳しいのかもしれない。膝まであるダウンコートを着てきたのは正解だった。

ラジオと煙草を友に、アクセルを踏みこみ過ぎないように気をつけながらひたすら走り続ける。藤島の実家は三浦《みうら》半島の西側なので、衣笠《きぬがさ》インターチェンジで三浦縦貫道路に乗り換える。数キロを走り切って国道一三四号線に出ると、自衛隊の駐屯地が目の前だ。地図を確認しながら南を目指す。最初に見つけたコンビニエンスストアに車を停め、失踪課に電話を入れることにした。二月から三月、それに夏休みには、週末も交代で出勤することにしている。この季節には中学生や高校生の家出が多く、相談も増えるのだ。今日は醍醐が出番だったな、と思い出しながら、わずかに残ったコーヒーを飲み干した。

「はい、失踪課」醍醐がのんびりした声で答える。

「高城です」

「お疲れです。ドライブはどうですか」

「快適だよ。たまに東京を出るとすっきりするな」

「いいなあ」醍醐が心底羨《うらや》ましそうに言った。「今度は俺も連れて行って下さいね」

「分かってるよ」

子育てに追われる醍醐は、最近少しずつ愚痴を零すようになってきた。家に帰っても、託児所をやってるみたいで寛《くつろ》げない。子どもは好きだけど、たまには羽を伸ばしたい――と。そう考えると、今回も彼を同道してもよかったのだ、と悔いる。仕事の名目で部下のストレスを解消してやるのも、上司の役目だろう。上司……というのは柄ではないが、暇なドライブの相棒は必要だったし、向こうでいろいろと調べ回るにも、二人の方が効率がいい。

しかし今回はあくまで、正式な仕事ではない。失踪課に来てからこういうことが多過ぎるな、とつい苦笑した。真弓の相反する性格のためだ。少し無茶なことを言い出すと、彼女は「それは仕事にはできない」と即座に結論を出す。しかしそのすぐ後で「もしも手がかりになれば」と捜査を続ける条件を出すのだ。別に彼女の手柄が増えても、私には何の関係もないのだが。明日のポジションだけを考える真弓と、出世には夢も興味もない私。明確な方向性の違いが、いつかは私たちに決定的な対立をもたらすのでは、という怖れは消えることがなかった。

「そっちでも少し当たってくれるとありがたい」

「分かってますよ」昨夜、簡単に打ち合わせはしたのだ。「藤島さんを辿れる線が他にないか、捜してみます。何か分かったら連絡しますから」

「頼む。また電話するよ」

「オス。お気をつけて」

電話を切り、空《から》になったコーヒーのカップに吸殻を投げ捨てる。じゅっという音に続いて、嫌な臭いが立ち上った。よし、と自分に気合を入れて車に戻る。店の前のゴミ箱に、潰したカップを投げ入れた。縁に当たり、アスファルトに落ちそうになったが、結局中に入った。幸先はいい。ろくなことがない毎日を送っていると、この程度のことが大変な幸運に思えてくる。

片側一車線の一三四号線から、海沿いの狭い県道に入る。住宅が建ち並ぶ切れ目から、右側にかすかに海が覗いた。横須賀というと米軍基地のイメージが強いのだが、市の西側に来ると、のんびりした田舎街のイメージが強くなる。悪くない。鄙《ひな》びた海辺の街は、日本人の多くが「故郷」をイメージする時に脳裏に浮かぶものだろう。しかし愛美の読みが正しいとすると、若かった藤島はこののんびりした街で、犯罪に対する意識を先鋭化させていったことになる。何となくそぐわない感じがした。

藤島の妹の家は、堤防の真下にある、細い一方通行沿いに建っていた。茶色い屋根とクリーム色の壁が目立つ、どこか地中海風の色彩である。前庭というか建物の前はコンクリート敷きで、軽自動車が一台、停まっていた。家の右側には造りつけのガレージがあるが、そちらは空である。少し手前に車を停め、堤防に上がってみた。モザイク模様の遊歩道になっており、海に下る斜面では釣り人が二人、寒さをものともせず釣り糸を垂れていた。小田和湾を挟んでぼんやりと見えるのは、佐島マリーナだろうか。寒さに耐え切れず、早々に退散することにした。

約束はしていなかったが、私は前庭に車を乗り入れた。それが合図になったように玄関のドアが開き、三十代前半ぐらいに見える女性が顔を出す。藤島にどことなく面影が似ており、妹の饗庭紗江子だとすぐに分かった。

「警視庁失踪課の高城です。ここに車を停めておいて大丈夫ですか」

「はい……ええ」彼女の顔に不審気な表情が浮かぶ。「あの、この前の件ですか？」

「そうです。約束もなしにいきなり押しかけてすいません。お兄さんの件で少し動きがあったので、お話しさせていただきたいんですが」

「あ、はい」ようやく合点がいったようにうなずいたが、その顔にはひりひりするような緊張感が浮いていた。「どうぞ、お上がり下さい」

玄関先で、私は表札の名前を記憶に収めた。「藤島」ではなく「饗庭」。ここは厳密には藤島の実家ではないのだ。彼女の嫁ぎ先、ということなのだろう。当たり前の事実を改めて認識した。

最近の家にはよくある造りで、二階がリビングルームになっていた。ソファに座ってテレビでアニメを見ていた女の子が、きょとんとした視線を私に向ける。

「こんにちは」声をかけると、慌ててソファから飛び降り、紗江子の背中に隠れてしまう。五歳か六歳ぐらいだろう、照れ屋のようだ。

「美咲《みさき》、ちょっと下へ行っててね」

美咲と呼ばれた女の子は、こくんとうなずき、部屋を出て階段を駆け降りて行った。

「素直な子ですね」

「ええ」紗江子がほつれた髪を掻き上げる。長めの髪をポニーテールにしているのだが、まとめ切れなかった髪が一筋、二筋と頰にかかっていた。ふっくらとした頰に大きな目。その目つきが藤島によく似ているのだ、と気づいた。露《あらわ》になった小さな耳も。

　ダイニングテーブルを勧められ、隣の椅子に丸めたコートを置いてから腰を下ろした。暖房が効いていたが、大きな窓から海が見下ろせるせいか、寒々とした雰囲気が否めない。千切れる波頭が、冬の印象に拍車をかける。お茶を用意して戻ってきた彼女に名刺を渡し、手帳を広げた。紗江子は珍しそうに名刺を見ていたが、やがて「警察手帳じゃないんですか」と疑問を口にした。

「今は手帳じゃなくてバッジなんですけどね。失踪課はできるだけ、会う人に名刺を渡すようにしているんです。気軽に電話してもらいたいので」

「そうなんですか……」紗江子は立ったままだった。私の名刺をテーブルの角に合わせるように置く。神経質そうな気配が漂い出していた。

「どうぞ、座って下さい」

「あの……悪い話なんでしょうか」彼女の顔を暗い影が過《よぎ》った。

「悪い話なのかどうかもまだ分からないんです。知恵を貸してもらえませんか」

　戸惑いの表情を浮かべたまま、紗江子が椅子を引いた。悪い知らせを後回しにすることにして、彼女を楽な気持ちにさせるために、周辺の話題から入る。

「この家は、藤島さんのご実家じゃないんですよね」

「ええ。両親はもう亡くなっていますから。五年前に母が亡くなった時に、家は処分しました」

「あなたは結婚して、この家を建てられたんですね」

「そうです」

「立派なお宅ですね」横須賀だから地価はそれほど高くないはずだが、二階のリビングルームから海が見える立地条件は、不動産価値を押し上げているだろう。

「三十五年ローンです」紗江子の顔にぎこちない微笑《ほほえ》みが浮かんだ。「ずっと先までローンが残ってるんですよ」

「建てたばかりですか」

「ええ」

「ご主人は？」

「市役所に勤めています。教育委員会に」

「土曜日もお仕事なんですか？」

「スポーツ課というところに勤めています。施設の管理をしているので、土日にも仕事があるんですよ。週末はいろいろとスポーツの大会がありますから」

「ああ、我々と一緒ですね。公務員は結構厳しく働かされるんですよねえ。何で『九時から五時まで』なんて馬鹿にされてるのか、よく分かりません」

「そうですね」微笑が少しだけ大きくなった。自分の湯呑みを引き寄せ、一口茶を啜る。壊れ物を扱うようにゆっくりと湯呑みを置き、小さく溜息を漏らした。襟ぐりの大きな長袖Tシャツの肩を軽く引っ張る。

「お子さんはお一人ですか」

「ええ」

「まだ手がかかりますよね」

「でも大人しい子だから、他のお母さんたちに比べたら楽だと思います……あの、それで、今日はどういったご用件なんでしょうか」あまり気乗りしない口調で紗江子が言った。

「この写真を見て下さい」私は手帳に挟んであったネックレスの写真を彼女に示した。彼女の位置から見たら逆さなのだが、それでもどういうものかは分かったようだった。焼け焦げ、半ば溶けたネックレス。紗江子の顔から表情が消えた。

「これは……」

「見覚えはありませんか?」

「ちょっと分かりませんけど、どうしてこんなに焦げてるんですか? 焼けたみたいですけど……」

「火災現場で発見されたものです。どこかで見たことはありませんか」

「いえ……」すぐに顔を背《そむ》けた。

「手にとって見てもらっていいですよ」

「でも」紗江子が椅子の背に体を押しつけた。写真から何か恐ろしいものが立ち上ってくるとでもいうように。

「覚えはなし、ですか……」

怖がらせることもないと思い、私は写真を回収した。緊張が解けたのか、紗江子の肩ががっくりと落ちる。彼女はこのネックレスについて何も知らないと考えていいだろう。誘導尋問にはならないと判断し、答えを与えた。

「藤島さん——お兄さんがいつも身につけていたものらしいんです」

「そうなんですか?」紗江子が首を捻った。「そういえばネックレスをしているのを見たような記憶もありますけど……これだったのかどうかは分かりません」

「肌身離さず身につけていたようですよ」

「そうですか」紗江子がテーブルに視線を落とした。「すいません、もう一度見せていただけますか」

うなずき、タグが彼女の方を向く形で写真を置いた。紗江子が恐る恐る写真を取り上げ、目を凝らしながら顔に近づける。しばらくそのまま視線を留めていたが、顔を上げた時には戸惑いが広がっていただけだった。

「やっぱり分かりません。ごめんなさい」

「いや、構いませんよ」写真を受け取り、私ももう一度見る。現物を既に見ているわけだが、写真になると急に現実感が乏しくなるようだった。

「このネックレスを、兄がしていたんですか」

「そういう証言があります。それも複数の人から」

「焼けているのはどうして……」

「火災現場で見つかったからです」

紗江子が、大きな目をさらに大きく見開いた。恐怖が顔を走り、唇が震え出す。零れた涙が頬を伝い、横から唇に流れこんだ。

こういうことに、上手いタイミングはない。だが今回は自分が完全なヘマをしたのだと、私は強く意識せざるを得なかった。

「すいません」ハンカチを散々濡らした後、お茶を一杯飲み干して、紗江子はようやく落ち着きを取り戻した。

「まだ何も分からないんです。ですからこうやってこちらに伺ったわけです。本当は、ある程度はっきりしたことが分かった時点でご家族に確認してもらうべきなんですが、現在は、遺体の身元に関して、はっきりしたことが何も言えない状態ですので」

「そんなに……」紗江子の顔から赤みが抜けた。

「火事ですから」残酷な描写を避け、できるだけ淡々とした口調で告げてから、私はうなずいた。「唯一身元につながりそうな材料が、このネックレスなんです」

「はい……でも、やっぱり私には確認できません」

「分かります。どうでしょう、最近の藤島さんの写真はありませんか？　先日失踪課に来ていただいた時にお借りしたもの以外に。あの写真では、ネックレスをしているかどうかが分かりません」

「捜してみます」紗江子がテーブルに手をつきながら立ち上がった。ひどく大儀そうで、思わず手を貸そうか、と言いそうになった。

彼女が階段に消えた瞬間、携帯電話が震えだす。醍醐かと思いながら着信を確認すると長野だった。外へ出た方がいい、と一瞬考える。長野の声は大きく、携帯電話で話していても外に声が漏れるぐらいなのだ。家を出る余裕はなかったので、第一声で釘を刺す。

「静かに話せよ」

「ああ？　何言ってるんだ」

聞き返す声がまた、特大の大きさだった。私は携帯電話を耳から離して彼の声を遠ざけ、息を呑んだ。電話を再び耳に当て、囁《ささや》くような声で告げる。

「今、藤島さんの妹さんの家に来てるんだ」

「おい――」にわかに長野の声が低くなった。「直当たりは早過ぎるぜ」

「分かってる。でも、何でもいいから手がかりが欲しかったんだ」私は立ち上がり、フローリングの床に散らばる子どもの玩具《おもちゃ》を避けながら、窓際に歩み寄った。最高の風景だ。堤防で視界の下半分が削《けず》られているが、水平線がずっと遠くまで広がる。今日は風が強いので、波頭が白く押し寄せていた。弱い冬の日差しを受けて煌めき、無数のダイヤが海に散っているようにも見える。この光景だけで、坪単価が十万円は上がるのではないか。

「そうか、藤島の妹の家にいるのか……ちょうどいいタイミングだったかもしれないな」

「どういう意味だ?」

「例のネックレスの解析が終わった。間違いなく藤島さんのものだよ。刻印がかすかに残ってたんだ。イニシャルは『K.F.』で間違いない」

急に気配が変わったのに気づいて振り返る。小さな箱——靴箱らしい——を両手に抱えて階段を上がって来た紗江子が、立ち止まって私を凝視している。何を告げたわけでもないのに、その顔には不安の色がはっきり宿っていた。

8

「この写真はいつ頃のものですか」赤子を抱き上げる藤島の写真を取り上げ、私は紗江子に訊ねた――ただ無難に話題を継ぐために。本当は聞くまでもない。美咲が赤ん坊の頃だから、五年か六年前だと分かっている。

「五年前、ですね」淡々とした口調で紗江子が答える。

写真の藤島は、無精髭《ぶしょうひげ》を顔の下半分に貼りつけていた。赤くなった目。今にも閉じてしまいそうな腫れぼったい瞼《まぶた》。耳を半分ほど隠す長さの髪には脂っ気がない。針で突いたら、空気が抜けて一気に萎《しぼ》んでしまいそうに見えた。美咲が小さな手に、藤島のネックレスをしっかり握っている。赤ん坊は案外力が強いもので、ネックレスを引っ張られたら結構痛いだろう。藤島の顔に浮かぶ戸惑いというか苦痛の原因が、それで明らかになった。場所はこの家ではなく、東京の藤島の部屋だ、とすぐに分かった。背景になっている窓の形に見覚えがある。

「すいません、これが一番新しい写真なんです」

「最近、会ってなかったんですか」

「兄は忙しかったですから……美咲が生まれた時に見せに行って、その後は……」紗江子が顎に人差し指を当て、視線を宙に漂わせた。「最後に会ったのは三年前だと思います」

「こっちへ戻って来ることはなかったんですか」

「そうですね。三百六十五日、いつでも仕事でしたから。私も訪ねるのは……電話するのも遠慮していたんです。仕事している時に邪魔すると、本気で怒りますから」

「売れっ子でしたからね」

「ええ」

「そういうことを――変な言い方ですけど、鼻にかけている様子はなかったですか？」

「考えてもいなかったと思います。忙しいっていうのは口癖になってましたけど、自慢しているわけじゃなくて、本当に追いこまれている感じでしたから」

「私が聞いた印象とは違いますね」家族ならではの感じ方だろうか、と訝った。

「そうなんですか？」紗江子が、額にかかる髪を人差し指一本でさっと後ろに流した。

「彼の知り合いに聴いた限りでは、ですけどね。忙しいのは確かでしたけど、愚痴もキャッチボールみたいな感じだったようですよ。だからこそ、失踪する理由が分からないんです」

「そうですか……すいません、本当に、ろくに話もしなかったから、兄が何を考えていたか、よく分からないんです」紗江子の大きな目から涙が零れそうになったが、辛うじて堪《こら》える。頰をぐっと引き締め、目を細めた。指先で涙を拭うと、ティッシュを二枚引き抜いて顔を埋める。一つ溜息をついて顔を挙げ、私を凝視する。「ネックレス、間違いなく兄のものだったんですね」

「残念ながら」

「確認しないといけないんでしょうか」

「遺体を見て確認することは不可能だと思います」

瞬時に紗江子の顔が青褪める。彼女の動揺が深みに入らぬようにと、私は意識してまくし立てた。

「現段階では、身元を特定するためには、ＤＮＡを調べるのが一番確実です。ご実家はもうないという話でしたけど、この家に何か、藤島さんが触れたようなものはないでしょうか。手紙とか……切手の唾液からもＤＮＡは採取できます」

「手紙は……年賀状が来るぐらいですけど、あれには切手は貼りませんよね」

「そうですか。実家にあったお兄さんの持ち物はどうなってますか」

「兄が自分で引き取っていったものもありますけど、うちにかなり残っています。ＤＮＡを調べる役に立つようなものはないと思いますけど」

「率直に伺いたいんですが」

「はい」何かを覚悟するように、紗江子が背筋を伸ばした。

「藤島さんはどんな人でしたか？」

「どんなって……」戸惑いの表情が広がると同時に、紗江子の背中が丸まった。

「妹さんであるあなたから見た印象です。私が今まで話を聴いた人たちは、言ってみれば藤島さんの仕事仲間です。表面的なことしか見ていなかったかもしれない。だから、家族の目から見た姿を知りたいんです。急に家を出るような人だったのか、誰かの恨みを買うようなタイプだったのか」

「静かな人でした。元々人間嫌いだったのかもしれません」

「人間嫌い？」意外な評価だった。作家という商売は、人を見て、人を描くのが仕事なのではないか。それが人間嫌いでは、作品は薄っぺらになってしまう感じがする。

「昔から、あまり人づき合いのいいタイプじゃなかったんです。中学でも高校でも部活もやらないで、家で本ばかり読んでいました。作家になるのは昔からの夢だったと思うんですけど、私がそうだと知ったのは、小説が出るようになって、雑誌のインタビューなんかを読んでからです。少なくとも私は――家族は、兄がそんな夢を持っているなんて知りませんでした」

「そうなんですか？」

「ええ……でも『作家になりたい』って熱く語るのも変な感じですよね。まだ『プロ野球選手になる』って宣言する方がリアリティがあるっていうか」

　この先の捜査に暗雲が漂い始めた、と思った。昔の友人関係を洗うために横須賀に来たのだが……紗江子の話を聞く限り、藤島は友人が少なかった、あるいは深いつき合いを避けるタイプのようである。彼の人となりを知るための情報は得られないかもしれない。

「横須賀には、高校までですか？」

「ええ。大学から東京に出て、ずっと一人暮らしをしていました」

「独身だったんですよね？　恋人は？」

「いなかったと思います」言い切った後、紗江子が一瞬躊躇した。「違いますね。分からない、という方が正確です。兄のことは——特に最近の兄のことは何も知らないも同然なんですから」

「そうですか……高校時代の同級生の連絡先とか、分かりませんか？　友だちにも話を聞いてみたいんです」

「同窓会の名簿があります。うちに届くんですよ。兄は誰にも住所を教えていなかったようで」紗江子の顔に苦笑が浮かんだ。

「そういうのが面倒だったんですかね」

「面倒というか、世間から隠れていたかったのかもしれません。人づき合いが増えると、仕事をする時間がなくなりますから。『俺にはもう、友だちなんていらないんだよ』って言ってました」

「それもちょっと……悲しいですね」

「でもそれが、兄の本音だったと思います。やっと好きな小説で食べていけるようになって、誰にも邪魔されたくなかったんでしょうね。すいません、本当に何も分からなくて」

あなたには責任はない、と声をかけてやろうとしたが、その前に紗江子は席を立ってしまった。仕事も人生もタイミングだぞ、と自分に言い聞かせる。この八年間、タイミングを逸してばかりだった私には、何よりも大事な教訓だった。それが実際に生かされているとは限らないのだが。

藤島の数少ない高校時代の友人たちに会うために、車を走らせる。少し雪がちらつき始めていた。この辺りなら、よほどのことがないと大雪にはならないはずだが……スカイラインは、今や希少になってしまったFR車である。少し雪が積もれば、FF車に比べてコントロールが難しくなるのは目に見えていた。失踪課に一台だけある四輪駆動車に乗ってくるべきだった、と自分の迂闊《うかつ》さに腹が立つ。

細かい雪の中に、綾奈の姿が浮かんだ。今日は行方が分からなくなった七歳の時のまま。半袖《はんそで》のブラウスにジャンパースカート、お気に入りのアニメのキャラクターがプリントされた靴という格好だった。

——寒くないのか。

——関係ないもん。

——今日は素っ気無いな。

——そう？

くるりとターンしてみせた。七歳なのに、十五歳のような口の利き方をする。綾奈は時折こうやって私の前に姿を見せるが、年齢も格好もいつもばらばらだった。十五歳の姿で——昔住んでいた家の近くにある高校の制服を着ている——現れることもある。見たこともない、今後絶対に見ることの叶わない姿なのに、なぜか失踪から八年後の綾奈だとすぐに分かるのだ。私は超自然的なものを全く信じていないが、幻想や幻覚とは思えないリアリティがある。

——探してる人、見つかると思うよ。

——どうして分かる？

——勘？　パパの勘も有名だよね。

——最近ちょっと鈍ってるけどな。

答えながら、綾奈の「見つかる」という言葉について考える。まるで藤島が生きていて、どこかからひょっこり姿を現すとでもいうような言い方ではないか。綾奈の出現が、私の心の現れだとすれば、彼女の言葉は私の言葉でもある。つまり私は、あの遺体は藤島ではないと、心のどこかで感じていることになる。

――ヒントはね……

対向車線を大型のトレーラーが通り過ぎる。スカイラインがかすかに揺れるほどの風圧が襲い、綾奈の姿は一瞬にして掻き消えた。おいおい、これじゃ交通事故じゃないか。バックミラーに映るトレーラーの後ろ姿を睨みつけながら、私は煙草をくわえた。

あの遺体は藤島ではない。

ふいに湧き上がったその思いは、一秒ごとに強くなっていくようだった。だとしたら、後部座席に置いた段ボール箱の中身は、行方不明の藤島――生きた藤島を探す手がかりになる。紗江子が、家に残しておいた古いノートや写真をありったけ詰めこんでくれたのだ。埃《ほこり》っぽい資料から、藤島のどんな姿が浮かび上がってくるのか。それを想像しながら、私は最初に会うと決めた相手、石原慶太《いしはらけいた》の居場所に向かって車を走らせ続けた。


石原はガソリンスタンドで働いていた。従業員ではなく、経営者として。親が経営していたのをそのまま引き継いだのだという――紗江子の情報だ。綺麗なオレンジ色のつなぎ姿で、愛想よく私を出迎える。汚れ仕事は他の従業員に任せているのではないか、と思った。小柄で細身、どことなくすばしこい小動物をイメージさせる男で、逆三角形の細い顔が、その印象をさらに強くさせた。

「そうですか、刑事さんですか」休憩用のスペースで、立ったまま私の名刺をとっくりと眺める。

「お仕事中申し訳ないんですが、仕事が終わるのを待っていると、夜になってしまいますから」

「そうですね、こっちも昼間の方がありがたいかな。夜、家に警察の人が来たら、家族も驚くだろうし」

「ご家族は？」

「嫁と男の子が一人。母親も同居してます」

「このスタンドは、お父さんから引き継いだそうですね」

「ええ。十年前に脳梗塞《のうこうそく》で倒れて……高校を出てからずっとここで働いてたんで、継ぐのは既定路線だったんですけど、ちょっと早くなりましたね」

「そうですか。いろいろ大変ですね」

「いやあ、人生いろいろですから」さらりと言って帽子を脱ぎ、髪を撫でつける。「どうしますかね……ここには、話ができるような場所がないんですよ。お客さんも来ますし」

「私はどこでも構いませんよ」

「じゃあ、俺の車の中はどうですか？　対面シートになるんで、普通に話ができますよ」

「それはありがたい」

だが、そういうシートアレンジができることと、落ち着いて話ができることとは別問題だった。シートとシートの間が狭過ぎ、膝がぶつかってしまう。仕方なくはす向かいに座って、互いの顔を斜めに見るような格好で事情聴取を始めた。これでも、運転席と助手席の位置関係よりはましだった。

「藤島憲さんを捜しているんです」

「藤島？」

「あなたの高校の同級生の藤島憲さんですよ」

「ああ……何かやったんですか、あいつ」声を潜め、石原は前屈みになった。

「捜しているだけです。犯罪に係わっているというわけではありません」少なくとも、今のところは。

「そうですか」石原がわずかに肩を上下させた。安心したのではなく、後でネタにできる材料がなくなってがっかりしているのではないか、と私は踏んだ。同級生の噂話《うわさばなし》、それも不幸になった話は、呑み会の席で最高の肴《さかな》になる。

「最近、藤島さんとは連絡を取ってましたか？」

「いや、全然。昔は年賀状もやり取りしてたんですけど、今は住所も携帯の番号も、メルアドも知りません」

「彼の本は読んでますか？」

「いやあ、だいたい本そのものをあまり読まないから」苦笑しながら、石原がつなぎの袖を肘《ひじ》までめくり上げた。エンジンがかかって暖房が効いており、車内は汗ばむほどの暑さになっている。「知り合いが買って、クチコミで噂を広げてやろうっていう段階はとっくに超えてますからね、あいつの場合は」

「昔から作家になろうとしてたんですか」

「どうですかねえ。確かに本はよく読んでたけど」石原が、左から右へとページをめくる真似《まね》をした。「休み時間とか、ずっとですよ。だからかな、作家になったって聞いた時も、そんなに不思議な感じはしなかったですね。小説を書こうとするような人は、元々本が好きなんでしょう?」

「たぶん、そうでしょうね」小説に関する石原の知識は私と同程度だろう、と判断した。

「彼はどんな人だったんですか」

「静かな男でしたよ。友だちも多くなかったし……俺なんかは中学から一緒だったから、学校の行き帰りなんかでよく一緒になりましたけどね。あいつ、本当に変わってましてね、自転車に乗りながら本を読んでたんですよ」

「それは危ない」

「ねえ」石原の表情がわずかに緩んだ。「今だったら、携帯でメールを打ちながら車を運転するようなものでしょう?　それは俺にも分からないでもないけど、自転車に乗りながら読書は、理解できない世界でしたねえ」

「藤島さんが作家になって——小説を出すようになってから、会ったことはありますか」

「ええ、一回だけね。あいつの本がどかんと売れた時に、高校時代の仲間何人かで会いに行こうっていう話になって。まあ、冷やかしみたいなものですけどね。あの時はまだ、京成線の四ツ木の狭いアパートに住んでたんだけど……今や売れっ子だからなあ」声にかすかな羨望《せんぼう》が混じった。

「その時はどんな様子でした？」

「困ってました」きっぱりと言い切り、石原が苦笑を浮かべた。「困ってたというか、迷惑がってた、かな。急に押しかけたせいもあるけど、俺らがいると原稿が書けない……とは言わないけど、露骨にそんな顔をしてましたよ。それでこっちも早々に退散したんだけど、昔と変わってない感じでしたね」

「昔から人を寄せつけなかった？」

「高校生の頃だって、本を読んでる時に声をかけると睨まれましたからね。一度先輩が話しかけた時にやっぱり睨みつけて、ぶっとばされてたな」

「藤島さん、こっちへ戻って来ることはなかったんですか」

「いや、最近は全然」石原が首を傾げた。「戻って来れば、何となく話は伝わってきますよね。でも、そもそも用事がないんじゃないかな。両親は亡くなって、実家ももうないんだから」

「なるほど」

「それで、藤島がどうしたんですか？　麻薬でもやってたとか？」

「そういう風に考える理由があるんですか」

ぴしりと言うと、石原が慌てて背筋を伸ばした。問題と言えばドラッグ。そういう発想になること自体、ドラッグの蔓延《まんえん》状況を示しているのだが、軽々にそんなことを言って欲しくなかった。

「そういう話は一切ありませんから、ご心配なく。彼は単に、失踪しているだけです」

「失踪って……」

石原が眉をひそめる。両眉の間が狭くなり、眉同士がくっつきそうになった。私は彼の戸惑いを無視して質問を続けた。

「高校時代の友人で、藤島さんと一番親しかったのは誰でしょう。男女を問わず」

「そうですねえ」石原がゆるりと顎を撫でた。揶揄するような口調で続ける。「まあ、村《むら》上《かみ》かな。村上崇雄《たかお》。お互いに、本の話をする相手が他にいなかったから」

「村上さんも小説好き？」

「作家になるなら村上だと思ってたんですけどねえ、俺は」石原がまた首を捻った。先ほどよりも角度は深い。これだけ売れっ子になった後でも、藤島が小説を書いているのが意外だとでもいうように。「村上は、大学の頃に小説で賞を取ったんですよ。だからあいつは、そのまま小説を書いていくんだろうなって思ってたんだけど……」

「その後は書いてないんですか」

「さあ、どうなんでしょう」石原が肩をすくめた。「話は全然聞きませんね」

「村上さんと藤島さんは、今でもつき合いがあるんですか」

「それも分かりません。だいたい俺は、村上にも会ってませんからね。東京にいるらしいんですけど、はっきりしたことは知りません。高校時代にも、村上とはそんなに親しくもなかったし」

藤島のイメージは、依然としてまだ灰色のままだった。ただ一つ、彼は意識して自分の周囲を不透明な膜で包んでいたのではないか、と思える。その理由が私には想像もできなかった。仕事を邪魔されないためだけ、ではあるまい。藤島をよく知るはずの村上という男には是非会わねばなるまい、という決意は強くなった。

車に戻り、紗江子に電話して、村上について訊ねようと考えた瞬間に呼び出し音が鳴る。慌ててズボンのポケットから携帯電話を引っ張り出した。

「井村です。土曜日にすいません」

「大丈夫ですよ。どうしました。」

「例の切手の件なんですけど、うちで見つけました」

「会社ではなく？」

「ええ。手紙類は家に持ち帰るようにしてたんで、ひっくり返してみたんです。何通か見つけましたよ。どうしますか？」

「井村さん、家はどちらなんですか」

「横浜です」

得点、1。ただし横浜は広い。

「横浜のどの辺りですか」

「保土《ほど》ヶ谷《や》駅のすぐ近くです」

よし。私は虚空にパンチを放った。これで得点2だ。横須賀から東京へ戻る途中、彼の家に寄っても、それほど遠回りにはならない。

「今、横須賀にいるんですよ。お宅まで受け取りに伺ってもいいですか？」

「ああ」あまり乗り気でない様子だった。「ええと、それじゃ、近くまで来たら電話してもらえますか？　マンションの前まで出て待ってます」

刑事には部屋に入って欲しくないということか。それも当然だと思い、彼の提案に乗ることにした。どういう方法で受け取ろうが関係ない。重要な手がかりが手に入ることだけが大事なのだから。

保土ヶ谷駅にほど近い井村のマンションに立ち寄り、Ｂ４判の封筒を受け取る。中を確認すると、大小十通ほどの封筒が入っていた。

「助かります」顔の横に上げて見せた。

「上手く検出できるといいんですけどね」井村は寒そうに自分の上半身を抱いた。フリースのジャケット一枚という格好は、雪がちらつく陽気では辛いだろう。

「そこは警察の技術力を信用して下さい。どうもすいませんでした。今日、休みだったんでしょう？」

「だから一歩も家を出ていない……いや、一歩は出たかな」自分の下手《へた》な冗談に笑い、両手を擦り合わせる。素早く私の車に視線を投げた。「高城さんこそ、土曜も仕事なんですか？」

「まあ、そういうことです」

「具体的なことは聞かない方がいいんでしょうね」一瞬、井村の目つきが鋭くなった。

「そうですね。やめておいた方がいいと思います。あなたは関係者だけど、際どい事情には首を突っこみたくないでしょう？　とにかく、ありがとうございました」封筒を顔の横に掲げ、車に向かって足早に歩き出す。井村のマンションは国道一号線沿いにある。道路は片側二車線で広いが、路肩に停めたスカイラインは、ボディサイズが大きいせいもあって、明らかに他の車の邪魔になっていた。ドアに手をかけたところで、不意に思い出して振り返る。

「井村さん」

声をかけると、背中を丸めたままマンションに駆けこもうとしていた井村が足を止める。こちらを向くと、露骨に迷惑そうな表情を浮かべた。小走りに彼の許へ駆け寄り、横須賀から引っ張ってきた疑問を口にする。

「一つ、教えて下さい」

「いいですよ、俺に分かることなら」

「人の名前なんですけど……作家で、村上さんという人はいませんか？」

「村上さんなら何人もいますけど、下の名前は分かりますか？」

「村上崇雄。やまかんむりに宗教の宗、それに英雄の雄と書いて『たかお』と読むそうです」

「ええと」細い顎をつまみながら、雪がちらつく空を仰いだ。「ちょっと記憶にないですね」

「藤島さんと同じ高校の出身で、同い年です。学生時代に何かの賞を取って、デビューしたらしいんですけど」

「分かりませんね」井村が肩をすくめる。

ないですか？」それぐらい自分でやれよ、と言外に臭わせた。

「私が知りたいのは、住所や連絡先なんです。そういうことはネットでは見つからないでしょう。その人が、藤島さんと親しかったと聞いているんです」

「ああ、それで横須賀で調べていたんですか」納得したように井村がうなずく。

「藤島さんは、横須賀のことについては何か言ってませんでしたか」

「ゼロ、ですね」井村があっさり言い切った。「水を向けてみたこともあるけど、苦笑いして何も言わないんですよ。あの街が嫌いだったんじゃないかな。故郷を嫌って東京に出て来る人は、いくらでもいるでしょう。だいたい普通は、小説の中に自分の故郷が出てくるものなんですよ。ネタに困ると舞台にしてみたりね。でも、藤島さんの小説には、横須賀はまったく出てこないはずです。横須賀をモデルにしたような街すらね」

「何なんでしょうね、彼のベースにあるものは」

「高城さん」急に井村が真顔になった。「そのことと藤島さんの失踪と、何か関係があるんですか？」

　答えられない疑問をぶつけられ、私は早々にその場を退散した。

「長野は？」捜査本部から人気が消えていた。ただ一人残っていたのがはなである。電話番で残されたようだ。研修として警視庁に来ているなら、外を回っている方がよほど勉強になるのだが。

「火事の現場に行ってます」

「現場百回、か」

どういう反応をしていいのか分からない様子で、はなが眼鏡の奥で目を瞬かせる。冗談が通じない相手と判断し、さっそく本題に入ることにした。封筒を彼女の前に置く。

「これは、藤島さんが知り合いの編集者に出した手紙だ。切手から唾液が検出できるかもしれない。ＤＮＡ鑑定をするように手配してくれないか」

「長野さんに連絡します」

「長野は、君を秘書代わりに使ってるのか？」

「そういうわけじゃありませんけど」電話に手を伸ばしながら、怪訝そうな表情を浮かべる。

「だったら、外へ出て仕事をしろよ。そもそも捜査本部の留守番は班長の仕事なんだぜ？　こんなところで電話を待ってるのは馬鹿らしいだろう」

「これも仕事ですから」はなが平然と言った。

「外を回ってる方が楽しいだろう」

「留守番も、誰かがやらなくちゃいけない仕事です」

「何も君が引き受けなくてもいいのに」

「順番ですから」

「優等生的発言だな」

「ええ」

当たり前のように打ち返された答えに、私は二の矢を失った。はなが指先で眼鏡を押し上げ、薄い唇をきゅっと結ぶ。すぐに、さらに優等生的な答えを口にした。

「警察のやり方には、基本的に無駄はないと思います。長年積み重ねて改良されたものですから、わざわざそれを破ることはないんじゃないでしょうか」

「俺に対する皮肉か？」

「いえ」

「だったら批判？」

「いえ。皮肉を吐くほどにも、批判を言うほどにも、高城さんのことは知りませんから」

「ごもっとも」少しわざとらしいと思いながら、私は思い切りうなずいた。

「まず、長野さんに電話します」白けた視線で私を一瞥《いちべつ》してから、はなが受話器を取り上げた。長野につながると、必要最小限の言葉で報告する。長野の声は受話器を飛び出し、少し離れたところにいる私にも内容が聞こえてくるほどだった。はなは一センチほど、受話器を耳から離している。

受話器を戻すと、小さく溜息をついた。長野の下にいると勉強になることも多いだろうが、ストレスも溜まる。その最大の原因が、彼の大声だ。警察では声の大きい人間が勝つ、とよく言われるが、それが本当ならば長野は四百戦無敗だろう。

「じゃあ、頼む。DNA鑑定には、それほど時間はかからないと思う。分かったら俺にも教えてくれないかな」

「分かりました」表情を一切緩めず、はなが素早くうなずく。

「ところで、本筋の方はどうなんだ?」

「何とも言えません。私は捜査会議で出る話しか知りませんから」

「捜査会議で出る話が全てだよ。ちゃんと聞いていれば、どういう筋なのかは簡単に理解できる」

「だったら、強盗の線ですね」

「キッチンから金庫が消えてる状況が問題になってるんだな?」

「ええ」

「分かった。長野によろしく伝えておいてくれ」

「了解しました」

捜査本部を出て、一階の失踪課に顔を出す。今日は駆けこんで来る人もいないようで、醍醐は椅子を三つ使って居眠りしていた。腰のところに一つ、足用に二つ。靴は脱ぎ、足首から先を私の椅子に乗せている。

「醍醐」

声をかけると、居眠りしたまま不機嫌な表情に変わって、何事かつぶやいた。椅子を蹴《け》飛《と》ばしてやろうかとも思ったが、乱暴に起こすのも忍びない。代わりに、コーヒーカップをがちゃがちゃ言わせてやる。背後で醍醐が跳ね起きる音が聞こえた。

「コーヒー、飲むか？」

「ああ、俺がやりますよ」慌てて靴に足を突っこみ、口の横を拭く——涎《よだれ》が垂れているわけでもないのに。

「コーヒーぐらい俺が淹れてやるよ。どうせ機械がやるんだから」失踪課でコーヒーの準備をするのは、最年少の愛美の仕事と決まっている。警察社会の長年の伝統だ。彼女が休みの時など、たまに醍醐が代役を務めることもあるが、この男はコーヒーの粉をやたらと大盤振舞いする傾向がある。いつも少しだけ薄めたタールのようなコーヒーが出てくるのだ。

二人分のコーヒーを淹れ、醍醐にカップを渡した。彼のはかなり大きなマグカップなのだが、手の中にすっぽり隠れてしまう。

「今日は暇みたいだな」

「オス」小声で言って、醍醐が立ち上る湯気の向こうに顔を隠した。「横須賀はどうでした？」

「それが、中途半端で戻って来る羽目になった。藤島さんの高校の同級生に話を聴いてたんだけどね」

　醍醐が壁の時計を見上げ、「確かに、随分早いですね」と認めた。まだ一時半である。私は自分のデスクに置いた段ボール箱を軽く叩いた。中身はそれほど多くなく、閉じた部分が軽く凹《へこ》む。

「それは？」

「藤島さんの妹さんの家で借りてきた。昔のアルバムやメモの類だよ。実家に残していたのを引き取って、残しておいたそうだ」

「何かの手がかりになるかもしれない、というわけですね」

「そういうこと。暇なら手伝ってくれ。ちゃんとした書類じゃないから……」

「解読するのに時間がかかる？」

「そういうこと。おい、昼飯は食ったのか？」

「いや、これからですけど」

「どうする？　軽くどこかで食べてから始めてもいいけど」

「何か仕入れてきましょうか」言いながら醍醐が早くも立ち上がった。「時間の無駄です。

食べながらやりましょう。最近、この近くに美味いハンバーガーショップが出来たんですけど、それでどうですか」

「そうだな」ハンバーガーか……独身の中年男として、ファストフードには朝食で時々世話になる。もっとも、醍醐が言っているのはそういう類の店ではないだろう。この男には、美味いものを嗅ぎつける力がある。それに賭けてみるか。私は尻ポケットから財布を引き抜いた。「今日は奢るよ。メニューは任せる。ただし俺は、フライドポテト抜きにしてくれ」

「いいですよ、自分の分ぐらい出します」

「土曜出番のねぎらいだよ。たまには上司らしいことをしないとな」捜査本部にいるはなの顔を突然思い出し、千円札を三枚引き抜いた。「捜査本部で留守番をしている可哀相な女の子がいるんだ。彼女にも聞いて、ついでに買ってきてくれないか」

「了解です」

千円札を握り締め——子どものお使いのようだ、と内心で苦笑した——醍醐が部屋を出て行った。私はコーヒーを友に、段ボール箱の中を吟味《ぎんみ》し始めた。

一見したところ、役に立ちそうにないものばかりだった。友だちとやり取りした年賀状、びっしり書きこみがされた古い文庫本、ノート——創作ノートではないかと思ったが、殴り書きの文字を判読するには、相当時間がかかりそうだった。どんな悪筆の人でも、癖が分かればそれなりに読み取れるようにはなるが、藤島の場合、あまりにもひど過ぎた。しかも、本人にしか分からない略号が相当混じっている。

フロッピーディスクが二十枚。今や過去の遺物になりつつあるが、藤島が高校生の頃は、これが一般的なメディアだったはずだ。ワープロ専用機のフロッピーだったら読めないかもしれない……確か、愛美がどこかから持ってきたUSB接続のフロッピーディスクドライブがあったはずだと思い出し、彼女のデスクに捜索《ガサ》をかける。おぼろげな記憶にあった通り、一番下の引き出しに入っていた。その他のものを見ないように気をつけながら引き出しを閉め、自分のパソコンを立ち上げる。一枚突っこんでみると、中身は普通のテキスト文書だった。どうやら読めそうだ。

フロッピーディスクのチェックにかかる前に、箱から取り出したものをそれなりに選《え》り分けた。フロッピーはフロッピー、メモ帳はメモ帳。後は「その他」だが、そこが一番多かった。年賀状は、知り合いを割り出すのに役に立つかもしれないが、やはり一番手がかりになりそうなのはフロッピーディスクだ。効率よく調べるために、まず全てのディスクの内容を自分のパソコンにコピーする。その作業が終わったところで、醍醐が肉の臭いをまき散らしながら戻って来た。

アボカドがたっぷり入ったハンバーガーを食べながら、醍醐に調査の方法を指示する。濃厚なソースでべたついた手を紙ナプキンで拭っているうちに、他の編集者にも聴いてみよう、と思いついた。取り敢えず、竹永に電話をかけてみる。結果は。すぐに出た。

村上崇雄という人間の痕跡は消えていた。

9

村上崇雄、現在三十五歳。「『蒼』文芸賞新人賞」を受賞してデビューしたのは二十歳の時で、最年少受賞者だということが話題になったようだった。しかし受賞作は読めないだろう、と竹永は言った。

「本になっていないと思いますよ。村上さん、受賞後は書かなかったみたいだし」

「書かなかった？　どういうことですかね」

「それは分かりません」

「村上さんが所在不明というのはどういう意味なんですか」

「言い方がちょっと大袈裟でしたね。少なくとも私は、彼がどこで何をやっているか知らない、ということです。でも、手がかりはあります」

「何ですか」

「村上さんが受賞した『蒼』文芸賞新人賞……それを主催する出版社に確認すれば、すぐに分かります。村上さんを担当していた編集者も知ってますから」

「狭い世界なんですね」自分の幸運を祝福しながら私は言った。

「そうですね。結構転職も多いし、いろいろなところで顔を合わせる機会も多いんです」

竹永がつまらなそうに告げる。土曜日に会社に電話がかかってくるのを歓迎するタイプではないようだ。もしかしたら、人のいない静かな社内で一気に仕事を片づけるつもりだったのかもしれない。

「当時の担当者は原《はら》さんですか……どんな人なんですか」

「ずっと文芸をやってるはずですよ。今、四十歳ぐらいじゃないかな」

「ということは、村上さんの担当をやっていた頃は二十五歳ぐらいですか。随分若かったんですね」

「年齢は関係ありませんよ」竹永が素っ気無く告げた。「だいたい、村上さんはその頃の原さんよりも若かったんですよ。村上さんにすれば、立派な兄貴分だ」

「ところであなたは、村上さんのことはご存じですか」

「ほとんど知りませんね」

「賞を取ってデビューした人なのに？」

「あのですね」竹永が溜息をついた。「文学賞、幾つあるかご存じですか？　年間何人の人がデビューするか、聞いたら驚きますよ。でもその中で本を出すまでにこぎつける人間は限られてるし、二冊目の本を出せる人となると、さらに少なくなる。厳しい世界なんです」

「どうして本が出せないんですか」

「短篇で賞を取っても、それだけでは一冊の本の分量に足りないからですよ。その後で文芸誌に掲載されたものをまとめて出版できたとしても、二冊目は一冊目よりもずっと大変です。必ず、一冊目を超えるものが求められるんだから。別に、我々が追いこんでるわけじゃないですよ。作家さんが自分で悩んで自分を追いこんじゃうパターンがほとんどなんです」

別に責任の有無を言っているわけではないのだが、と苦笑しながら彼の話を聞く。まったく知らない世界のことだが、かなり厳しい状況なのは間違いないようだ。書けないと呻《しん》吟《ぎん》して、ついに原稿用紙——今はパソコンか——を部屋中に撒き散らす村上のイメージが浮かぶ。それに比べて藤島は、やはり成功者と言えるだろう。

「しかし、井村もぼけたんじゃないかな。『蒼』の最年少受賞者なんだから、村上さんの名前ぐらい、すぐ出てきてもおかしくないでしょう」

「何でもかんでも覚えてるわけじゃないと思いますよ。あなただって、村上さんのことはほとんど知らないんでしょう」

「一言多いですね」竹永が鼻で笑って電話を切った。

そこまで話はするするとつながったものの、幸運はあっさり潰《つい》えた。竹永に教えてもらった原の携帯電話にかけたのだが、留守電になっている。会社の直通番号にもかけたが誰も出ない。携帯電話の留守電にはメッセージを残したが、摑まるまで何度でもかけ直すこと、と頭の中のメモ帳に書き記した。

そこまでやって、フロッピーディスクの分析に取り組んでいる醍醐に声をかけた。

「どうだ？」

「小説みたいなもの、ですね」

「みたいなもの？」

「断片とか粗筋とか」

「藤島さんが若い頃に書いたものなんだ」

「そうなんでしょうけど……」醍醐がばりばりと頭を掻いた。「俺にはさっぱり分かりませんね」

「お前には文学的素養なんて期待してないよ。そういうの、似合わないぜ」鼻で笑ってから、私は自分のパソコンに向かった。すぐに「さっぱり分かりません」という醍醐のコメントに賛同せざるを得なくなる。

「赤が広がっていた。血ではなく、炎の赤。その中に、なぜか燃えもせず、白骨が浮き揺らいでいる。あの太さ、そして長さは大腿骨だろうか」地獄の陳腐なイメージか？　それとも妄想か？

「僕の中にある暗い何かが、僕を突き動かす。全てをぶち壊してしまいたいという衝動。そんなことをすれば、僕自身も生きていけないと分かっていながら、吐き気のようにこみ上げる強い気持ちを否定することができない」十四歳ぐらいの心情を、そこそこ文章を書けるようになった十七歳が綴ったような、独りよがりの言葉。

「いいよ、僕はいつでもオーケイだ、どんな時でも君を受け入れる準備はできている、たとえそれがどれほど辛いものだと分かっていても、君のためには全てを投げ出そう、それこそが僕の望みだ」内的独白？　句点を省いているのは実験的な試みかもしれないが、ただ読みにくいだけだ。文法にはそれなりに意味があるものだ、と思い知る。

ほとんどのファイルが、このような短い文章だった。小説として完成していたものがあったとは——短篇であっても——思えない。要するに習作を集めたものなのだろう。後は粗筋、あるいは場面説明として読めないこともないが、全て箇条書きで、ここから全体のストーリーを構築することは私にはできない。例えば――。
・殺害場面。直前の会話で引っ掛かりが。小さな棘《とげ》が気持ちを全面的に変えてしまう。どんな台詞？
・一匹の猫がきっかけ。大事にしているものが失われた時、静かに狂気に陥《おちい》る。
・「いつも真剣にならないお前が許せない」
・殺意なのかどうか、自分でも判断できない状況。それでも手は勝手に動いてしまう。
　意味不明だ。

　それにしても、今の藤島の文体からは想像できない、生硬《せいこう》なものばかりである。「売れている」と評判の彼の本をめくった限りでは、癖のない文章が目立つ。個性を殺してでも、読みやすさを優先させているのだろうか。

　一冊手元に置いておいた彼のミステリ、『暗き輪廻《りんね》』を手に取り、一ページ目を開く。「大嶺《おおみね》千博《ちひろ》は血塗《ちまみ》れだった。それが自分の血なのか他人の血なのか、分からない」簡潔にして衝撃的。この方がずっと読みやすい。

「たまらないですね、これは。本当に読みにくい」醍醐が両手を拳に固め、目を擦った。

「俺が書いた報告書の方がまだましじゃないですか」

「一緒にするなよ。全然別物なんだから」

「オス」

「やっぱり、本人に会わないと駄目だな」

「そうですね。本人が書いた文章を読んでも、人となりが浮き上がってくるわけじゃないですよね」

「ああ。藤島さんという人は、人間嫌い――自分の殻に閉じこもるタイプだっていうことは分かったけど」私は首を振り、デスクの引き出しから頭痛薬を取り出した。二粒呑みこみ、喉を擦る硬い感触を楽しむ――そう、この独特の感覚で、頭痛は治り始めるのだ。プラシーボ効果の一種かもしれない。手首をひっくり返して腕時計を見ると、いつの間にか四時になっていた。

「美味いコーヒーはいらないか?」

「いいですね」醍醐が右手を拳に固め、右目を擦った。「ちょっと眠気覚ましが必要だな」

「仕入れてこよう」

「俺が行きますよ」

椅子を蹴飛ばして立ち上がりかける醍醐を制する。

「いいから。俺も冷たい空気に当たって息抜きぐらいしたい。ニコチンも入れてやらないと」

「――すいません」

「雪はどうかな」

「さっき出た時は降ってませんでした」

外が見える面談室に足を運ぶ。昼に醍醐が外に出てから三時間。今は大粒の雪が舞っており、駐車場の隅の方では既に薄《うっす》らと積もり始めていた。気温も低いし、このまま降り続くと、夜には都内の交通網は麻痺《まひ》するかもしれない。土曜日なのは不幸中の幸いだと思いながら、渋谷中央署を出る。

さすがに今日は出歩く人も少ない。渋谷駅まで歩いて——歩道橋を渡って一分という立地条件が信じられないぐらい静かだった。湿った雪が頬に張りつき、すぐに溶けて流れ落ち、顔の下半分を濡らす。歩道橋を渡って二四六号線に出て、桜丘町にあるコーヒーショップに入った。コーヒーの出来上がりを待っている間に雪はさらに激しくなり、寒さが身に沁《し》みてくる。コートを忘れてきたのは大失敗だった。ここで遭難したら洒落にもならないと思いながら、両手を擦り合わせる。失踪課に電話を入れ、「雪が積もる前にさっさと帰れ」と醍醐に警告するか……あいつも馬鹿ではないだろう。少しぐらい早目に引き上げても問題はない。私は、電車が動かなくなったら失踪課に泊まればいいのだし。その方がよほどゆっくり眠れる。

二四六号線は、山手線の高架下を底にして、南平台の交差点まで緩い上り坂が続く。歩道に出て、二四六号線と平行して走る首都高の側壁が作る鋭角な三角形を見ながら、慎重に署に向かって歩き出した。

歩道は悲鳴に満ちている。シャーベット状の雪が積もり始めた状態で、しかも坂道なので、へっぴり腰になっている人が大勢いた。東京では、雪になると救急車の出動は一気に増えるのだと思い出し、私は歩幅を狭めて慎重に坂を下りた。左手に提げた紙袋からかすかに伝わるコーヒーの熱さだけが救いだった。

「弱くなったな、俺も」自戒をこめてつぶやく。雪もよく降る街で生まれ育ったのに、東京暮らしが三十年近くになると、雪道の歩き方をすっかり忘れてしまっている。時折滑りそうになって慌てて体のバランスを保ちながら、何とか駅前の巨大な歩道橋のところまで辿り着いた。ここを渡って、山手線の下を潜ったらまた歩道橋……この辺りにはよく昼飯を食べに来るのだが、傾斜の緩い階段が、今日ばかりはやけに急峻に見えた。

一番下の段に左足をかけたところで携帯電話が鳴り出す。捜査本部の番号が浮かんでいた。階段の下に回りこみながら電話に出た。交通量の多い通りで、普通ならまともに電話で話すことなどできないのだが、はなの声は明瞭に響いた。

「変な電話がかかってきました」

「どんな?」

「藤島がいる、と」

「どういうことだ?」

「それは分かりません。渋谷駅の近く、青山通り沿いに大きいホテルがありますよね?」

「ああ。今、すぐ近くにいるよ」

「分かりました。そっちに向かいます。合流してもらえますか？」

「ちょっと、どういう——」質問をぶつけたが、既に電話は切れていた。案外せっかちなのかもしれない、と思った。そもそもはなは、肝心な情報を何も伝えなかった。藤島はホテルのどこにいる？　ロビーか？　レストランか？　どこかの部屋か？　電話をかけ直して確認しようかとも思ったが、彼女の携帯の番号は分からないし、捜査本部に電話しても無駄だろう。

コーヒーを持ったままホテルの前まで移動し、彼女を待った。五分後、雪で白くなり始めた上り坂を苦にする様子もなく、はなが小走りにやって来た。急停止すると、ずり落ちかけた眼鏡の奥から真っ直ぐ私を見上げてくる。

「さっきは言い忘れました。２５１２号室です」

「電話の内容は？」

「その部屋に藤島さんがいる、と」

「それだけ？」

「それだけです。電話は私が受けました」

「電話の相手はどんな感じだった？　男か？」

「ええ」はなが顎に拳を当てた。「年齢、三十代から四十代。東京近郊の出身か、東京に長く住んでいます。訛《なま》りはまったくありません。高等教育を受けています。おそらく、大卒。肉体労働者ではありません。事務職などのオフィスワークに——」

「ちょっと待った」私は慌てて両手を顔の前に上げた。はながきょとんとした顔で口をつぐむ。「誰が本格的にプロファイリングしてくれって言った？　電話での印象を聞いただけだよ」

「それぐらいは電話でも分かりますよ」

「君は人間観察の専門家か」

「そういうわけじゃありません」

はなの耳がわずかに赤くなった。褒《ほ》められ慣れていないのか、本当に謙虚なのか。私は顎を撫でた。一日分の髭がざらついて鬱陶しい。

「だったら、ついでにもう少し突っこんでアドバイスしてくれ。この情報は本物か偽物か？」

「そこまでは判断できません。踏みこんでみないと」

もっともだ。私は頭に薄く積もり始めた雪を払いのけ、ホテルのフロントに突進した。はなは二歩遅れてついて来る。あくまで研修のつもりかもしれない。名乗り、部屋の情報を求める。

「2512号室の客について教えて下さい」

「はい、それはどういう……」

　応対してくれたフロント係の若い男が、困惑の表情を浮かべる。名札を読んで、名前で呼びかけた。

「堀井《ほりい》さん、これは失踪した人の安否に係わる問題です。急ぐんです」

「ちょっとお待ちいただけますか」

「一分」私は彼の顔の前で人差し指を立てた。「それほど時間がかかる話じゃないでしょう。どういう人が泊まっているのか、確認してもらうだけでいいんです。そこに電話があるでしょう？　上の人に確認してもらえませんか。それなら一分かからない」腕時計を確認した。「あと四十秒になりましたが」

　堀井が慌てて受話器を取り上げる。本人も事情を把握できていない様子で、説明はしどろもどろになったが、何とか話は通じたようだった。結局二分かかったが、受話器を置くと、「バッジを確認させて下さい」と一歩前進した反応を見せた。私が取り出す前に、はながすっと前に進み出て、自分のバッジを示した。

「警視庁捜査一課です」

　堀井の顔が引き攣った。警察のことをよく知らない人間にも、「捜査一課」の名前はそれなりの迫力を持って響くかもしれないし、もしかしたら堀井はミステリファンで——それこそ藤島の愛読者で——２５１２号室に死体が転がっている様を思い浮かべたのかもしれない。慌てて手元のキーボードを操作し、情報を引き出した。

「今井《いまい》さんとおっしゃる方です。男性ですね……二時間ほど前にチェックインされました」

「どういう人か、分かりますか」

「私は直接お会いしていませんので……」堀井が口を濁した。

チェックインを担当したフロントマンに話を聴くこともできるが、その手間が面倒だった。その場を辞去して、作戦をフェーズ2に移すことにする。

「行くぞ」はなの耳には届き、堀井には聞こえない大きさで告げ、フロントを離れる。はなはまたも二歩遅れた状態でついて来た。無言でエレベーターホールを目指す。フロントから十分過ぎるほど離れたところではなが追いつき、小声で話しかけてきた。

「強引ですね」

「時間がないんだ」

「どうするんですか」

「フェーズ2に移行する」

「フェーズ2?」

「部屋に突入」エレベーターのボタンを拳で叩いた。

「高城さん……」はなが語尾を濁す。「いつもそんなに強引なんですか」

「これが普通なんだよ、警視庁では」

「初めて知りました」

「何でも勉強になるだろう」

　エレベーターに飛びこむ。他に二人乗客がいたので、中ではずっと口をつぐんでいた。二十五階で降りると、すぐに部屋の位置を確認する。エレベーターからは近く、非常階段からは遠い場所だった。

「火災報知機が誤作動したことにする。俺が先に行くから、君はバックアップを」

「バックアップって何をするんですか」

「それっぽい顔で立っててくれ。いかにも警報を確認しにきたような感じで」

　言われて、はながエレベーター近くの壁にある鏡を覗きこんだ。しばらく頬や唇を引き攣らせるようにしていたが、どうにも上手くいかないようで、困ったような表情で私を見た。

「真面目な顔でいてくれればいいから」

　一瞬気を抜いて安心した顔つきになったが、次の瞬間には初めて会った時と同じ無表情に変わる。私はドアの前に立ち、まだコーヒーの入った紙袋を持っているのに気づいて、下に下ろした。醍醐が熱いコーヒーを楽しむチャンスはなくなっただろう。一瞬呼吸を整えてから思い切りノックする。

「今井さん？　すいません、今井さん、火災報知機が鳴っています」怒鳴りながら呼び鈴を押す。中で澄んだ金属音が響いた。立て続けに三度鳴らし、反応を待つ。五つ数えて、拳に痛みが走る勢いでまたドアに拳を打ちつけた。「今井さん、いらっしゃいますか？」

チェーンを外す音がしたので、一歩後ろに下がる。怒りの仮面を顔に貼りつけた若い男が、ドアの隙間から顔を突き出してきた。シャツの裾の片方がジーンズからはみ出し、ベルトがずれている。髪はぼさぼさで、唇の端にルージュの跡が滲んでいた。

「火災報知機なんか鳴ってない――」

「それは失礼」私は彼を肩で押しのけ、室内に足を踏み入れた。分厚いカーテンが引かれており、ベッドの足元のランプが点いているだけなので、室内は薄暗い。いきなり、甲高い悲鳴が耳に突き刺さった。

「おい、何なんだよ。勝手に部屋に入るなよ」

彼の抗議には迫力がなかったが、その理由はすぐに分かった。窓際のベッドが、人形《ひとがた》に盛り上がっている。誰かが――先ほどの悲鳴の主が潜りこんでいるのだ。まずい場面に出くわしてしまったと思ったが、本当にまずい立場にあるのは今井だった。椅子に引っかかったセーラー服。デスクに載った学生鞄。私はゆっくり振り返った。状況を理解したらしい今井の唇が震えている。私はわざと間延びした声で宣言した。

「あのな、俺はあんたの性生活には興味ないけど、こういう状況を見逃すわけにはいかないぞ」

「関係ないだろう」そっぽをむいて吐き捨てたが、目は泳いでいる。

「相手は何歳だ？　立派に都条例違反だぜ。そのシーツ、剝いでみるか？」

「何なんだよ、お前は。美人局《つつもたせ》か？」

「そういう古めかしい言葉を知ってることは褒めてやるけど、俺がそんな風に見えるか？　だったら残念だな。警察だよ」

今井が踵《きびす》を返して逃げ出した。

「井形、確保！」

私が声を上げるより先に、はなは動き出していた。大きく開いたドアのところに立ちはだかり、両手を広げる。今井が意味の分からない声を上げて突進したが、はなは一歩横に引いたと思った瞬間、左足を軸にして体を綺麗に半回転させた。靴の踵が見事に顎にヒットする。今井の動きが一瞬で止まり、顎を両手で押さえて後ろによろけた。はなが素早く詰め寄り、胸の辺りに正拳突きを見舞う。今井は背中からカーペットの上に倒れ、天井を見上げる格好になった。痛みよりもショックの方が大きいようで、目を見開いたままゆっくりと胸を上下させている。

「手錠、かけますか」今井を見下ろす格好で立っているはなは、まったく警戒心を解いていなかった。足を肩幅に開き、両手を軽く握って肩の力を抜いている。

「いや、それはいい。とにかく話を聞こう」私は、仰向けに倒れこんだ今井の前にしゃがんだ。「あんた、藤島憲という人間を知らないか？」

「あれでよかったんですか」

「構わない」私は今井の一件を生活安全課の刑事に引き継ぎ、失踪課に引き上げていた。見学のつもりなのか、はなもついてきている。

「だけど、藤島さんとは関係なかったじゃないですか」

「それとこれとは別問題だ。相手の子、高校一年生だったんだぞ？　ああいう男は、火傷《やけど》の痕が残るほどお灸《きゅう》を据えないと駄目だ」

「そうですか」

はなは納得していない様子だった。北海道ではあれぐらいは当たり前だとでもいうのか。私は許せなかった。たぶん、ベッドの中で悲鳴を上げていたあの子と綾奈が近い年齢だったから。

醍醐が律儀に居残っていたので、帰るよう指示する。

「顚末《てんまつ》は聞かせてくれないんですか」にやにや笑いながら食い下がってきた。「ずいぶん派手にやったそうじゃないですか」

「噂が好きだな、お前も」私ははなに向かって親指を倒した。「後で彼女から直接聞いてくれ。やったのは彼女だ」

はなは何の反応も示さなかった。普通は照れるか、そうでなくても愛想笑いぐらい浮かべそうなものだが。彼女に訊ねる。

「空手だな」

「ええ。子どもの頃からやってますから」

「技を使う時は気をつけてくれよ。相手を怪我させるぞ」

「分かってます」

「了解」彼女を怒らせないようにしよう、と私は肝《きも》に銘《めい》じた。やはり空手の経験があるはるかに殴られて、目の脇を切ってしまったことがある。危うく失明するところだったと、後で法月にも蒼い顔をされたものだ。

「しかし、変だぞ」

「何がですか」醍醐が目を見開く。

「考えてみろ。藤島さんが失踪したことを知っている人間がどれだけいると思う？　関係者だけじゃないか」

「ああ」緩んでいた醍醐の表情が引き締まった。「公式には、彼の失踪は表沙汰になってませんよね」

「とすると、さっき電話をかけてきたのは誰なんだ？　おかしいだろう」

「ええ……今井とか言いましたか、さっきの淫行男《いんこう》？」

「ああ」

「そいつを罠にはめるため……じゃないでしょうね。だったらわざわざ藤島の名前を出す必要はないし。今井があの部屋に高校生と一緒にいるとタレこめば済む話ですよね」

「電話、逆探知しなかったのか」はなに訊ねる。

「あっという間に切れましたから」言い訳する様子でもなく、はなが淡々と答える。「電話は、公衆電話だったと思います」言葉を切り、はなが目を瞑《つむ》った。それが記憶を引っ張り出す彼女なりの方法らしい。「背後で駅のアナウンスが聞こえました。駅の構内の公衆電話ではないかと」

「だったらどこの駅か、何かヒントはないかな。ホームのアナウンスが聞こえたとか」

「すいません、そこまでは」

「そうか……まあ、そんなに都合のいい話はないよな」私は話を打ち切った。気にはかかるが、今すぐ調べられることはない。「この件は気にしないで、他の線を当たろう。藤島の人となりについては、こっちでも引き続き調べるから。長野にはそう伝えてくれ」

「分かりました。今回の件は時間の無駄でしたか？」

「いや、悪い奴を一人捕まえたんだから、プラスマイナスで言えばプラスだよ」笑みを向けてやったが、はなの表情は変わらなかった。「しかし君は、人間観察には絶対の自信があるわけだ。本格的にプロファイリングでも始めてみたらどうだ？」

「プロファイリングは、あまり役に立ちませんよ」

「これからは主流になるかもしれない」

はなが肩をすくめる。珍しく、感情の動きが見えた。

「当たった時はいいけど、外れた時は捜査の流れが一気に間違った方向に向いてしまいます。それで失敗する可能性は低くありません。そんなことより、地道に証拠を集めた方がいいでしょう」

「案外古いタイプなんだな」

「古くてどうもすいません」少しむっつりした口調ではなが言った。

「いや、別にいいんだけど」私は笑いを押し殺した。電話が鳴り、醍醐が勢いよく受話器を取り上げる。二言三言相手と話すと、「何！」と声を張り上げ、椅子を蹴倒して立ち上がった。尋常でない気配に、私は彼の許へ歩み寄った。私の顔を見て、醍醐が受話器を架台へ叩きつける。

「どうした」

「ＤＮＡが一致しません」醍醐の声はほとんど悲鳴のようだった。

10

「あの火事で死んだのは、藤島さんじゃなかったんですね」

「ああ……」改めて言われると、澱《おり》のように溜まった疲労感を意識する。

切手に残った藤島の唾液のＤＮＡと、焼死体のそれが合致しなかった。単純だが絶対的な事実。

「これで全部白紙に戻るわけか……それにしても、鑑定は速かったですね」

「長野のことだから、大至急でやらせたんだろう」彼が科捜研の連中を脅し上げている様子は簡単に想像できた。長野の最大の美点は、どんなに相手を怒鳴りつけても恨まれないことである。ただ怒っているだけなのか、責任感に駆られて急かしているのか、その違いは誰にでも分かる。彼は誰にでも見える「使命感」を背中に背負って生きているのだ。

「ということは、あの遺体は誰なんですかね」

「分からない。とにかく俺たちはスタート地点に戻ったわけだ」この数日間が、完全に空振りに終わってしまった。忍び寄る頭痛を意識しながら、ゆっくりと頭を振る。無性にアルコールが恋しくなっていた。「角」のボトルの滑らかな手触り、喉を引っかく乱暴で刺々しい味わい、それによってもたらされる数時間の喪失……。

「藤島さんのデータ関係のこと、報告し忘れてました。今となったら無駄かもしれませんけど」

「教えてくれ。遺体の身元に関してはともかく、藤島さんが行方不明なのは間違いないんだから。そっちの捜査は続行しなくちゃいけない」

「オス」醍醐が手帳を広げたが、彼の巨大な手の中にほとんど隠れてしまっていた。「銀行の口座とカードが解約されている話は前にも出たと思いますけど、携帯電話も解約されていました。インターネットのプロバイダーも」

「つまり今は、電話もメールも通じないということか」

「メールは何とでもなりますけどね。パソコンがあって、公衆無線ＬＡＮが使えれば、ウェブメールは利用できます。ただし、本人を追跡するのは相当難しいでしょうね」

「住民票や免許証は？」

「今のところどちらも、書き換えられた形跡はありません」

「つまり、自分の居場所につながりそうなものだけを消しているわけだ。かなり徹底してるな」

「オス。どこかに穴がないかと思ったんですが……」醍醐が頭を掻いた。「何なんでしょうね、このむず痒《がゆ》い感じは」

「借金取りに追われているわけでもないと思う。彼にはあれだけ貯金があったんだから」

「貯金の額より借金の額が大きかったら？」

「五千万も借金をするのは大変だぜ。それこそ家でも買わない限りは。大体彼は、借金をするタイプには思えないんだ」会ったことも話したこともない藤島という男のイメージが、私の中で次第に出来上がり始めていた。「質素」。苦労していた時期が長かった人間は、金が自由に使えるようになった時、二つのタイプに分かれる。急にたがが外れたように浪費し始めるタイプと、それまで同様につましい暮らしを続ける人間だ。藤島の場合、明らかに後者と思われる。そこそこの家を買えるだけの収入がありながら、あまり広くもない住居兼仕事場に住み続けたのがその証拠だろう。服装などにこだわるタイプでもなかったらしい。車も持っていなかったし、株に手を出していた形跡もない。金がなくなるのを恐れていたのかもしれない。ひたすら貯めこみ、預金通帳の残高を見るのだけが楽しみ――ケチとは言えない。貧乏だった頃、自分が誰からも認められなかった頃の記憶が消えず、増え続ける預金残高だけが現在の自分を保証してくれる、とでも思いこんでいたのではないか。

「どうしますか？」

「あの火事のことはひとまず置いておこう。俺たちは引き続き藤島さんを捜す。それに依然として、彼がこの事件に関係していた可能性もあるんだから」

「ネックレス、ですね」

「そう」私は煙草を引き抜き、それで醍醐の顔を指した。醍醐が嫌そうな表情を浮かべたが、無視して話し続ける。「あれが藤島さんのものだということは証明された。だけど、どうして死んだ男がそんなものを持ってたんだ？」

「藤島さんから貰ったとか」

「あり得ない」思い切り首を振る。首の凝りが解れるほどの勢いがついてしまった。「あのネックレスは、藤島さんにとっては大事なものだったんだ。自分の成功の証明みたいなもので……どんな事情があっても、他人には譲らないと思う」いや、彼はそれまでの人生を捨てようとしていたのだ。だとしたら、ここ何年かの彼の人生の象徴であったネックレスを手放すのは、これ以上ない踏ん切りだったのではないか。

「そうですか」醍醐が手を拳に固め、顎を二度、三度と叩いた。「さっきの電話もおかしいですよね。誰かが藤島さんを陥れようとしたのか、警察をからかってるのか」

「ああ……とにかく、週明けに巻き直しだな」私は頭をがしがしと掻いた。一日の疲労が、次第に体を冒しつつある。

「了解しました」醍醐がデスクの上の私物をまとめ始めた。「俺は帰りますけど、高城さん、どうします？」

「俺も適当に帰るよ」

「早く帰らないと、電車が停まりますよ」

「まったく、東京は軟弱だよな。上越新幹線が雪で停まった話なんか、聞いたこともないぜ」

「まあまあ、新潟辺りとは事情が違うんですから……じゃあ、失礼します」

「ああ、お疲れ」

醍醐の大きな背中を見送り、瞼の上から眼球を押さえた。赤い火花が散り、同時に何かが頭の中で弾ける。最初は小さな火球だと思っていたのだが、すぐに大きくなり、脳内を赤く染め始めた。何か見落としている。いや、何かが記憶の端に引っかかっている。それが何なのか……リストだ。

私は、健が渡してくれた年賀状リストの原本を、デスクに積まれた書類の山から引き抜いた。その拍子に、他の書類が床に雪崩落ちてしまう。刑事は書類を整理すべし、デスク上には放置すべからず——誰に見られるか分からないから、機密は自分で守れということだ——という原則を思い出したが、こういう悪習慣はどうしても直らない。異動するたびに、きちんと自分用のファイルを作って整理しようと試みるのだが、一週間以上もった例《ためし》がなかった。

リストを上から順番に当たっていく。三枚目——森田がチェックしていたところだ——

の下から三番目にあった。村上崇雄。住所は目黒区《めぐろ》。最近この辺りの地理にはすっかり詳しくなっていたので、目黒とはいっても、渋谷駅に近い「ブルー」からさほど遠くない場所だということはすぐに分かった。「ブルー」を基点にして、藤島の家と同じ方向というわけではないが、その気になれば互いに歩いて行き来できる場所。

村上は「ブルー」の客だった。村上は藤島の近くに住んでいた――二つの事実が、新たな混乱を呼ぶ。偶然かもしれないが、私は基本的に偶然を信じていない。物事には必ず理由があるのだ。

一瞬、醍醐を呼び戻そうかと思った。しかし、一度気持ちを切ってしまった後、再び仕事に戻るのは大変である。醍醐を一家団欒《だんらん》――彼にすれば子育ての苦労――の中に置いておくことにして、一人で出かけることにした。外が見える面談室に足を運び、空模様を眺める。すっかり暗くなった空に、粒の大きな雪が舞っているのを認めた。醍醐が言っていたように、本当に電車が停まるかもしれない。しかし失踪課の車を借り出しても、これ以上雪がひどくなったら何の役にも立たないだろう。どこかで立ち往生して、一晩雪の中で過ごす羽目にもなりかねない。渋谷は谷底にある街なのだ。

よし、電車にしよう。私はコートを引っつかんだ。外に出るとボタン雪が頭に降り積もるのが鬱陶しく、すっぽりとフードを被る。湿った雪がぼたぼたと頭を打つ音が、やけに煩く聞こえた。

東横線《とうよこせん》で渋谷から二駅。中目黒の駅で降りて、すっかり暗くなった街を歩き出す。雪を恐れてか、交通量は少なかった。車のヘッドライトの中で、雪が虫のように舞う。足元はシャーベット状の積雪になり、靴底から冷たさが容赦《ようしゃ》なく這い上がってきた。靴下が濡れ始めるのを意識する。不快感に耐えながら、ひたすら目的地を目指した。

目黒区役所近くにある村上の家は四階建てのマンションで、相当古い物件だった。一等地といっていい場所だが、これだけ古いと家賃は——賃貸だとして——さほど高くあるまい。エレベーターはなく、階段室にはどこか黴臭い臭いが漂っている。灯りが灯っていない窓がほとんどで、人が住んでいるかどうかさえ判然としない。賑やかな目黒に、廃墟《はいきょ》になったマンションがあるとは思えないが……遠くで子どもの笑い声が聞こえてきて、少しだけほっとした。スラム化しているわけではないらしい。

エントランスの郵便受けで部屋番号を確認する。手書きの名札は薄茶色に変色し、村上が相当前からここを根城にしていた事実を想像させた。郵便受けは鍵がかからないタイプなので、思い切って開いてみる。郵便が溜まっていたが新聞はない。抜き出して調べてみたが、ダイレクトメールの類しかなかった。私信がない……それほど珍しくはないだろう。用件は全てメールで済ませている人も多いはずだ。エントランスの一角にある掲示板で、管理会社——目黒にある不動産屋だった——電話番号を確認する。

　203号室。郵便物を戻し、階段を上がった。外よりも階段室の方が寒く、しかも湿気が籠っている。濡れた靴からは容赦なく冷気が襲ってきた。体の震えを抑えながらドアの前に立つ。

　ドアのすぐ横に小さな窓があったが、真っ暗だった。電気……メーターは回っている。住んでいるが不在、ということか。そういえば、そもそも電話は通じたのだろうか。一度エントランスに引き返して、リストにある電話に連絡を入れた。呼び出し音が空しく続く。十回数えたところで電話を切り、少し待ってからまた呼び出した。やはり反応はない。部屋の電話は生きているが、いないということか。ここをチェックした森田に後で確認しないと。もしかしたら話ができた可能性もある。

　もう一度部屋の前に立ち、ドアをノックした。反応、なし。インタフォンにも応えはない。冷たい金属製のドアに耳を押し当ててみたが、風が吹くような音がするだけで、人の気配は一切感じられなかった。ここにはいない。そう結論づけて部屋を離れた。しかし思いついてすぐに引き返し、手帳を破って幾重にも折り畳み、ドアの隙間にかなり力をこめて押しこんだ。風では飛ばされないが、ドアを開ければ落ちる程度に。

　何か、もやもやする。雪の降る街を歩きながら、頭の中を整理しようと努めた。行方不明者、一名。死者、二人。村上は？　今のところ、事件には何の関係もない。駅まで辿り着いて、マンションの管理会社の休日用の番号に電話をかける。呼び出し音が四回鳴ったところで留守電に切り替わった。年中無休でも、二十四時間対応というわけではないようだ。仕方ない。明日、かけ直すことにしよう。

急に空腹を覚える。昼間に食べた馬鹿でかいハンバーガーはとうに消化されており、胃の中は空っぽだった。雪はますます激しくなっている。東横線の高架下にいるので直撃を受けることはないが、時に吹きこんできて寒さを増幅させる。愛美の見舞いは……今日は遠慮しておこう。あいつにとっては、いい骨休めでもあるのだ。もう宿題は出してあるのだから、わざわざ顔を見せて仕事を意識させることはない。一年三百六十五日、常に刑事でい続けることなど、不可能である。どこかで区切りをつけないと、肝心な時に百パーセントの力を出せるわけがない。そんなことができるのは、私が知る限りでは長野だけだ。よし、こっちも店じまいだ。どこかで夕食を食べて、電車が停まらないうちに帰ろう。

そう思って、駅の周辺を見回す。この街には、昔足しげく通ったことがある――遊びではなく、捜査一課時代にある殺人事件の捜査をしていたのだ。もう十年も前になる。その頃も洒落た街だったが、今は気取った雰囲気がさらに強くなっていた。中目黒のメインストリートである山手通り付近には、一人で入るには気後れするイタリアンやフレンチの店ばかりが目立つ。こう寒いとうどんでも食べて体を温めたいのだが……あまり動きたくなかったし、仕方なく、駅のすぐ近くにあるチェーンのステーキ店に飛びこむ。「ハンバーグフェア」の張り紙に気づき、二百グラムの和風ハンバーグを頼んでしまってから、昼飯がハンバーガーだったことを思い出す。二食続けてひき肉……自分の血管の中に、雪が積もるがごとくコレステロールが蓄積されていく様を、私はやけにはっきりと実感できた。

翌朝、まだ白く染まった街を歩いて出勤した。さすがに道路に雪は残っていないが、街のそこかしこには薄らと積もっており、寒々しい空気をさらに冷やしているようだった。渋谷駅前の歩道橋も、階段の隅の方が凍りついて滑りやすくなっている。こんなところで怪我をしたら馬鹿馬鹿しいと思い、できるだけ慎重に歩いた。

署に着いたが、日曜出番の森田はまだ出勤していなかった。コンビニエンスストアで仕入れたお握りとペットボトルのお茶で朝食を済ませ、書類を整理していると、森田が顔を見せた。私を見て、驚いたように体を硬直させたので、苦笑いで迎えてやる。

「そんなにびっくりするなよ」

「すいません……でも、日曜なのに」

「家にいてもすることがないんだ」

それは事実である。一人暮らしで趣味もない中年男にとって、週末は苦痛以外の何物でもない。妻と別れてからの長い日々、映画のはしごや読書を試みたこともあるが、どうにも肌に合わず、結局酒を呑んで時間を潰すしかなかった。それが無益だと、最近ようやく認める気になった。仕事場にいた方がよほどましである。

「コーヒーを淹れてくれないか」

「分かりました」座ったばかりの椅子を蹴るように立ち上がる。この男はいつも、尻にピンでも刺されたような勢いで椅子から立つのだが、何をそんなに慌てているのだろう。失踪課には、長野のように猛烈な勢いで怒鳴り散らす人間はいないのに。

「昨日からの引継ぎ事項はない」

「昨日も来たんですか」コーヒーサーバーのところから、森田が訊ねる。心底信じられない、とでも言いたそうだった。

「暇だからさ。家にいてもやることがない。お前は、休みの日は何をやってるんだ？」

「サーフィンとか、です」

「サーフィン」鸚鵡《おうむ》返しにしただけで、私はその話題への深入りを避けた。休日を海で過ごしている割に、森田は日焼けしていない。この男が丹念に紫外線対策をしている様を想像すると、頭が痛くなってきた。もっともこの季節は、海からも遠ざかっているのだろうが。

コーヒーを飲みながら、書類の整理に専念する。そうこうしているうちに九時になったので受話器を取り上げ、村上のマンションを管理する不動産屋に電話をかけた。そこで村上に関する情報を手に入れる。電話を切ってからふと思いつき、森田にリストを示した。

「この前、電話で当たってもらった『ブルー』の顧客リストなんだけど」

「はい」森田がフォルダを開き、すぐに自分に割り当てられたリストを見つけ出す。頼りない男だが、整理整頓だけはきちんとできているようだ。

「村上という人間に当たったのは君じゃないか？　リストの三枚目、下から三番目だ」

「ああ、はい」森田がリストから顔を上げる。「自分がやりました」

「どうだった？」

「話せました」

「何だって？」

私は無意識のうちに大声を上げて立ち上がった。森田の顔から血の気が引き、椅子の背に思い切り体を押しつける。

「どういうことなんだ」

「この番号に電話して、話しました」

「馬鹿な」

「……どういうことなんですか」

遠慮がちに森田が訊ねる。私は部屋に村上がいなかったことを説明したが、急に馬鹿馬鹿しくなってきた。昨夜は単に家を空けていただけではないか。これから訪ねて確認してみるのも手だ。

「電話では何を話したんだ」

「あの店……『ブルー』に行ったことがあるかどうかを確認しました」

「当然『行った』という話になったんだよな」

「ええ」

「何かおかしな様子はなかったか？　慌てていたり、何か隠しているような感じは」

「特に感じませんでした」許しを請うように、森田が上目遣いに私を見た。

「もっと自分に自信を持てよ」肩を一つ叩いてやろうかとも思ったが、結局やめにする。そんなことをして、彼がどんな反応を示すかが想像もできなかった。ダウンコートを取り上げ、席を立つ。「ちょっと出てくる」

「はい、あの——」

「お前は普通に仕事をしててくれ。俺は今日はあくまで休みだ。何かあったら助けを呼ぶから」

「助けって……」森田の顔が歪む。「そんな危ない話なんですか」

「まさか。それにお前の拳銃の腕なら、怖いものなんかないだろう」

「いや、それは」言葉を切り、うつむいてしまう。

これが理解できない。私は一度、彼のピンポイントの射撃で命を救われたことがある。射撃の腕だけは誇っていいはずなのに、こちらが話を振ってもまったく乗ってこないのだ。こいつの気持ちを揺らす方法は何かないかと思いながらトイレに立つと、エントランスに降りて来たはなと出くわした。互いに「ああ」と間の抜けた声を出す。

「昨日は助かったよ。それにしても凄い腕だな」

「向こうが鈍かったんです」相変わらずの無表情で言う。「少し運動神経のある人なら、逃げられたと思います」

「ああいう馬鹿は、あれぐらい痛い目に遭って当然だよな」私が調べたわけではないが、昨日ホテルに高校生を引っ張りこんでいた男は、大手電機メーカーのサラリーマンだと分かった。まだ報道向けには発表されていないが、いずれ表沙汰になるかもしれない。そうならなくても、まともな企業ならこの男を絶対に放り出すはずだ。今は、サラリーマンにも高い道徳心が求められる——会社には、駄目社員を切り捨てる勇気が求められる。「一種の病気なんだよ。理屈で諭せない奴には、体で分からせないと」

「そういう考えは、警察官としてどうかと思いますが」眼鏡を直しながら一瞬反発したが、はなはすぐに声を平静に戻した。「それより、昨日はありがとうございました。お礼が遅くなってすいません」

「何だっけ」

「昼食です」

「何だ、そんなことか。ここの食堂で食べるよりはましだろう。君の年なら、まだコレステロールを気にする必要もないだろうし」一日に二回もひき肉料理を食べてしまったことを、改めて深く反省する。「たまにはああいうのもいいだろう?」

「はい」

「今日も留守番じゃないだろうな」

「出る予定です」

「君は雪には強そうだから、相棒を上手くカバーしてやってくれよ」

「高城さん、日曜も仕事なんですか」はなが私のことに話題を振ってきた。

「ああ、やることがなくてね」自嘲《じちょう》気味に唇を歪める。「日曜に一人で家にいると、昼間から酒ばかり呑んでしまうんだ。健康に良くないし、金もかかるからね」

「一人」はなの声が、一際平板になった。

「離婚したからな」妙に突っこんでくるなと思いながら答える。「別に不便はないけど、時間は持て余すんだ」

「私と同じですね」はながさらりと打ち明けた。

「は?」

「私も離婚しましたから」

喉元まで質問が上がってきた。君はそもそも何歳なんだ。子どもはいるのか。相手の男は何者だったんだ。しかしはなは質問を許さず、体を四十五度折り曲げてお辞儀をすると、大股でその場を去って行った。追いかけて聞くまでもないと思いながら、私はお馴染みの後ろめたさを感じていた。刑事をしていると、嫌でも人の私生活を知ることになる。それが仕事に直接関係ない場合、私は後悔するのが常だった。誰にでも守りたいプライバシーはある。

向こうから打ち明けたことではあるし、彼女が特に気を悪くした様子がないのが救いだった。しかしあの無表情は……はなの本音を読み取れるようになるまでには、まだまだ時間がかかるだろう。そこまで長く彼女とつき合っていれば、だが。

11

もう一度部屋を訪ねてみたが、依然として村上は不在だった。昨夜と何も状況は変わっていない。ドアに挟んだ紙もそのままだった。昨夜帰宅しなかったのは間違いないが、だったら森田が話した相手は誰だったのだろう。普通に考えれば、たまたま村上が家にいて電話に出た、ということになるのだが、何故かそれを素直に信じる気にはなれなかった。森田が何かへまをしたと考えているわけではないが……この部屋に、村上以外の誰かがいた？

何の根拠もないのに、そういう疑いが胸の中で湧き上がる。長野なら、「有名な高城の勘」と呼ぶだろう。私自身はそれをあまり信じてはいなかったが。勘と呼ばれるものは、実は情報の寄せ集めという混沌《こんとん》の中から突然立ち上がる光である。もつれ合った情報の中から、つながるべきものが自然につながるだけだ。

マンションの前で立ったまま手帳を広げ、村上の個人情報をひっくり返す。勤務先は「アースフード」。会社の所在地は目黒だった。つまり、藤島と村上の生活圏は極めて近接していたことになる。もしかしたら、普段から接触があったかもしれない。やはりどうしても、村上には会っておく必要がある。

マンションに入ったのは一年半前。これまでに他の住民とのトラブルや、家賃の滞納などはない。優等生的な店子《たなこ》だったようだ。連絡先として連帯保証人の名前を教えてもらっている。実家。苗字が同じだから、父親かもしれない。そして携帯電話の番号。そこには何度かかけているのだが、一度も出なかった。メッセージは残したのだが、かかってこないのでは、という予感があった。

もう一度村上の携帯電話を呼ぶ。同じ結果だった。駄目か……そう簡単にいくと思うなよ、素人《しろうと》じゃないんだから一々がっかりするな、と自分に言い聞かせ、次の手を捜す。日曜日。勤務先の会社は休みだろう。ここは明日攻めればいい。とすると、今日当たれるのは実家だ。

街の雑踏に巻きこまれて話すのが嫌だったので、近くの雑居ビルのエントランスに入りこむ。空は高く澄んでいて、その分今日は寒さが厳しかった。保証人の名前、「村上優治《ゆうじ》」。父親なのだろうかと考えながら、電話番号をプッシュする。

「はい、村上です」低い、落ち着いた声で応答があった。父親ではないかもしれない、と考える。村上の父親なら、六十歳は越えているだろう。電話の主の声は、もう少し若い感じがした。

「村上優治さんのお宅ですか」

「そうですが」

「警視庁失踪課の高城と申します。急にお電話して申し訳ありません」

「警視庁……警察ですか」急に警戒する調子が生じた。「何のご用ですか。警察のお世話になるようなことはないはずですが」

「崇雄さんのことなんです」

「崇雄がどうかしたんですか」今度は一転して、腹の底から心配するような口調になった。肉親だけが持つ雰囲気。

「確認させて下さい。崇雄さんはあなたの……」

「弟です」

「そうですか。この電話番号は、不動産屋さんから教えてもらいました」

「ああ」まだ事情が分からない様子で、優治は最低限の言葉で答えるだけだった。「それで、崇雄に何の用なんですか？　あいつ、何かやったんじゃないでしょうね」

「何かやるようなタイプなんですか」

「違います」一転して、憤然と否定した。「警察から電話がかかってくれば、誰でもそう思うでしょう。何かやったか、逆に被害に遭ったか。それとも交通事故とか」

「弟さんは何もしていません」今のところは。「ある案件に関してお話を伺いたいんですが、摑まらないんです。どこにいるか、ご存じないですか」

「参考人、ということですか」

「そのようなものです」

「家にいないんですね」彼の念押しは、少しだけしつこい感じがした。

「ええ。携帯電話も電源が入っていないようです。仕事なんでしょうか」

「日曜出勤していることもあるようだけど……毎日どんな風に生活しているかまでは知りませんよ。あいつはここを離れてずっと東京で暮らしていて、滅多に帰って来ないんですから」

「そうですか」

「話をしたいって、どういうことなんですか。本当にあいつ、何でもないんですか」畳みかけるように優治が訊ねる。

「ええ。崇雄さん本人の問題じゃないんです。彼の知り合いについて話を聴きたいだけですから。単なる参考人ということです」

「そうですか」優治が深く安堵の吐息を漏らす。「だけど、申し訳ありません。本当にこしばらく、連絡は取っていないんです。あいつも忙しいみたいで」

「アースフードという会社にお勤めだと聴きましたが」

分厚いウールのコートを着た若い男がエントランスに入って来た。私を不法侵入者と見なしたのか、ねめつけてからエレベーターのボタンを押す。到着するまでに、何度かちらちらとこちらを見た。そんなに怪しく見えるのか？　目を逸《そ》らしたまま話し続ける。

「ええ」

「どういう仕事なんですか」

「食品の開発、ですかね。スーパーの『Vストア』の子会社で、プライベートブランドの商品を作ってるみたいですよ。お茶とか、お菓子とか」

ふと思いついて質問をぶつける。

「つかぬことを伺いますが、藤島憲さんという方をご存じじゃないですか」

「ああ」優治が気の抜けた声を出した。「知ってますよ。作家の藤島憲、でしょう？」

「と言うより、崇雄さんの友だちの」

「高校時代の、ですね。よくうちにも遊びに来てましたけど、何だか変な感じだったな」

優治の声が少しだけ軽く、優しくなった。

「変、というと？」

「うちの弟、高校生の頃から小説を書いていたんですよ。藤島君も同じでね。二人で部屋に籠って、何をしてるのかと思えば本を読んでたりとか、難しい話をしてたりとか。普通、高校生の男二人が一緒にいれば、ゲームをやったりとか、変なビデオを観たりとか、そういうことをするもんじゃないですか」

「まあ、そうでしょうね」私は頬が緩むのを感じた。誰にでも覚えのある、生ぬるい時代だ。「二人とも文学青年だったわけですか」

「今時、文学青年は死語かもしれませんけどね……それに藤島君はもう、文学青年からは卒業したことになるんじゃないですか。文学青年って、貧乏暮らしをしながら原稿用紙を一マスずつ埋めてるような感じがするでしょう？　彼は売れっ子なんだから」特に感情は籠っておらず、淡々とした口調だった。

「そのことについて、崇雄さんは何か話していませんでしたか？」

「崇雄が？　いや、別に。最近は会ってもいなかったんじゃないかな……詳しいことは知りませんけどね」

「仲違《なかたが》いしたとか？」このエントランスにはかすかに風が吹きこむのだが――細い口笛のような音がしていた――携帯を握り締める手は汗ばみ始めていた。

「そういうわけじゃないと思いますよ。ただ、崇雄も自分のことで精一杯だったから、昔みたいなつき合いができていたかどうかは分かりません」優治がすっと息を呑んだ。「あいつも、大学時代に小説の賞を取ったんですよ。でも、後が続かなくてね。普通のサラリーマンの私には分からないけど、結構なプレッシャーなんでしょうね。普通の仕事で言えば、でかいプロジェクトを成功させて、『次はどうするんだ』って急かされて、自滅するみたいな感じだったかもしれない」

私には縁のない世界である。基本的に刑事は、起きてしまった出来事に対応するのが仕事だ。もちろん、警察には内偵捜査が中心の部署や企画立案部門もあるのだが、一般のサラリーマンが何か目標を立て、それに向かって邁進《まいしん》するのとは事情が違う。

「じゃあ、今は全然書いてないんですかね」

「だと思います。大学を普通に卒業して、もう十二……十三年ですか。仕事に追われて地味に暮らしてると思いますよ。たまに帰って来ても、小説の話なんか全然しませんしね」

「彼の口から、藤島さんの話を聞くことはないですか」

「ないです」優治が即座に断言した。「さっきも言いましたけど、最近は会ってもいなかったんじゃないかな」

「そうですか……」失望を嚙み締めながら、私はなおも自分を鼓舞した。兄だからといって、弟の全てを知ることはない。彼が知らないだけで、二人が会っていた可能性もあるではないか。

しかし電話を切った途端、私は袋小路に迷いこんでしまったと意識した。とにかく村上に会わないと何も分からないのに、肝心の彼の行方に関するヒントは何も得られなかったのだから。


どうも、いつもと勝手が違う。

当たり前だ、とすぐに納得した。愛美が脇にいない。皮肉を飛ばし合い、時に鋭い刃先で互いをちくちくと傷つけながらも一緒に前進してきた相棒の不在。誰かに頼る気持ちなどまったくないと考えていたが、それは私の思い違いだったのかもしれない。今は彼女の存在がどうしても必要だった。明日には出勤してくる……しかし愛美はこの件に関してはどうしても、「途中参戦」という感覚を持つだろう。そうなるとどうしても、気持ちが入っていかない。

失踪課では、森田が淡々とデータを整理していた。失踪人がどれほど多いか……直接相談に訪れる人はそれほどでもないが、所轄からは毎日のようにデータが上がってくる。中には単なる家出で、携帯電話では連絡が取れるというようなケースもある。だが中には、事件に巻きこまれた疑いのある事案が埋もれているのだ。そういうものを引っ張り出すのが失踪課の仕事——私が考える失踪課の仕事なのだ。そのために、データの精査は重要な業務になる。ここから何か引き出せるかどうかが腕の見せ所と言ってもいい。

中途半端な気持ちのまま、「アースフード」について少し調べてみた。会社のホームページを確認すると、住所は世田谷《せたがや》区池尻《いけじり》である。家は近いが、路線が違うので通勤は結構面倒だったのではないか。東横線で渋谷に出て、V字のように折り返して田園都市《でんえんとし》線に乗る。従業員数二百人。支社が二か所に、研究所もある。結構な規模と言っていいだろう。業務は「食品の開発」「マーケットリサーチ」など。

会社に電話を入れてみた。呼び出し音が延々と続く。日曜日だから仕方ないと電話を切ろうとした瞬間、誰かが受話器を取った。非常に迷惑そうな声で、怒鳴るように「はい」と返事があった。若い男のようである。間違ってどこかにかけてしまったのだろうかと訝りながら名乗ると、途端に相手の声が平静になった。

「警察？」

「そうです。村上崇雄さん、いらっしゃいますか」

「ええと、村上は……今日はいませんね」

「休みなんですか」

「一応は」

「会社も休みですよね」

「そりゃ、日曜ですから」

「だけどあなたは出社している」

「そうですよ。いけませんか？」攻撃的な気配が蘇った。

「そうは言ってませんよ」

「仕事には土曜も日曜も関係ありません。他の連中は休んでいても、やる時はやるんです」

「忙しいんですね」

「誰のせいだか知りませんけどね……昨日から泊まりこみですよ」

初めて電話で話す相手に愚痴を零すほど追いこまれているわけか。少し同情を滲ませながら続けた。

「いろいろ大変ですね。村上さんも、よく休日出勤してたんですか」

「そうですね。今日はいませんけど」

「連絡を取りたいんですけど、自宅の電話も携帯も通じないんですよ」

「逃げちゃったんじゃないですか」男が神経質そうに笑った。「ここの仕事は、逃げ出す人間も多いんですよ。辞表も出さないで、いきなりいなくなっちゃうのも珍しくないですからね。きついだけで給料は安いんです」

そんなことをぺらぺら喋っていいのか、と私は不審感を募らせた。

「そうですか？　安定した仕事のようなイメージがあるけど。食品関係は好不況にも関係ないでしょう」

「幻想ですよ、幻想」男がやけっぱちのように声を上げて笑った。「デフレの時代ですよ？　コストをカットするために、どれだけの労力がいるか……食品産業は、我々のように安月給で一日十八時間働く人間に支えられてるんです。俺たちが人並みの労働時間で人並みの給料を貰うようになったら、プライベートブランドのポテトチップスの値段が、今の三倍に跳ね上がりますよ」

内部情報を漏洩《ろうえい》しながらの愚痴は永遠に続きそうだった。私は慌てて「村上さんの居場所に心当たりはありませんか」と訊ねて彼の話を打ち切った。

「知りませんね。どこかで海でも見てるんじゃないですか」

「何か、村上さんを嫌ってるように聞こえるんだけど」

「あの人、夢想家だから。あれでプロジェクトチーフだっていうんだから、笑っちゃいますよね」

初めて話す人間にここまで言うか？　この男の話は半分にして聞いておかねばならない、と肝に銘じた。

「最近、彼を見ましたか」

「何なんですか、いったい」声が真面目になる。椅子の上で座り直した様子が目に浮かんだ。

「捜しているんです」

「何かやらかしたんですか」

「どうしてそう思います？」

「いや、別にそういうわけじゃ……」語尾がどこかに消えた。

「村上さんの最近の勤務記録、確認できませんか」

「いやあ、それは総務の方じゃないと分からないんで。社員管理は、独自のシステムを使ってるんですよ。総務の人間じゃないと調べられません」

「総務の人は誰かいないんですか」

「日曜ですよ、今日は」何を考えてるんだとでも言いたげな、呆《あき》れた口調だった。「開発部門の俺らはともかく、管理部門の人間が来るはずがないでしょう」

「参ったな……何とか確かめる手はないですか」総務の人間を呼び出して確認してもらう手はあるだろう。だがそれでは時間がかかってしまう。

「自転車はありますけどね」

「自転車？」

「村上さん、自転車通勤なんですよ。近いですから」

私は傍らにあった目黒区内の地図を広げた。確かに。中目黒から池尻までは、直線距離にすれば二キロほどしか離れていない。山手通りを自転車で走れば、十分もかからないだろう。それにしても今回は、関係者が非常に狭い範囲に集まっている。何かの偶然だろうかと、疑わざるを得なかった。

「自転車はどこにあるんですか」

「ここに」

「ここって、会社の中に？」

「だって、歩道に停めて置けないでしょう。毎日、わざわざ担《かつ》いで三階まで上がってくるんですよ。迷惑な話だけど」

「その自転車があるんですね？」

「ええ、あの人の席の後ろに。邪魔でしょうがないんだよな」

「総務の人を呼び出して下さい」

「はい？」

「総務の人。村上さんの出勤状況を調べてもらう必要があります」

「どうしてそんな――」

「彼は失踪しているかもしれない」

　私の方が先に、アースフード社に着いた。先ほど電話でぞんざいな応対をした男――人《ひと》見《み》と名乗った――は、私の顔を一目見て態度を急変させた。小柄で童顔な男で、これまでの人生で警察と係わったことなど一度もないのだろう。顔は緊張で強張《こわば》っている。ジーンズにトレーナーというラフな格好で、足元は裸足《はだし》にサンダルだった。寝乱れた髪がまだそのままで、目は充血《じゅうけつ》している。

　会社は雑居ビルの三階にあり、それほど広くなかった。デスクの数は二十ほど。それぞれのデスクに、パソコンが二台ずつ載っている。人見はまず、総務の人間が遅れているのを詫びた。電話とは打って変わって、奇妙なほど低姿勢になっている。

「外へ出ていて、摑まえるのに時間がかかったんです。もうすぐ来ると思いますけど」

「構いませんよ。自転車はどれですか」

「その、折り畳み式のやつです」人見が私を案内して、デスクの後ろに回りこんだ。触ろうとしたので「そのままで！」と鋭く警告を飛ばす。人見は熱いものに触れてしまったように慌てて手を引っこめた。

「自転車通勤している人は多いんですか」

「いや、村上さんだけです」

「もしかしたら、変わり者なんですか？」

「否定はできませんね」人見が鼻で笑う。電話の横柄な態度が少し蘇っていた。

　遠くで小さな電子音が短く鳴った。出入り口……視線を向けると、股まであるダウンジャケットを着た若い男が、息を切らしながら部屋に入って来るところだった。若いといっても、二十代前半であろう人見に対して、三十代前半といったところである。ほっそりとした小柄な男で、額に垂れた長い髪が片方の目をほとんど覆い隠している。

「すいません」真っ直ぐ私のところに歩いて来て、頭を下げる。まともな反応だった。総務関係の人間は、常識をわきまえている、ということか。

「警視庁失踪課の高城です」バッジを見せると、緊張のせいか、男の顎に力が入った。

「村上さんを捜しているんですが」

「はい……」顔色が悪くなる。触れて欲しくないところに、私が手を突っこんでしまったようだった。

「村上崇雄さん。こちらの社員ですよね。そこに自転車があるんですけど、今、どこにいるんでしょうか」

「それがですね……」男が宙に視線を彷徨《さまよ》わせた。それほど大変なことなのか？

「何なんですか？」

「ちょっと失礼します。確認しますから」名乗る間もなく、男が自席についた。パソコンが立ち上がる間に、引き出しから名刺を取り出して渡してくれた。「総務課係長　竹入忠《たけいりただ》行《ゆき》」と入っている。

　やがて竹入が、画面に何かを呼び出した。背後に回りこんで確認しようとすると嫌な顔をされたので、横に立って彼が何か言い出すのを待つ。

「村上は木曜日から出勤していません」

「水曜日は？」

「いました。私は見ました」

「何時頃まで？」

「記録によると、午後七時三十六分にここを出ています。飯を食いに行くからって言って出て行ったはずですけど……すいません、よく覚えていません」うなだれるように竹入が頭を下げた。

「土日は、基本的に会社は休みなんですよね」

「ええ」

「とすると、木曜日と金曜日は無断欠勤したわけですね」

「ええ」

「連絡は？」

「取れません」

「自宅には行きましたか？」

「いえ」

「そうですか。普通は、二日も無断欠勤したら、何とか連絡を取ろうとするものじゃないですか」

「まあ、その……珍しいことではないので」竹入があやふやな声で答える。

「村上さんが無断欠勤するのが？」

「こういう業界ではよくあることです」

就業規則はないのかと思い、私は額を揉んだ。警察で二日間無断欠勤した人間がいたら、直ちに処分の対象になる。

「村上さんも頻繁に無断欠勤するような人なんですか」

「いえ」自信なさげに竹入が答える。「私の記憶では、今まで一度も無断欠勤はありません。遅刻もないはずです」

「だったらどうして、今まで放っておいたんですか」

「それは……」

竹入が口を濁した。常識的にはあり得ない対応に、私はかすかな頭痛を覚え始めていたが、頭を振って何とか我慢する。

「村上さんは、いつからここで働いているんですか」

「会社創立と同時ですから、五年になります」

「そうですか……家に行ってみませんか」

「はい？」

竹入の顔が引き攣る。何かを恐れているようだ——部屋に踏みこんだ途端に死体が見つかるとか。私は安心させるために「村上さんがそこで死んでいると言ってるわけじゃありませんよ」と言ったが、彼の恐怖を増幅させただけだったようだ。

12

「会社の人が心配している」「村上の居場所が分からないと業務に差し障る」と押して、何とか不動産屋を説得し、村上の部屋に入れることになった。

私は不快な予感を次第に募らせ始めていた。小さいが、筋が通らないことが多過ぎる。無意識のうちに想像が走り始めた。この部屋で死んでいるのは別人ではないか。例えば、森田が電話をかけた時に応対した人物。それが誰なのかは想像もつかないが——鍵を外す「かちゃり」という小さな音に、慌てて現実に戻った。私は細く開いたドアの隙間に顔を突っこみ、まず室内の臭いを嗅いだ。埃っぽく冷たいが、死体特有の、甘ったるく腐ったような臭いはしなかった。血の臭いも。それで少しだけ安心し、大きくドアを開ける。「村上さん?」呼びかけたが反応はなかった。人の気配もない。振り返り、竹入の顔を見ると、恐怖に加えて寒さのせいで顔面が蒼白になっている。

「村上さん、いませんか」もう一度声をかける。やはり返事はなく、冷たく重い空気が流れ出してくるだけだった。流れ出してくる？　空気の流れがあるということは、どこかが開いているわけだ。窓？　真冬に窓を開け放しておく人間はいないはずだが。

靴を脱ぎ、室内に足を踏み入れた。短い廊下の先のドアが開いており、そこからリビングルームらしい部屋が覗いている。カーテンが揺れており、窓が開いていると分かった。

　できるだけ余計な場所に触れないように気をつけながら、リビングルームに足を踏み入れる。いかにも男の一人暮らしらしく、素っ気無い部屋だった。ソファと大型の液晶テレビが目立つぐらいで、家具は少ない。ソファの前のローテーブルにはノートパソコン。デスクの類はなく、何か作業をする時には胡坐《あぐら》をかいてテーブルに向かっていたのだろう。パソコンの傍らにはサッカーの専門誌、他には男性向けのファッション誌が積み重ねてあった。ふと思いついて玄関に引き返し、まだ外から恐る恐る室内を覗いている二人に「いないようですね」と声をかけてから、作りつけの靴箱を開ける。

　靴道楽というのは本当にいるらしい。靴箱は玄関の床から天井までの高さがあるのだが、棚板全てにびっしりと靴が並んでいた。ぴたりと揃った踵を見ただけで、どれも全て上質なものだと分かる。上質な革を使った靴を丁寧に磨いていないと、こんな風に鈍い光を発するようにはならないだろう。棚の一部には、何種類もの靴クリームが綺麗に並べられていた。同じブランドの色違い。茶色だけでも様々な種類があるものだと、私は初めて知った。

「すごい量の靴だな」と思わず漏らす。

竹入がようやく玄関に足を踏み入れ、呆然と靴箱を見た。

「本当だ……でも毎日、違う靴を履いてたからな。会社で履き替えるんですよ」

「履き変える？」通勤には別の靴を使っていたというのだろうか。

「ええ。会社に来る時はいつもスニーカーですから。革靴じゃ、自転車に乗れないですよね」

考えてみれば当たり前だ。靴箱を見ると、一番手が届きやすい中ほどの棚に、スニーカーが何足か並んでいる——いや、一般的なスニーカーではない。ソールは極めて薄く、紐ではなくベルクロを使ってワンタッチで留められるような仕組みである。力強く確実にペダルを踏むためのツール。

「自転車通勤してきて、会社ではわざわざ普通の靴に履き替えていたんですね」

「ええ」

「村上さん、お洒落な人だったんですか」

「そうですね。うちの会社でいつもスーツを着てる人なんて、村上さんぐらいですから。うちは特に服装規定はないんで、楽な服装で来る人が多いんですよ」

よく磨きこんだ上質な靴を履き、びしっとスーツを着こなしていたら、確かに社内では浮いて見えるかもしれない。もちろん、村上のスタイルは真っ当である。健康のためだろうが自転車通勤をし——とはいっても往復四キロぐらいだが——きちんとスーツを着ていい靴を履く。最近の都市生活者としては珍しくないスタイルだろう。

改めて部屋を調べた。失踪した形跡は見当たらない。計画的に行方をくらまそうとする人は、身の周りの必要なものを必ずまとめていくものだ。服がなくなっている様子でもなく、ベッドの下の引き出しからは銀行の通帳も見つかった。定期預金の残高、二百万円超。三十五歳の独身男性としては、ごく平均的な経済状態ではないだろうか。それより、パソコンの存在が引っかかる。竹入によれば、村上は家ではほとんどパソコンを使っていないはずだ、という。村上は「家にいる時までモニタと睨めっこしたくない」と常々語っていたらしい。ノートパソコンが一台あるだけなのは、その言葉が嘘でない証拠だろう。試しに電源を入れてみたが、起動時にパスワードを要求されたので中身を確認するのは諦める。ほとんど使っていないのが本当なら、このパソコンを見ても意味はないはずだ、と自分を納得させながら。

気になるのは、窓が細く開いていたことだ。失踪する人の中には、身の周りをきちんと整理する人も少なくない。私が経験した中でも、普段しないような大掃除をして部屋をぴかぴかに磨き上げていた人もいた。窓が開いているのは、何かあって慌てて出て行った状況を示唆《しさ》しているのだが……それも妙である。村上が最後に目撃されたのが水曜日。それも会社で、だ。普通に家を出て出勤するのに、窓を閉め忘れるものだろうか。

結局謎だけが残った。捜査は常に一直線に解決に向かうわけではない。進めば進むほど、状況が分からなくなることもある。

失踪課に戻り、様々な事実関係を手帳に書きつけ始めた。それぞれの状況がリンクづけられるかどうかはともかく、時間軸に沿って並べていく。

水曜日
・午前十時、村上、通常通り自転車で出社。
・午後、井村と紗江子が藤島の失踪を届け出に来る。森田と舞が応対。紗江子が捜索願を提出。
・午後七時過ぎ、村上が会社を出る。「食事に行く」の一言を残す。自転車は会社に置きっ放し。
・午後十時、「ブルー」で火災発生。
木曜日
・村上、出社せず。
・午後、森田が村上宅に電話をかける。村上と名乗った男と話す。
私はボールペンを放り出し、頭の後ろで手を組んだ。藤島の線と村上の線。二十年近く前から知り合いの二人の人生が、ここでまた交錯したのだろうか……いや、今のところは、二人が最近会っていた証拠はない。

手がかりは、水曜日の夜の村上の態度だろうか。「ちょっと飯を食べてくる」。その短い台詞は、どんなふうに発せられたのだろう。出かける前に誰かと電話で話していなかったか。それなら、通話記録を辿って、彼が誰と会っていたか分かるはずだ。

竹入に頼み、会社を出る前に村上と話した社員に事情を聴くことにしている。頼んだ時には摑まらなかったが、連絡が取れ次第、失踪課に電話を入れさせる、と竹入は確約してくれた。彼は本当に村上のことを心配しているようだった——村上を、というより会社のことを。会社が重大なトラブルに巻きこまれるようなことがないか、懸念《けねん》しているのだろう。

森田は遅目の昼食に出ていた。失踪課に一人……日曜日の警察署は、事件でもない限り、しんと静まり返って不気味なほどである。捜査本部は動いているのだが、この時間帯は刑事たちは出払っていて、長野が一人留守を守っているはずだ。奴を誘って署の食堂で飯でも食べるか——と席を立った瞬間、目の前の電話が鳴った。急いで受話器を取り上げると、聞いたことのない声が耳に飛びこんでくる。

「アースフードの藤井《ふじい》と申しますが、高城さん、いらっしゃいますか」

「高城です」

「うちの竹入から電話するように言われたんですが」

「ああ、わざわざどうもすいません」すきっ腹を強く意識しながら、私は再び椅子に腰を落ち着けた。引き出しから灰皿を取り出し、煙草に火を点ける。トイレに隠れて煙草を吸っている高校生のような気分になった。「早速ですが、村上さんの話なんです。先週の水曜日なんですが、あなたは午後七時半頃、村上さんと話していますね」

「ええ」どこか警戒するような声色だった。

「心配しないで下さい。まだ事件だと決まったわけじゃないですから」

「そうですね……」

藤井の不安を払拭することはできなかった。仕方ない。とにかく話を前に進めることにした。

「その時、村上さんが正確に何と言ったか、覚えていますか」

「確か『ちょっと飯を食べてくるから』……でしたね」

「だけど戻って来なかったんですね」

「そうです」

「あなたは水曜日、何時頃まで会社にいましたか？」

「十時半ぐらいまでかな。正確なところは覚えてませんけど……」それがいかにも申し訳なさそうな感じだった。

「村上さんが言った通りなら、戻っているはずの時間ですよね」

「ええ」

「あなたが帰る頃、会社にまだ人は残っていましたか」

「いや、私が最後でした。誰もいなくてもカードで出入りできるから、村上さんを待つ必要はないと思ったんです」

「出かける前、村上さんは誰かと電話で話していませんでしたか？」

「それは……」言葉を切り、藤井は少し考えこんでいる様子だった。「話してなかったと思います。はっきりそうとは言えませんけど」

「村上さん、その時どんな様子でしたか」

「普通です。いつもと変わった感じはしませんでした」

「誰かと会うというような話はしていませんでしたか」

「それはないです。でも、仕事関係の食事ではないと思います。それだったら、何か言い残すはずですから」

「そうですか……だったら友だちかな」首を捻りながら私は言った。「夜、会社を抜け出して食事をするようなこと、よくあったんですか」

「それはしょっちゅうです。村上さんに限りませんよ。うちの会社は夜が長いですから、食事しないと持たないんです」同情を求めるような、情けない声だった。そういう生活をしているのはあなただけではない、と言おうとしたが、何の慰めにもならないと思って言葉を引っこめる。

「村上さんの最近の仕事は？」

「チョコレートです。詳しいことはまだ社外秘なんで言えませんけど、春に出す新製品の開発ですね。五種類、一斉にラインナップに加えるんで、かなり忙しくしてました」

「忙しいほかに、特に変わった様子はなかったですか」

「ええ、ない……と思います」藤井の口調が揺らいだ。

「慌てているとか、怯えているとか、逆に楽しそうだったとか」

「普通に、真面目な顔をしてました」

「真面目？」

「仕事の話をする時みたいな。要するにいつも通りということです」

「村上さんは、仕事の時とそうでない時と、極端に態度が変わる人ですか？　仕事では真面目でも、私生活になるとだらだらしてしまう人もいますよね」

「あまり変わらないと思います」

「それにしても、やっぱり仕事だったんじゃないですかね」

「だとしたら、私たちが知らない仕事じゃないかな。別に、常に情報を完全に共有しているわけでもないし」

「村上さんの最近の様子はどうでしたか？　普段と変わったようなことは……」

「どうですかね」会ったこともない藤井が首を捻る様が容易に想像できた。「最近あまり話してないんで……というか、何だか自分の世界に入りこんでる感じでした」

「何かあったんですかね」

「何かあっても、それを他人に言うような人じゃありませんから。それにあの人、顔色を読みにくいんですよ」

「そうですか」彼の記憶は十分に引き出せたはずだ、と判断して事情聴取を打ち止めにする。「どうもありがとうございました、休みの日に」

「いえ、今、会社に出て来たんで」

「休日出勤ですか」

「ええ、仕事が終わらないんですよ……村上さんの下でやってるチョコレートのプロジェクトなんですけどね」

「だったら、彼がいないと困るでしょう」

「そうなんですよ。週末はそれほど騒ぎになってませんでしたけど、週明けからは大変じゃないかな」

「リーダーがいないと大変ですよね。でも、先週の段階で騒ぎにならなかったのはどうしてですか？　村上さんは責任ある立場の人でしょう。そういう人が無断欠勤したら、仕事も滞りますよね」

「そうなんですけど……村上さん、影が薄い人だから」

ひどい言いようだと思ったが、藤井が言葉の選択を誤っただけだとすぐに分かった。

「静かな人で、会社にいても用事がなければ全然口を開かないこともありますからね。そういえば今日は一度も話さなかったな、なんて夜になって気づくこともあります」

自分の殻に閉じこもるタイプなのだろうか。だとしても、アースフードの社員たちの態度は冷た過ぎるような気がした。仮に失踪課で森田がいなくなったら……影の薄い人間は確かにいるものだ、と私も認めざるを得なかった。

愛美に会うために病院に立ち寄る。寒いのか、彼女はパジャマの上にトレーナーを着ていた。

「コーヒー、奢ってもらえますか？」

「そんなもの飲んでいいのかよ」

「大丈夫です。明日から出勤ですから、少しリハビリしておかないと」

「コーヒーを飲むのがリハビリ？」

「あそこにいると、一日に何杯飲むと思ってるんですか。あのペースに慣れておかないと」

理屈になっているようでなっていないが、つき合うことにした。そういえば今日は、昼からコーヒーを一杯も飲んでいない。疲労と眠気が全身に満ちていた。

下がパジャマで、足元はスニーカー。何だかバランスの悪い格好だった。後ろ手に何かフォルダーを持っているが、歩きながら私に見せるつもりはないようだ。

日曜の夜なので見舞い客も少ない。寒々としたエントランスに下りていくと、既に灯りは半分落とされていて、わずかに不気味な雰囲気が漂っていた。自動販売機の前に立ち、百円玉を入れてコーヒーのボタンを押そうとすると、愛美が「待った」をかけた。

「やっぱりコーヒーはやめておきます」

「紅茶にするか？」

「ええと……イチゴミルクを」

振り向いて、まじまじと愛美の顔を見る。怒ったように睨みつけてきたが、耳は照れで赤くなっていた。

「何だか甘いものが飲みたいんですよ」

「何も言ってないぜ」

「何を言いたいかぐらいは分かります」

相手は怪我人なのだと思い、うなずき返すだけにしてイチゴミルクを買った。氷の入った紙コップの冷たさを感じながら、愛美に手渡す。自分用にはブラックのコーヒーを買い、並んでベンチに腰を下ろした。薄暗いエントランスで、私たちが飲み物を仕入れた自動販売機だけが温かな光を放っていたが、節電のためか、間もなくぼんやりと暗くなった。

「退院は予定通り明日なんだな?」

「朝一番の診察で異常がなければ」

「もう症状はない?」

「一応は」

「明日一日ぐらい、休んでもいいぞ。今のところ、それほど忙しくないから」本当は彼女の力を借りたかった。気の合う相手がいないと、自分本来の力さえ発揮できないような気がする。

「そうもいきませんよ。家に荷物を置いたらすぐに行きますから。昼までには出勤できます。遅刻扱いにしておいて下さい」

どうしてこんなに焦るのだろう。自分だけが取り残されるとでも思っているのか。

「お母さんは?」

「もう帰りました。明日から仕事に戻るそうですから」

「そうか……無理するなよ」

「無理はしてませんけど、本当は忙しいんじゃないですか」

「そんなことはない。俺が一人でばたばたしてるだけだ……今のところは行き詰まってるけどな。ところで藤島さんの小説、どうだった？」

「作家と小説の関係ってよく分からないんですけど、書くものがその人の人格を表してるわけでもないんでしょう？」

「俺に聞くなよ。縁遠い世界だ」

「だって、藤島さんが小説の登場人物と同じ考えの持ち主だったら、大変なことになりますよ」

「主人公がほとんど犯罪者だからな」

「それはともかく、ちょっとこれを見てもらえますか」背中の方に置いていたフォルダーを取り出す。中には雑誌の切り抜きが何枚か、入っていた。「二月前に新作が出たんですね。その後結構インタビューに登場してて、それを集めました」

「大人しくしてなくちゃいけないのに、外に出たのか？」

「母が探してきてくれたんです」また耳を染める。

「おいおい、そういうことに家族を使うなよ」

「ちょっと本屋さんに行って来てもらっただけですよ……それはどうでもいいんですけど、ちょっと気になることが書いてあって」

「何だって？」

「読んで下さい」

「君が説明してくれる方が早い」

愛美が大袈裟に溜息をついた。雑誌の切り抜きをぱらぱらとめくって視線を落としたが、それがポーズであることは分かっている。記憶力は抜群なのだ。

「小説はもう書かない、というようなニュアンスで発言してます」

「引退宣言？」

「そこまではっきりしたものじゃないんですけどね。『こういうのももう飽きた』とか『書きたい物と求められている物が違う』とか……何なんでしょうね。ああいう仕事も飽きるものなんでしょうか」

「どんな仕事でも、そういうことはあるんじゃないかな。俺たちだってそうだ。投げ出したくなる時はあるだろう？　小説だって、同じような話ばかり書いてたら、穴に落ちこむかもしれない」

「そうなんですかね……確かにどの本も傾向は似てるんですけど、ストーリーは一冊一冊違うじゃないですか。毎回違う仕事をしていることになるでしょう。それに、書かないと食べられないんですよ」

「五千万円持ってたら、十年は楽に暮らせる」

「そうですね……とにかく、はっきり引退すると言ってるわけじゃないんです。インタビューを見ると、語尾に（笑）とか入ってますからね。冗談かリップサービスかもしれません。でも、どのインタビューにもそれらしいことが書いてあるのはどういうことなんでしょう。案外本音が漏れたのかもしれませんよ」

「そんなこと、担当の編集者は何も言ってなかったぞ」

「だったらどうして、インタビューでこんなことを言ったんでしょう」

「やっぱりリップサービスかな」私は首を傾げ、彼女に手を伸ばした。愛美が切り抜きをまとめて渡してくれた。「何か言えば話題になるし、その分本も売れるんだろう」

「そんなものかもしれませんね。それに、本当に辞めるつもりでいたら、編集者の人に相談していないはずがありません。真っ先に話をするとしたら、仕事仲間でしょう」

「だろうな」

「つながらないと思いますか?」

「分からない」素直に認めて、切り抜きをまとめた。「借りていっていいか？　今夜、まとめて読んでみるよ」

「もちろん。高城さんのために用意したんですから」

「悪いな」顔の前で振って見せ、フォルダーを取って挟みこむ。「何だか今回は勝手が違うよ。本当なら、放っておいてもいい案件なのかもしれない。俺たちは、藤島憲という作家の気紛れに振り回されてるだけじゃないかな。誰だって、姿を消したくなる時はある」

失踪人捜しで一番難しいのがこれだ。姿を消すのも自由意志。それを捜し出しても、相手が迷惑するだけ、ということもある。

「でも、有名人ですよ。特異ケースじゃないですか」

「犯罪に巻きこまれた証拠はない、本人が明確な意図を持って姿を隠している可能性が高いんだから、むしろ捜さない方がいいのかもしれない。何でもかんでもほじくり返していいのかどうか、疑問だな」

「一つだけはっきりしています。この件、表に漏れたら大変なことになりますよ」愛美が真面目な口調で警告する。手に持ったカップの中のピンク色の液体と合っていない。「売れっ子作家ですからね。毎日メディアに露出するような人じゃないから、しばらくは誰も気づかないかもしれませんけど、いずれはばれるでしょう。そうなったら、警察は何をしていたんだという話になりますよ。責められます。そういうことを避けるために、失踪課が存在してるんじゃないですか」

「そこまで考えてなかったな」

「しっかりして下さい。管理職でしょう？」

「君、最近室長に発想が似てきてないか？」

「今度そんなことを言ったら殺しますからね」低い声に、冗談は一かけらも含まれていなかった。

「作家は、何回同じテーマで書いても許されると思うんです。極端な話、一つのテーマのバリエーションとして、複数の小説が存在してもいい。小説の多世界化とでもいうんですかね……一生のうちで追いかけられるテーマは限られていますし、深く掘り下げるためには何度も同じテーマで書くことも大事だと思うんです。だいたい、書き終わって『完全に表現し終えた』って思うことはありませんから。でも、そういう作業は本当に疲れるんですよ。年に一回か二回、全部投げ出したくなることがある（笑）」

「読者としての自分と作家としての自分がいて、この二つはばらばらなんです。好きな作家の新作を読むと、『やっぱりこのテイストなんだよな』なんて感心したりして。読者って、その作家の好きな部分を徹底的に味わいたいと思うんですよね。でも、作家としての立場では、ちょっと違う。百八十度違うかな。読んでくれる人が喜びそうなパターンは分かっているし、書ける。でも、本当に書きたいことは、そことは別にあったりするんです。ただ、それを書いてしまうと、読者が離れるんじゃないかって怖い。『らしくない』って、いい評価でもあるけど、そうでない場合もありますから」

「時々、書くのを辞めたらどうなるかな、なんて思うことがあります。たぶん、すぐに忘れられるんでしょうね。それでも全然構わないけど……ここ何年かは書くことで生きてきたわけで、書かない生活は想像もできないんだけど、ふっとこういう生活から抜け出したくなることはあります。でも、そうしたら食えないんだよね（笑）」

いつものようにウィスキーを喉に放りこみながら、私は藤島のインタビュー記事を何度も読み返していた。結論——彼が本気で辞めるつもりだったかどうかは、やはり分からない。これらの記事が世間を騒がしていたわけでもないようだ。作家のインタビュー記事など、誰も読んでいないのかもしれない。

日曜の夜……少し酔いが回っていたが、誰かと話をするのに差し障るほどではないと判断し、井村に電話をかけた。彼は迷惑がるどころか、私からの電話をむしろ歓迎した。

「どうなんですか」前のめりになったように訊ねてくる。「何か手がかりはあったんですか」

「残念ながら」

「そうですか……」

井村の深い溜息が私を凹ませた。

「一つ、聴きたいことがあるんです」

「何でしょう」

「藤島さん、最近のインタビューで、『辞めたい』というニュアンスの発言をしてますよね。あれは本気だったんでしょうか」

「いや、まさか」慌てて井村が否定した。「新作のインタビューでしょう？　あれ、うちの本じゃないんで、私は取材の現場に立ち会ってないんですけど、読んだ後で慌てて本人に確認しました。笑い飛ばしてましたよ」

「じゃあ、一種のリップサービスみたいなものですかね。ああいう悪い冗談をよく言う人なんですか」

「喋ることがなくなっちゃったんじゃないかな」井村が推論を披露する。「インタビューなんて、いつでも同じようなことを聞かれるでしょう？　気の利いた答えなんか出なくなっちゃうんですよ。それであんなことを言い出したんじゃないかな。藤島さんは、喋りのプロってわけでもないんだし」

「本気だったら、周りの人がもっと慌ててるでしょうね」

「ええ」

ウィスキーのグラスを回した。いつものように氷も水もなし。琥珀《こはく》色の液体がグラスの内面にまとわりつき、複雑な模様を作った。何だか釈然としない……藤島の本音はどこにあったのか。急に疑問が湧き上がってきたので、それを井村にぶつけてみる。

「藤島さんが本当に本音を漏らす相手なんか、いたんでしょうか」

「いや、どうかな……」井村が絶句した。「お前はそうかと聞かれたら、自信はないです。他の編集者も同じじゃないかな。最近は、プライベートなことを編集者に話さないタイプの作家さんも少なくないですよ」

「もっと公私にわたってつき合いがあるのかと思いましたよ」

「そういうケースもあるけど、少なくとも藤島さんは違いますね。考えてみると、私は彼のことはほとんど何も知らないと言ってもいいんです。だから自分で捜すこともできないわけで……」井村の言葉が、次第に頼りなくなってきた。

「あなたの責任じゃないですよ。ご家族も、最近の藤島さんの様子をほとんど知らないんだから。しかし、正直言って困ってます。村上さんのこともそうですけど」

「それは何か、筋が違うような気もしますけど……すいません、素人が口を出すようなことじゃないですよね」

「前向きな批判なら歓迎なんですけど、今夜はお互いにあまりいい考えが浮かばないようですね」

やはり酔っていたのだ、と今更ながら気づく。肝心な情報をすっ飛ばしたまま話していた。煙草に火を点け、これは井村にとっていい情報なのか悪い情報なのかと考えながら告げた。

「一つだけ、報告できることがあります」

「何ですか」電話の向こうで井村が身構える様子が目に浮かぶ。

「渋谷のスナックの焼死体、あれは藤島さんではありませんでした」

「ええ?」井村が脳天から突き抜けるような声を出した。「じゃあ、DNAは……」

「一致しなかったんです。だから藤島さんは、今もどこかで生きている可能性が高い」

「何だ……」井村の声から一気に力が抜けた。「それを早く言って下さい。ずっと心配してたんですよ」

「申し訳ない。もっと早く連絡しておくべきでしたね」

「とにかく、少しほっとしました。藤島さんを見つけるチャンスは、まだあるということですよね」

「ええ、まあ」言葉を濁し、ウィスキーを喉に放りこむ。悪酔いする呑み方だ。

「まだ何かあるんですか」

「藤島さんがあそこで死んでいなかったのは、あなたにとってはいいニュースでしょう。でも、亡くなった人が彼のネックレスを身につけていたのは間違いないんですよ。この件に藤島さんが関係していた可能性は捨てられない」

「そうですね……でもそれは、私に聴かれても困ります。こっちはただの編集者で、刑事じゃないんだから。調べるのはそちらの仕事でしょう?」

「失礼」咳払いをして、煙草を揉み消した。灰皿が一杯になっている。ゴミ箱は……こちらも縁まで埋まっていた。いい加減、ゴミを片づけないと。

「それにしても、その気になって姿を消そうと思ったら、案外簡単なんですね」井村が感想を漏らした。

「自分の痕跡を消すのは、難しくないんです。金の流れを追えないようにすれば、何とかなるものなんですね。井村さん、他に何か、手がかりになるような情報はないですか」みっともない話だ、と思いながら私はつい訊ねてしまった。本当は捜査を委《ゆだ》ねられた瞬間から、全て自分たちの手でやり遂げるのが理想なのだが。

「必要だと考えることは、全部話しましたよ」

「あなたの考えではなく、私が必要だと思うことを話してくれているかどうかが重要なんです」

「高城さん、それは少し変でしょう」控え目ながら、井村が反論した。「そちらが具体的に聴いてくれないと、こっちも答えようがないじゃないですか」

「だったら改めて聴きます。藤島さんが失踪した理由に心当たりはありませんか」

「ないです……あまり具体的な質問にも思えませんけど」

答えが少し早過ぎた気がしたが、彼自身、焦りと苛立ちを抱えているのだろうと自分を納得させる。

「引き続き捜索は続行します」

「お願いします。我々にとって、大事な人ですから」

「仕事の上で、ということですか」

「どんな理由でも、人に大事にされるのはいいことだと思いませんか……それじゃ」

何なのだろう、この薄皮一枚隔てて接するような井村の態度は。本気で心配していないように思える。いくら売れっ子だからと言って、藤島も駒の一つに過ぎないわけか……

それではあまりにも寂しすぎないか？

立ち上がり、グラスの底に五ミリほど残ったウィスキーを呑み干す。頭の芯《しん》に鈍い痺《しび》れが居座っていた。だがそれが、仕事の苛立ちを忘れさせてくれる。働いている人で、呑まずにいられる人間がいるなど、私には想像もつかなかった。

13

月曜日の昼前、私は愛美と一緒に室長室にいた。愛美から真弓への報告は一分だけ。真弓は「しばらく無理をしないように」という忠告を与えてから、私に攻撃の矛先を向けた。土日の動きを事細かく聞かれ、結局全てがゼロに戻ってしまったと分かると、深い溜息を漏らす。

「あなたが動いている分、メーターは回ってるのよ。税金の無駄遣いだわ」

そこまで言うか。彼女の口の悪さは十分承知しているつもりだったが、むっとして、思わず反論してしまった。

すよ」

「何も、休日出勤の手当てをつけてくれと言ってるわけじゃありません。只《ただ》働きで結構で

「そういうことを言ってるんじゃないの」

最近真弓は感情的になる場面が多いな、とふと考える。焦っているのかもしれない。彼女にとって、「失踪課三方面分室室長」という立場は、単なる腰かけに過ぎないのだ。少なくとも彼女はそう信じている。しかしここで実績を上げて、刑事部の本流に返り咲くという野望は実現する見こみがないまま、時間だけが過ぎ去っていた。一方愛美は、知らん振りを決めこんで自分の爪先を見ている。こういうやり取りには慣れっこで、真弓の攻撃が自分に及ばないと分かっているのだ。真弓の特徴――目の前の敵を倒すためには全力を尽くすが、脇までは手が回らない。

「あなた、管理職なのよ。部下にも示しがつかないでしょう」

「自分の時間を使って捜査して、何が悪いんですか。いい見本になるでしょう。なあ、明神？」

いきなり話を振られた愛美は無反応だった。失踪課で一番冷静なのは彼女かもしれない。やっと口を開いたと思ったら、「あくまで無関係」という態度を貫き通すために、逃げに入った。

「私は病院にいましたから、この件について発言する権利はないと思います」

電気が流れているような緊張感は、電話の音で破られた。真弓が私を一瞥してから、受話器を取り上げる。

「失踪課、阿比留です……ああ、長野君。ええ？　それはどういう……分かったわ。高城君をすぐに行かせるから」

受話器を置くと、既にいつも通りの仕事用の顔になっていた。

「上の捜査本部に行って。明神も一緒の方がいいわね」

「何ですか」どうせ長野は、また些細なことに大騒ぎしているのだろう。そう思ったが、真弓の告げた事実は私の想像を吹き飛ばした。

「あの三人――『ブルー』のマスターと藤島さん、それに村上さんの接点が見つかったわ」

「明神」一声かけておいてから、私は室長室を飛び出した。愛美は普通に走れるのだろうかと心配になったが、平然とついて来る。不思議な力強さを私は味わっていた。相棒がいるだけでこうも違うものか。

そんなことを言っても、愛美は喜びそうにないが。

川本智《かわもとさとる》と名乗った男は、身を縮こまらせていた。少し額が薄くなった顔に浮かんでいるのは、紛れもない恐怖である。それも当然だ、と私は少しばかり同情した。狭い取調室ではなく、捜査本部の一角に誘導されたのだが、周囲を複数の刑事に囲まれているという点では、取調室に押しこめられるよりも居心地が悪いだろう。しかもそのうち何人かは――長野を筆頭に――鼻息が荒かった。下手なことを言ったら逮捕されるのでは、と怯えてもおかしくはない。

予《あらかじ》め長野に教えてもらった川本のデータを、頭の中で反芻《はんすう》する。四十九歳、渋谷にあるデパートの店長代理。着ているスーツはチャコールグレイの上質そうなもので、黒いストレートチップも綺麗に磨き上げられて鈍い光を放っている。服装はどこに出しても恥ずかしくない管理職という感じだったが、顔を見れば単なる怯えた中年男だった。川本も高嶋のリストに載っていた一人だったが、今日まで連絡が取れなかったのだ。記載されていたのが家の電話ではなく、勤務先だったせいである。先週半ばから研修があり、ずっと大阪の本社に行っていたという。法月が会社にメッセージを残しておいたため、月曜日に出勤してきたところで慌てて連絡を入れてきたのだ。私が真弓と遣り合っていたので法月から捜査一課に報告が回り、川本は即座に呼び出された。

川本はしきりに額の汗をハンカチで拭いながら、周囲を見回した。正面には、はな。その横に長野。二人の背後にも、捜査一課の刑事が二人、控えている。私ははなを挟むように長野の反対側に座り、川本の横には愛美が陣取った。

長野はこの場での事情聴取をはなに任せることにしたようだった。はなが眼鏡を押し上げ、一瞬鋭い視線を見せる。

「警視庁捜査一課の井形です。お仕事中、お呼び立てして申し訳ありません」深く頭を下げると、垂れた前髪がデスクに触れた。

「いえ」辛うじて答える川本の声は、頼りなく甲高い。

「今回の火事の件はご存じでしたか」

「いえ、大阪にいたので……ニュースでは見たんですが」

「仕方ないですね。研修中でしたからね」はなの言葉に、わずかに批判的なニュアンスが混じっていることに私は気づいた。分かっていたならさっさと電話してこい。それが市民の義務だ、とでも言いたげだった。

「すいません」

はなの冷たい気配に押されたのか、川本が頭を下げてしまった。はなはそれを気にする様子もなく、淡々と話を続ける。

「あの店に、藤島さんと村上さんが一緒にいるのを見た、というお話でしたよね」

「ええ、二か月ぐらい前に」

「知り合い同士という感じですか」

「そうです。あの店、カウンターの他にはボックス席が二つあるだけなんですけど、二人はそのうちの一つに座ってました」

「知り合いだということはどうして分かったんですか」

「あまり酒も呑まずに話しこんでいたから」

「どんな様子でしたか」

「深刻……とは言わないけど、真面目な感じです」

「真面目な話をしていた、と。内容は？」

「そこまでは分かりませんよ」川本が両手をデスクに突っ張るようにして、はなから距離を置いた。「盗み聞きしていたわけじゃないから」

「あなたはその時、どこに座っていたんですか」

「カウンターです」

「話は聞こえていたはずですよ。真面目な感じだと分かったんでしょう」

「それは、何となく雰囲気で……でも、内容は分かりません」

「そんなはずはないでしょう」はなは執拗《しつよう》だった。相手にコンピューター並みの記憶力を求めている。

「まあまあ、井形」

長野が割って入ったので、はなが口をつぐむ。川本はまた額の汗を拭った。この部屋はそれほどきつく暖房が効いてはいないのだが。はながどこか不満そうに唇を引き結ぶ。長野から事情聴取されるのと、はなを相手にするのと、どっちがきついだろうと私はぼんやりと考えていた。長野は最初からラッシュをかける。威圧的な態度に出て、相手を頭から呑みこもうとする。相手は萎縮《いしゅく》するか反発するかで、効率的に話を聴き出せない。決して上手いやり方ではなく、「長野はあれだけが弱点だ」と評する人もいる。一方、理詰めで攻めていくはなの手法の方を「きつい」と感じる人もいるだろう。確かにこんな尋問を続けていれば、川本は窒息する。

「二人を見たのはその時だけですか」

「そうですね……二人一緒、というのは」

「ばらばらに見たことは？」

「村上さんはあります。あの店の常連ですから」

「何度ぐらい？」

「それは覚えてませんけど、最後に見たのは一月ぐらい前……ですかね。マスターと話しこんでました」

「一月前。間違いないですか」はながさらに手綱を締めた。

「それは分かりませんよ」とうとう我慢の限界に達したのか、川本が少しだけ声を荒らげた。「呑みに行ったことを一々日記につけてるわけじゃありませんから」

「あなたは、村上さんとは知り合いだったんですか」

「何度か話をしたことはあります。でも、大人しい人だったから、話が弾んだことはないですね」

「藤島さんとは？」

「話をしたことですか？」

「そのつもりでお聴きしたんですが」はながボールペンの尻でデスクを叩いた。案外気が短いのかもしれない。「他に意味はありません」

「ないです」やや顔を蒼くして、川本が断言する。

「だったらどうして、藤島さんだと分かったんですか」

「彼の本は、何冊も読んでますから。本に顔写真が載ってるでしょう？　それで分かったんですよ。面白いですよね、藤島さんの本」川本の表情が緩んだ。

「そういう感想は結構です」はながぴしりと言い、川本の緩んだ顔つきを引き攣らせた。

「誰なのかは分かった、と。でも、あの店で見たのは一度きりなんですね」

「ええ」ぶっきらぼうに唇を尖《とが》らせながら、川本が認めた。

「声はかけなかったんですか？　サインを貰うとか」

「声をかけられるような雰囲気じゃなかったんです。村上さんと話していて、深刻な様子だったから」

「先ほどは『真面目な感じ』と仰いましたよね」

「いや、ですから」川本が声を張り上げ、背筋を伸ばしたが、それは一瞬だった。自分の言葉に自信がなくなってしまったのか、背筋を丸めて、風船が萎むように体を小さくする。

「すいません、その辺、記憶が曖昧《あいまい》で」

「分かりました。三人の関係についてはどうですか」

「三人……」

「藤島さんと村上さん、マスターの高嶋さんです」

「村上さんは、以前にもマスターと話していたことがあります。顔見知りと言うより、もう少し親しい感じかな。藤島さんは分かりません。とにかく、店で見たのは一度だけですから」

「藤島さんと村上さんの関係についてはどうですか」

「どうかな。話の内容は、何だか難しいことだったみたいですけど」

「どんな？」

「いや、そこまでは」

「具体的なことは分からないんですか」はながわずかに身を乗り出す。

「ええ。本当にちょっと聞こえただけなんですから。話の端々だけです」

「そうですか……」

　はなが溜息をついた。深い失望を相手に知らせるための仕草。お前の記憶力はその程度か、と責めている。川本がますます恐縮して背中を丸めた。まるで被疑者のようである。

「川本さん」私は身を乗り出して割りこんだ。はなが不機嫌そうに鼻に皺を寄せるのが見えたが、無視して続ける。「呑む方ですか？」

「え？」

「お酒ですよ」口元で杯《さかずき》を傾ける真似をした。「結構いける口じゃないんですか」

「まあ、そうですね。嫌いではないです」

「だったら、店での記憶がはっきりしないと思いこむのも仕方ないですよね。でも、酔っ払っていても、記憶は結構しっかりしているもんじゃないですか。私もそうだけど、後で思い出して恥ずかしい思いをすること、よくあるでしょう」

「それは……そうですね」川本の口元が歪んだ。そういう経験をしたのは一度や二度ではないようだ。

「だから、どうですか？　本当は二人が——藤島さんと村上さんが話していた内容、ちゃんと聞いていたんじゃないですか？　今は思い出せないだけとかね」

「いや、うーん」顎に手を当て、天井を仰ぐ。「そう言われても……」

「ゆっくり思い出して下さい。一つ、ヒントを差し上げましょうか」

「何ですか」

「藤島さんと村上さんは、高校の同級生なんですよ」

「ああ、そうなんですか」無表情でうなずき、川本が私の顔を見た。

「二人が高校を卒業してから、十七年経っています。もしかしたら、久しぶりに会ったのかもしれません。高校時代の同級生が何年ぶりかで会ったら、懐かしい話で盛り上がるはずですよね。そんな感じじゃなかったんですか」

「違いますよ。村上さんが声を張り上げていたぐらいですから」

「怒鳴っていた、ということですか？」

声を低くして訊ねると、川本が「あ」と間の抜けた声を上げる。私はにやりと笑い、彼の緊張を解そうとした。

「覚えてるじゃないですか。ちょっと見方を変えれば、思い出すもんですよね」ちらりと横を見て、はなの表情を窺う。何も感じていないようだった——例によって無表情。「怒ってたんですか、村上さんは」

「いや、怒ってたというよりも、興奮していた感じですかね」

「そんなに声が大きかったら、何を言っていたかも聞こえたでしょう」

「内容までは……『どうするんだ』って言うのは聞こえましたけど、それだけじゃ何のことか分からないですよね」

「覚えてるじゃないですか、村上さんの言葉も」

「あ、確かに」川本が首を振った。表情がわずかに綻んでいる。「何だか催眠術みたいですね」

「そんなもの、私は信じていませんよ」私は背広を脱ぎ、椅子の背に引っかけた。少し寒いぐらいの方が、気が引き締まる。「さあ、もう少し頑張ってみましょう。大事なことなんです。今のところ、あなただけが頼りなんですから」

「どうするんだ」という言葉。そして村上の興奮した態度。嫌なシナリオが私の中で膨れ上がり始めた。


「勉強になりました」はなが角度四十五度のお辞儀をした。丁寧だが心が抜けている。それは淡々とした口調からも明らかだった。

「取り調べには個性が出るからね。その人その人のやり方でやればいいんだ。いいと思ったら、人のやり方を盗めばいいし」

「私のやり方は間違ってますか」

「いや、ああいうのもありだと思う。ただ、被疑者に対する時と、今回のように単なる参考人に対する時は、やり方を変えないと。緊張させたりびびらせたりしたら、覚えてるものも忘れちまうからな。反感を覚えるかもしれないし。あくまで下手に出ないと」

「そうですか……失礼します」はながまた深々と頭を下げ、長野の許に戻って行った。目の前に座って何事か話し出す。私からは背中しか見えなかったが、何となく怒っているようだった。長野がちらりとこちらに目を向け、素早くうなずく。小さく手を振ってやり、私は捜査本部を後にした。

階段まで来ると——捜査本部からは十分過ぎるほど離れたことになる——愛美が口を開いた。

「井形さん、何だか嫌な感じですね。理詰めのつもりなんでしょうけど、あんな風に相手を追いこむやり方は乱暴ですよ。今もあまり反省しているようにも見えなかったし」

「そうか？」そういう明神も、失踪課に来たばかりの頃は相手を追いこむような事情聴取をしていた。「頼りになるんだぜ。空手の腕も確かだし」

「離婚してるんですよね、確か」

「情報が早いな。君はそういう噂を気にする人じゃないと思ってたけど」

髪を後ろで一本にまとめていたので露になった愛美の耳が赤くなる。

「知りたくなくても耳に入ってくることもあります。相手は、道警生活安全部の刑事だったそうですよ。十歳ぐらい年上だとか」

「へえ」

「刑事と刑事が結婚して上手くいくわけもないですよね。結局二年も続かなかったそうですけど……こっちへ来たのは、要するにほとぼりを冷ますためだっていう噂です」

「一種の緊急避難か」

「そういうことでしょうね」

警察官の結婚に関しては、不文律がいくらもある。しばらく前までは——私が新人だった頃は——女性警察官は結婚したらすぐに辞めるべし、というのが暗黙の了解になっていた。最近はさすがにそれはないが、暇な部署に回されることは多い。転勤も多いし——特に北海道のように広いところは引っ越しを伴うことが多いから大変だろう——二人揃って一線の現場で働くのはほとんど不可能なのだ。人生において何を犠牲にするかの問題なのだが……離婚がはなのキャリアに不利益な状況をもたらしたことは、十分考えられる。この世界では、家庭も守れないような人間に治安は任せられないという古めかしい考えも未だに通用しているのだ。その点においては、娘の失踪という特殊な事情があったにしても、私も警察官失格である。

「井形さんは、道警期待の星らしいんです。頭は切れるし、冷静だし……評価は高いんですよ。だから結婚すると言い出した時、周囲は結構渋い顔をしたそうですね。大事な戦力として考えていたわけだから。女性は出産もあるし、そうなると何年かは仕事ができなくなるでしょう？　道警としては、金をかけて育てた人材なんだから、もっと有効に活用できないかと思ったんでしょうね」

「有効に活用って……道具じゃないんだから」

「私たちは全員、ただの道具でしょう」愛美が白けた表情を浮かべる。「とにかく井形さんは、結婚と仕事を両立させる道を選んだそうです。期待の星ですから、道警の中に守護者もいたんでしょう。だけど結婚は二年で破綻して……彼女の守護者が、顔に泥を塗られたと感じてもおかしくはないですよね。彼女自身、居心地が悪い思いをしてきたはずです。今回、二年限定で警視庁に出向してきたのも、ほとぼりを冷ます意味もあるんじゃないですか。二年も離れていれば、余計なことを言う人もいなくなるでしょう」

「なるほどね……」私は顎を撫でた。「人生いろいろだ」

「仕事はともかく、男関係のトラブルが心配ですよね」

「まさか」はなは、少なくとも見た目は冴《さ》えない感じである。男好きするタイプでもない。

「何がまさか、なんですか」愛美はどこか苛ついた表情を浮かべている。「周囲の賛成を得られないのに、意地を押し通して結婚するほどですよ？　情熱的な一面があるのは間違いないでしょう。それがまた暴走したら、ちょっとこわくないですか？　男女のことは、周りでコントロールできないでしょう」

その意見についてのコメントは差し控えた。どうやら私と愛美で、はなに対する見方は一致しないようだ。

「しかし、よく知ってるな」

「警視庁は男社会ですから、女性の噂は広がるのも早いんですよ」

「要するに、珍しいもの見たさか」

「珍獣ですか、私たちは」

「中にはそう見る人もいる」

「井形さんは優秀かもしれないけど、性格に問題があるんじゃないですか。さっきの事情聴取のやり方を見れば分かります」愛美がすっと話題を変えて逃げた。

「相手に逃げ場を与えないのは確かだな」

「あれじゃ、誰だって心を閉ざしますよ。言ってることは正論なんだけど、事情聴取を受ける方って、必ず身構えてるし、普段あり得ないほど緊張してますよね。あんな風に、一足す一は二、みたいな感じで続けていったら、精神的に参っちゃいますよ」

「それはいずれ、彼女にも分かるだろう。何事も経験だ……ところで、川本さんの話はどう思った」

「興味深いですね」

階段の踊り場で愛美が立ち止まり、くるりとターンして私の方を向いた。私は二段上にいたので、完全に見下ろす感じになる。そうでなくとも、愛美はそれほど大柄な方ではないのだが。

「興味深い、か。君のその言い方も興味深いけど……」

「茶化さないで下さい」愛美が一睨みして私の言葉を断ち切った。「高城さんが調べた限りでは、二人には高校卒業後に接点はないんですよね」

「確証はない」一人で聴いて回るには限界があった。彼女の前で言い訳しても仕方ないので、素直に認めた。

「接点がなかった、という前提で話をしましょう。二人が、渋谷の一角にあるスナックで呑んでいた。どんな状況が考えられますか？　久しぶりに街でばったり会った？」愛美が右手を親指から順に折っていく。「実は高校卒業後も頻繁に連絡を取り合っていた？　そもそもマスターも含めて三人が友人関係だった？　どれも想像だけで、裏づけがありませんけどね」

「ああ。想像するだけなら勝手だからな」冷たい風が吹き抜け、私は思わず身震いした。肩にかけていた背広を慌てて着こむ。「どれも想像の域を出ない。もう一つ、村上さんが興奮していたのが気になるな」

「そうですね……」愛美の言葉は歯切れが悪かった。「喧嘩《けんか》、なんでしょうか」

「あるいは」具体的な事情が分からないまま言っているので、自分の言葉が浮ついているのが分かった。「取り敢えず今回は、俺にとっては大きな前進だ。藤島さんと私生活で交友関係のあった人が出てきたんだから。やっぱり、村上さんを捜そう。彼が藤島さんの行方に関して、何か知っているかもしれない」

愛美を追い越して階段を下りる。「高城さん」と上から声をかけられ、振り返ると、愛美がどこか不安そうな表情を浮かべていた。

「どうした」

「『ブルー』で死んでいた人なんですけど——村上さんという可能性はありませんか」

「嫌な想像だな」

「想像するだけの意味もないですかね」

「いや」私は一瞬目を瞑った。彼女も何か「勘」を発揮しているのかもしれない。集まった情報の中から必然的に浮き上がってくる可能性。「調べてみて損はない。何の手がかりもない今の段階なら、どんなことでもやってみるべきだな」

右手の親指をぐっと突き上げてやった。愛美が変な顔をしたが、気にもならない。捜査は転換点を迎えつつあるのではないか、という予感が私の心を占めていた。


失踪課に戻ってすぐ、昨日貰った竹入の名刺の番号に電話をかける。

「村上さんの自転車はまだそこにありますか」

「ええ」緊張し切った声で竹入が答える。

「一つ、相談なんですけど、ご家族と相談して、捜索願を出すことを検討してもらえませんか。その方が私たちも動きやすくなる。あの部屋を見た限りでは、彼が事件に巻きこまれたかどうかは分かりませんから、現段階では非常に動きにくい。部屋や会社を徹底的に調べるためには、何らかの後ろ盾《うしろだて》が必要なんです」

「会社も、ですか」竹入の声が一気に暗くなった。

「そうです。あの部屋を見た限り、村上さんについて分かることは少ない。自転車と靴が好きだった、ということぐらいですね。むしろ会社の方に、今回の一件につながる手がかりがあるんじゃないかな」

「しかし、会社は……」竹入はなおも渋った。

「会社が何かやったわけじゃないんですから」私は受話器をきつく握り締めながら説得した。「あくまで村上さんの行方を捜すためです」

それでようやく、竹入が納得してくれた。捜索願を出すとしたら、兄の優治ということになる。そちらを説得しなければならない、それもできるだけ早く。

「お兄さん以外のご家族はどうしたんですかね」

「どうなんでしょう……私が知っているのは人事の記録だけですから。それも緊急連絡先として、です」

「そうですか……とにかく、村上さんのデスクと自転車には手をつけないで下さい」

「そんなに大変なことなんですか？」竹入が唾を呑む気配が感じられた。

「それが分からないから、できるだけ現状を維持しておきたいんですよ……ところで、村上さんが昔小説を書いていたのはご存じですか」

「いいえ。そうなんですか？」竹入の声に戸惑いが混じった。

「会社でそういうことは話さなかったんですか、彼は」

「少なくとも私は聞いたことがないですね」

「そうですか……また電話しますので」

電話を切り、優治の勤務先に電話をかける。昨日の今日で、勤務先にまで電話がかかってきたので、一層迷惑そうだった。事情を説明し、こちらから出向くので捜索願を出すように説得した。優治は困惑していたが、「事件かもしれない」と繰り返すと、「横須賀まで来てくれるなら」という条件つきで、ようやく同意してくれた。

「よし」一連の電話を終え、小さく声を上げて気合を入れる。昼食時間が終わったところで全員が揃っているのを確認し、まず醍醐と法月に指示を飛ばす。

「二人は横須賀に行ってくれ。村上の兄の優治が、そこで働いている。正式な捜索願を出してもらいたい」兄の勤務先の名前と住所を告げる。二人がすぐにコートを引っつかんだ。

「オヤジさん」

飛び出していこうとする法月の背中に声をかける。法月は一度振り返り、醍醐が出て行くのを見届けてから戻って来た。

「くれぐれもよろしくお願いします。醍醐だけだと、相手がびびるかもしれないから」元プロ野球選手の醍醐は体が大きく、威圧感がある。初対面の人間は、見ただけで引いてしまうことも少なくない。

「分かってるよ」法月がにやりと笑った。彼はどちらかといえばソフトな風貌《ふうぼう》だし、ベテランらしく、相手を緊張させない喋り方を心得ている。

「お願いします。今日中に、部屋の捜索にこぎつけたい」

「あいよ。任せておけ」法月がうなずき、醍醐の後を追った。

私には面倒な仕事が残っていた。真弓に報告しないと。しかし少しだけ幸運に恵まれていた。室長室を覗くと、姿が見当たらない。庶務担当の小杉公子に声をかけた。

「公子さん、室長は？」

「昼から本庁に出かけてます」

「よし」

思わず拳を握っていた。それを見て、公子が苦笑を浮かべる。

「高城さん、また何か悪企みしてるの？」

「悪企みじゃないですよ。室長がいないだけでどれだけ気が楽になるか、公子さんには分からないでしょう」

「分かるけど、苦しみが先送りになるだけよ。後になればなるほど、ややこしいことにもなるし」

「ごもっとも。しかし、事後承諾でいきます」

「私はフォローしませんからね」

「またまた。期待してますよ。室長とちゃんと話せるのは公子さんぐらいなんだから」年齢が近い公子と真弓は、比較的よく話す。そういう時、真弓も少しだけリラックスした雰囲気になるのだった。

「高くつくわよ」公子がにやりと笑った。

「昼飯一回分です」指を一本立ててやる。

森田と舞には、私が手に入れたリストを元に、村上と藤島の横須賀時代の友人に当たるよう指示する。まだ潰し切れていないのだ。二人が電話に取りかかったのを見て、愛美が私の前に立つ。

「それで、私は?」

「ここで待機」

「何ですか、それ」思い切り顔をしかめた。

「病み上がりなんだぜ。復帰初日から無理することもない」

「平気ですよ」愛美が胸を張った。

「頭のことは、自分でも分からないだろう。急に倒れられても困る」

「だけど私が大人しくしてるほど、人手はないでしょう」

「それなら別の仕事がある」

私は小さな段ボール箱を彼女の方に押しやった。紗江子から預かってきた藤島の持ち物。大量のフロッピーの解析がまだ終わっていなかった。それを告げると、うんざりしたようにまた渋い表情を浮かべる。

「そういう仕事の方が頭によくないんですけど。目が疲れますから」

「骨は拾ってやる。頑張ってくれ」

「滅茶苦茶ですね」長々と溜息をつく。

「今に始まったことじゃない。そろそろ慣れてくれよ」

「分かりました」もう一度溜息の挨拶をくれて、愛美が段ボール箱を取り上げた。椅子を引いてパソコンに向かうのを見てから、私も座る。その瞬間、携帯電話が鳴り出した。

　話し終えた瞬間、私は愛美に声をかけていた。

「パソコンの画面を見てると目が疲れるんだな？」

「そう言いましたけど」疑わしげな視線。

「じゃあ、それは後回しだ。君の大好きな外回りにしようか」

　愛美が小さく笑って立ち上がる。流れるような動作で、椅子の背に引っかけたコートを既に手にしていた。

14

かつて村上の担当をしていた編集者の原とは、飯田橋にある彼の会社で会うことになった。警察官と面談するのにさほど抵抗もないようで、あっさりと自分の仕事場まで案内する。所属は文芸第一部。とはいっても、通された三階のだだっ広いフロアのどこがどの部署なのか、看板がぶら下がっているわけでもなく、見ただけでは分からなかった。

原は、主な仕事は単行本の編集だと言い、最近自分が手がけた本について、歩きながらぺらぺらと喋り続けたが、説明は私の耳から抜け落ちそうになった。どのデスクからも本やゲラが零れそうになっており、ぶつかって雪崩を起こさないよう、意識をそちらに集中しなければならなかったから。スリムな愛美は、この状況をさして気にしていない様子だったが。

広いフロアだが人は少ない。それを指摘すると、前を歩いていた原が振り返り、淡々とした口調で説明した。

「基本、フレックスみたいなものですから。特に単行本の担当者は、自分のペースで仕事をしてますからね……さて、ここが空いてるかな？」原が、閉ざされたドアの前に立つ。ドアノブに引っかかったA４判の厚紙を取り上げ、ボールペンで何か書きこんだ。会議スペースの予約表らしい。

素っ気無い、狭い場所だった。部屋のかなりの面積を占領するデスクが一つに椅子が四脚、他には何もない。書類を広げて打ち合わせをするには、こういうシンプルな場所がいいのかもしれない。私たちを奥に座らせ、原は出入り口に近い方に陣取った。

「何か、飲み物でも？」

「どうぞお構いなく」頭を下げ、本題を切り出す前に原の様子を確認した。「四十歳ぐらい」と竹永は言っていたが、実際にはそれよりもずっと若く見える。赤黒チェックのシャツにだぼっとしたシルエットのアーミーパンツ、スニーカーという軽装のせいもあるだろう。もじゃもじゃと盛り上がった髪も豊かな黒だった。不規則な生活を送っているはずなのに、顔には皺もない。いつも疲れて見える井村とはだいぶ違った。

「村上さんのことでしたね」

「ええ」

「ずいぶん昔の話ですね」原が煙草を取り出し、火を点けた。私が一瞬呆気に取られたのに気づいたのだろう、原がにやりと笑う。邪気のない、子どもっぽい笑みだった。「あ、煙草は構いませんよ」

言われて煙草を取り出しながら、私は訊ねた。

「いいんですか？　こういう場所は紙が多いから、煙草は厳禁かと思ってました」

「いいんですよ。だいたい、私が入社した頃は、皆自分の席で平気で煙草を吸ってましたからね……そうだ、ちょっと失礼」原が携帯電話を取り出し、誰かに連絡を入れる。「ああ、ちょっと倉庫を捜して欲しいんだけど……あのね、『蒼』の九五年一月号、捜してきてくれないか？　そう。あと、コーヒーも三つ、頼む」

電話を切り、「コーヒーぐらい飲みましょうよ」と告げる。そうまでされたら断る理由はなかった。

「その、『蒼』に村上さんの小説が載ってるんですか」

「ええ」

「すごい記憶力ですね」

「自分で担当した人ですから」原が苦笑を浮かべる。「それに、『蒼』文芸賞新人賞の発表と受賞作の掲載は、毎年一月号と決まってるんです。もう、何十年も変わってません」

「なるほど。ところで最近、村上さんに会われましたか？」

「どうかな……」

「覚えてないんですか」

「ちょっと待って下さい」

顎を撫で、原が煙草を一吸いした。かなりのヘビースモーカーで、火を点けてさほど時間は経っていないのに、かなり灰が長くなっている。寄り目になってそれを確認すると、携帯灰皿を取り出して灰を落とした。それを見て私も煙草に火を点ける。狭い部屋は途端に白く染まり、横に座った愛美が、一瞬私を睨みつけた。

「何てこった。もう十年、会ってないですね」

一昔、だ。彼の記憶から何か引き出すことができるかどうか、急に不安になってくる。

「連絡も取ってないんですか」

「そうですね……五年ぐらい前までは年賀状だけはやり取りしてたんだけど、最近はそれもぱったりです。私が知らない間に引っ越してしまって、住所も分からなくなりましてね」

「何かあったんですか？　仲違いするような出来事でも？」

「それは、まあ……そういうわけじゃないんですけど」原が居心地悪そうに尻をもぞもぞと動かした。「難しいんですよ、作家さんとのつき合いは」

「村上さんは実際、つき合いにくい人だったんじゃないですか」会社でも余計なことはほとんど話さない男。だが原の説明は、そういう無愛想で物静かな村上の性格を指しているのではないと、すぐに想像できた。

「そういう意味じゃありません。何ていうのかな……我々は、いい小説を書いてもらうのが仕事です。そのためには何でもしますよ。ただ、根本的なところには触れられないんです」

「根本的なところ？」

「書きたいという気持ち」原が煙草を灰皿に落としこみ、親指と人差し指でぎゅっと押し潰した。「書いて下さい、頑張って下さいとは言いますよ。ヒントになりそうなものがあればすぐに提供します。参考になる本を差し入れたり、旅行に誘ったりしてね。旅はいいきっかけになるんですよ。初めての街を見て環境が変わると、書く気持ちが湧いてくるものです」

「そんなことまでして、面倒をみてるんですか」

「それが編集者の仕事ですから」原がわずかに胸を張った。「ただ、そういう努力が必ず成功するとは限らないんですよね。段々萎んじゃう人もいる」

「萎む？」

「書きたいけど書けない、そうなると袋小路に入りこんでしまうんです。自分の才能に疑いを持ち出したりして」

「村上さんもそうだったんですか」

「それは」原がぎゅっと唇を引き結び、悲しそうに目を細めた。「今までは一般論で話してきましたけど……村上さんに関してそれを認めるのは、私にとっても辛いことなんですよ」

「そうですか」私は顔を背けて、窓の方に煙を吐き出した。ブラインドに当たった煙が丸く広がっていく。「どうして書けなくなるんですかね。作家なんて、書きたくて仕方ない人がなるものだと思うけど」

「理由は千差万別です。ストーリーが浮かばなくなってしまう人。言いたいことがなくなってしまう人。書くべきことはあっても、書き方で迷う人。中には病気で断念せざるを得ない人もいますしね。ストレスも溜まるんですよ。現代社会の病気の八割ぐらいは、ストレスが原因じゃないですか」

「村上さんの場合は？」

「そういうものがいろいろ重なった、複合的なものじゃないかな。アイディアについては、よく話し合いをしましたよ。こういう話はどうだろう、っていうフリートークですね。そういうことを繰り返して、これならいけそうだ、と思ったことも何度もあります。でも、しばらくすると『やっぱりあれじゃ書けない』って言ってきて……それでも私は、村上さんには書いてもらいたかったんです。お節介だと思われたかもしれないけど、私が編集者として本格的に係わった初めての作家さんですから。第二弾が書けなくて、埋もれさせるには惜しい存在だった。だから――」

ノックの音が、次第に熱の入る原の言葉を遮《さえぎ》った。「どうぞ」という怒鳴り声に重なってドアが開く。若い女性が入って来て、まず雑誌を原に手渡した。次いで、盆を差し出す。原は一度立ち上がり、慎重に受け取った。十五年も前の雑誌なのに、それほど古びてはいない。コーヒーを配ると、『蒼』をぱらぱらとめくって、すぐに目当てのページを見つけ出した。

「これなんですけどね」

両手で開いたまま、逆さにして私に示す。「第十五回『蒼』文芸賞新人賞　受賞作一挙掲載」「死が我らを分かつまで　村上崇雄」。雑誌を受け取り、当該のページに親指を挟んだまま一度閉じて、表紙を見た。「『蒼』文芸賞新人賞発表　史上最年少　二十歳の新鋭」とある。やはり若いというのはそれだけで売りになるのだ、と皮肉に思う。どんな世界でも「最」は目を引くものだ。

掲載ページを開き、取り敢えず冒頭だけを読んでみた。

俺たちは血の兄弟だ。

だから最後まで一緒にいる。滅びる時も同時だ。それを決意させてくれたのが、五年前のあの出来事だった。俺という人間を形作ってくれた、十五歳の春。

自意識過剰な魂の叫びか。「誰もお前のことになんか興味ないんだよ」と思ったが、そう感じた瞬間に、私は村上の罠にはまってしまったのかもしれない。作者イコール主人公と思わせれば、それで作家の勝ちではないか。毒されないうちにと、『蒼』を愛美に渡す。彼女は最初斜め読みしていたようだが、すぐに背筋をすっと伸ばし、手帳を広げて読み進め始めた。そちらは任せておいて、原に向き直る。

「この小説の評価はどうだったんですか」

「ひりひり痛い、と」

「変わった評価ですね」

「文学的評価というのは、そういうものです。一般的には分かりにくいですよね。分かりにくくすることで、作品の凄さを表現しようとする……変なものですよ。でも、選考会でも絶賛されました。こういう皮膚感覚を文章で表現できるのは、やっぱり才能なんですよね」

「そういう人が書けなくなるものですかねえ」首を傾げた。

「もしかしたら、これが限界ぎりぎり、様々な要素が最高点で絡み合った状態で生み出された小説だったのかもしれない。自分でもそういうのは分かるんじゃないかな。手ごたえが違う……これ以上のものは書けないかもしれないって」

「村上さんは、具体的にそういう話をしたんですか」

「それを言っちゃったら、もうその時点で終わりじゃないですか」原が苦笑する。「でも今考えると、言葉の端々にそういうニュアンスは滲んでましたね。発言も態度もどんどん後ろ向きになって……ある時点で、我々の力では引き戻せない状態になってしまったのかもしれない」

「村上さん、今は普通に働いているんですよ。食品開発会社で」

「ああ、元々理系の人でしたからね。農学部なんですよ。その縁で食品関係の仕事をしてるのかな」

村上と原の関係が切れたのが五年前。その頃に村上は、「アースフード」で働き始めている。普通のサラリーマン生活を選択して、小説とは完全に縁を切るつもりだったのかもしれない。そのためにまず、人間関係を見直すところから始めた、とか。

「彼がそういう会社でサラリーマンをやっていることは……」言葉を切り、適切な台詞を捜した。見つからない。何故か胸が痛む。一度は夢を叶え、しかしそこから大きく膨らませることができず、舞台から消えた男。栄光が一瞬であったがために、その痛みが今も村上を苦しめているのではないか、と私は想像した。「どう思われます？」

「何とも言えませんね。人生は一つきりじゃない。必ずしも自分の望んだ道を行けるとは限りませんし、もしかしたら村上さんにとっては、小説よりもそういう仕事の方が生きがいを感じるのかもしれないでしょう。編集者としては無責任かもしれませんけどね」

「そんなこともないでしょう。五年経ったら、大抵のことは過去になります」自分の身内の問題でもなければ。

愛美をちらりと見る。やけに熱心に手帳にボールペンを走らせていた。何か見つけたのかもしれないと思い、そのまま放置しておくことにして、私は話題を変えた。

「ところで、村上さんと藤島憲さんが高校の同級生だということはご存じでしたか」

「知ってますよ。それより藤島さん、見つかったんですか」原の眉間に皺が寄った。心から心配している様子である。

「いや、まだです」

消えてしまった作家と、今も利益を生み出せる作家の違いがこれか、と私は苦笑した。藤島の話が出た途端、原は身を乗り出さんばかりの勢いになった。少し冷静さを取り戻してもらうために、私は紙コップからコーヒーを一口飲んで間を置いた。煮詰まっており、苦味がきつい。

「心配ですよねえ」

「藤島さん、こちらの会社からも本を出していたんですか」

「二年前にね。好評でしたよ。担当は次もお願いしているようですけど、とにかく予定が詰まっていて、なかなか首を縦に振ってもらえないようです。私は直接担当していないから、はっきりしたことは言えませんけど」

「藤島さんと村上さんは、今も接触しているようなんです」

「友人なら当然じゃないですか」

「そこがはっきり分からないんで、困っているんです」

「と言われても、私にはもっと分からないな」原が音を立ててコーヒーを啜り、ブラインドの降りた窓に目を向ける。次の煙草を取り出したが火は点けず、少し窪《くぼ》ませた掌の上で転がした。

「実は、村上さんも行方不明なんです」

「ええ?」呆気にとられ、原が目を見開く。「それは偶然なんですか」

「世の中には偶然はほとんどないんですけど、今のところは結びつけるだけの材料もありません」

「何ともこれは……藤島さんの書くミステリみたいな話ですね」原が両手をさっと広げた。上手いことを言った、とでも思っているのかもしれない。

「これは現実ですよ」

「分かってます」原が唇を尖らせた。

「話を戻しますけど、村上さんはどんな人だったんですか」

「基本的には真面目な人ですね。自分の作品と徹底的に真摯《しんし》に向き合うタイプです。それこそ、一字一字に想いをこめるような」

「人間的には?」

「つまらない人ですね」

冗談かと思ったが、彼の顔には笑みは一切浮かんでいなかった。

「はっきり言いますね」

「小説以外のことはどうでもいいという人で……昔の文学青年って、あんな感じだったんじゃないかかな。小説だけに全てを捧げてるから、食べるものなんか腹が膨れればいい、着る物は取り敢えず寒さを防げればいい、という感じでね」

「なるほど……村上さんの居場所に心当たりはないんですね」

「ええ、申し訳ないんですけど、しばらく会ってもいませんから」

「藤島さんについては？」

「残念ながら。私は個人的なつき合いもありませんしね」原が肩をすくめた。

「御社の、藤島さんの担当の方にも会わせてもらえませんか？　担当の人なら、もう少し詳しく事情を知っているでしょう」

「それがあいにく今、海外出張中なんですよ。こっちで連絡を取ってみましょうか？」

「そうですね。知りたいのは、藤島さんの交友関係なんです。普段はほとんど人づき合いがない人だったようですけど、私生活で親しい人がいたら、何か知っているかもしれない。作家仲間とか……花崎光春さんにはお会いしたんですけどね」

「ああ、花崎さんね。私は面識はないんですけど、藤島さんにとっては兄貴分だって聞いたことがあります」

「その花崎さんも、何も知りませんでした」

「本当に？」原が疑わしげな表情を浮かべる。「あの二人、相当仲がいいはずなんですけどね」

「私生活についてはあまり知らない様子でしたよ」

「それ、騙《だま》されたんじゃないですか」原がゆるりと顎を撫でた。

「騙された？」

「あの二人、一時は共同で仕事場を借りてたぐらい、親しかったんですよ。結局一人の方が集中できるし、二人とも売れ始めたから別々の仕事場を持つようになったそうだけど。その花崎さんが、事情を知らないのは変ですね」

クソ、そ知らぬ顔で無難な会話を続けていたわけか——バッジを示せば、必ず相手が協力してくれるとは限らないのだ、という原則を私は思い出した。世間の半分は警察官を恐れ、半分は嫌っている。もう一度会わねばならない、と決めた。

「原さん」

それまで沈黙を守っていた愛美が急に声を上げた。驚いたように、原が彼女の顔を凝視する。愛美は屈託のない笑みを浮かべ——刑事らしくない可愛げのあるものだ——『蒼』を閉じた。

「これ、お借りしてよろしいでしょうか」

「ああ、お持ちいただいて構いませんよ。まだ倉庫に残ってるはずですから。村上さんの作品、面白かったですか」

「興味深いです。非常に興味深い」そう言う彼女の顔つきが、何故かはなのそれと重なった。


「興味深いって、何が？」

渋谷へ戻る車の中でも、愛美はまだ「死が我らを分かつまで」を読んでいた。何かを綴った手帳のページも増え続けている。

「この小説、結構残酷な話なんですよ」

「ホラー？」

「違います。ジャンル的には純文学でしょう」

「その差が俺には分からないよ」

呆れたように、愛美が横目で私を見た。

「何て言うのかな……ひょんなことから友情が壊れる話なんですけど。私が何を思い出したと思います？」

「謎かけはやめてくれ。そういう話は、聞いてるだけで頭痛が始まりそうだ」

「藤島さんの『空と』ですよ。主人公の感情の動きがよく似てるんです。一度は頼って、自分の心を全面的に預けようとした人に裏切られる話なんですけど、信頼が憎しみに変わるまでの過程がそっくりなんです。根本的なストーリーは違うんですけどね。『空と』では、最後に主人公が日系ブラジル人の青年を殺してしまうけど、『死が我らを分かつまで』は、無言の別れで終わります。死を意識させるものではありますけどね」

「まさか、パクリ?」私はハンドルを握る手に力を入れた。いや、あり得ない。「死が我らを分かつまで」は有名な文学賞の受賞作であり、『空と』が似ているとなれば、誰かが気づくだろう。

「そういう感じじゃないんです。小説の場合、どのレベルから盗作と言うかは分かりませんけど、筋書きや登場人物の設定は全然違いますからね。私が読んだ限りでは、同じ文章があるわけでもないですし……それに、人間の感情なんて、そんなにバリエーション豊富なものじゃないでしょう。特別な人なんていないんだから、みんな考え方も似てくるはずですよ」

「でも君は、何かがおかしいと思ったんだろう?」

「それは、二人が知り合いだと知っているからかもしれません。昔、二人でこういうことを話し合ったんじゃないですか? それこそブレーンストーミングみたいに、こういう状況だったらどう考える、どう行動する、みたいな感じで」

「要するに文学青年たちの机上の空論だね」鼻を鳴らしてやったが、愛美は小さくうなずいただけで、また『蒼』に視線を落としてしまった。よほど気になるのか……手がかりに結びつく保証もないのに。

ダウンコートのポケットの中で携帯が鳴り出した。車は青山通りをかなりのスピードで走っている。舌打ちして電話を引っ張り出し、着信を確認した。法月。携帯を助手席に向かって差し出した。

「オヤジさんだ。出てくれ」

無言で電話を受け取った愛美が、少し沈んだ声で話し出す。まだ「死が我らを分かつまで」の世界に囚われているのかもしれない。刑事が小説に影響されてどうする？　もっと嫌なことはいくらでも見ているはずではないか。

「はい、明神です。いえ、これは高城さんの携帯です。今運転中なので……ええ、出版社の人に事情を聴いてきた帰りです。はい、ＯＫなんですね？　分かりました。そうですか、捜索してもいいという話になったんですね」

ちらりと横を向く。愛美は一瞬私を見てうなずいた。

「だったら、そのように伝えます。はい。状況によっては捜索に立ち会うということですね？　分かりました」

電話を切り、アームレストの上にそっと置く。私は右手でハンドルを握ったまま、左手で携帯を取り上げ、ポケットに落としこんだ。直接手渡してくれればいいのに。

「捜索願の処理が終わったんだな」

「ええ。いろいろ説明したら、さすがにお兄さんも心配になったようです。これで鑑識も部屋に入れますよ」

「了解。一応、うちが主体になってやるからな。何か結果が出たら、捜査本部にも情報を上げよう」

「私たちも現場に行きますか?」

「そうだな……」片手で運転しながら、片手で顎を撫でた。また髭を剃り忘れている。今朝、真弓の機嫌が悪かったのは、これを見たせいかもしれない。無精髭を巡る彼女とのやり取りは、毎度のことなのだが。「鑑識もすぐには入れないだろう。宮崎にでも頼むつもりだけど……その間、態勢を整えよう。室長にも話をしないとまずいし、俺たちには他にやることもある」

「俺たち?」愛美の声に疑念が混じった。

「俺と、君。他に誰がいる?」

「どうするんですか」

彼女が小さく溜息を漏らしたのを私は聞き逃さなかった。具合が悪いのかもしれないと思ったが、「大丈夫か」と声をかける前に、彼女の方で口を開いた。

「花崎さんですか？」

「そういうこと。俺は一度彼に会ってるんだけど、たぶん、惚《とぼ》けられたんだ。今度は二人で一緒にいって、プレッシャーをかけてみよう。いずれにせよ、一度署に戻ってからだ」

「了解です」

「長野の許可が出ればだけど、フロッピーディスクの分析は井形に頼もうと思ってる」

「どうして井形さんに？」愛美の声に疑念が混じる。

「彼女は研修中だ。何でも新ジャンルにチャレンジということだよ。それに、彼女の冷静で客観的な物の見方は、俺たちにはない。失踪課にはいないタイプだよな。新鮮な視点が、何か見つけ出してくれるかもしれない」

「そうですか……」

「別に君の仕事を取り上げるつもりじゃないぜ。本を読んでるよりは、人と会ってる方が楽しいだろう？」

「まあ、そうですけど」

「何が不満なんだ？」

「いや、馬鹿馬鹿しいんですけど、やっぱりあの人が気に入らないんです」

「子どもみたいなこと、言うなよ」

「変に大人ぶっても仕方がありませんから」愛美が肩をすくめる。

「おいおい」私は彼女の顔を一瞥した。本気で怒っている。「そういう感情的なことを持ち出されても困るよ。好き嫌いで仕事はできないぞ」

「そういう高城さんも、結構好き嫌いで人を選んでいませんか？」

「俺には人を選ぶような権利はないよ……とにかく、井形に全面的に頼るわけじゃない。あくまで参考にするだけだ」

「それならいいですけど」

無愛想に黙りこみ、愛美はまた『蒼』に視線を落としてしまった。気に食わない人間に捜査の重要な部分を任せるのが不安なのに違いない。変な火種にならないといいんだが、と私は胸の中にざわめきを感じた。


「正式な捜索願ね？」真弓が念を押した。

「大丈夫です。今、オヤジさんたちが書類を持ってこっちに向かってますから。ついては、村上さんの部屋に鑑識を入れたいんです。時間がないんで、できたら渋谷中央署の連中に力を借りたい」

「いいわ。話をしておくから」真弓が早くも受話器に手を伸ばした。手を置いたまま、私の顔を見上げる。「捜索の指揮は高城君が？」

「オヤジさんに任せようと思います」

「了解。注目すべきポイントは？」

「他殺を疑う状況があるかどうかに尽きますね。ＤＮＡ鑑定の材料になりそうなものを見つけ出したい。こっちは藤島さんの部屋と違って、それほど掃除されていませんから、見つかる可能性はあるでしょう」

「例の火災の被害者が村上さんだと思ってるの？」言いながらぐっと受話器を握ったので、細く血管が浮き上がった。

「ゼロじゃないと思います。村上さんが『ブルー』に出入りしていたのは間違いないんですから」

「分かったわ。やれるだけやってみて。捜査本部の方はどうするの？」

「捜索する、ということは言っておきます。結果が出る前にあまり期待を持たせたくないですから、あくまで軽くですね。俺はこの後、藤島さんを知っていそうな人に当たります。そっちには明神も使うつもりです」

「その人は？」

「作家仲間……というんですかね。花崎という人です」

「当てにできる？」

「それは、絞《しぼ》り上《あ》げてみないと何とも」

「じゃあ、お手並み拝見ね。でも、くれぐれも気をつけて。作家の人って、マスコミともつながりがあるでしょう？　明日の朝刊で『藤島憲が行方不明』なんていう記事は読みたくないから」

「そんな記事が出ても、情報源は俺じゃありませんから。ご心配なく」

室長室を出て、深々と溜息をついた。気を引き締め、いよいよ花崎に電話を入れようとしたが、つながらない。取り敢えず仕事場を急襲してみるか。どこかに出かけているかもしれないが、もしかしたら締め切り直前で電話に出ないようにしているかもしれない。締め切りを間近に控え、頭を——髪はないが——掻《か》き毟《むし》る彼の姿は容易に想像できた。私の抱いている、作家の適当なイメージかもしれないが。

念のために携帯にメッセージを残し、三十分以内に折り返しの電話がないなら直接仕事場に突っこんでみようと決めた瞬間、目の前の電話が鳴り出した。

「法月です。現場に着いたよ」

「速いですね」

「醍醐の運転が滅茶苦茶でね。久しぶりに車酔いした」

「今、室長が渋谷中央署の鑑識に依頼してます。出動にはもう少し時間がかかると思います」

「だったら連中が来るまで、周辺の聞き込みでもしてみようか？　近所とのつき合いがあるかもしれないし」

「そうですね、お願いします。それと、ガサに入ったら二つ、注意して欲しいんです」

「何だい？」

「ＤＮＡ鑑定に使えそうな材料が欲しいんです。それと、パソコンがあります。家ではあまり使っていなかった様子ですけど、調べて下さい」

「了解。確認するよ」

電話を切ると、真弓が室長室のドアを開けて顔を見せた。

「鑑識が出てくれるから。現場の連中に連絡してあげて」

「今、電話が入れ違いになりました」

「だったら、もう一度」

冷たく言い放って真弓がドアを閉める。まったく……デスクに豆柴犬の写真を大事に飾っているような女なのだ。もう少し、優しい気持ちがあってもいいのではないだろうか。そんなことを言ったら、真弓は鼻で笑うだろうが。法月にもう一度連絡を入れてから愛美に声をかける。

「明神、行くぞ」

「花崎さんと連絡、取れたんですか」パソコンのモニターに視線を落としていた愛美が顔を上げる。

「いや、電話に出ないんだ。直接行ってやろう。村上の部屋はオヤジさんたちに任せればいい」

「無駄足にならないといいんですが」

「何もやらないと、そもそも無駄足にもならないよ。さあ、さっさと出かけるぞ。リハビリにはちょうどいいだろう」

「頭が痛いんですけど」愛美が額を揉んだ。

「後遺症か？」

「というより、新しい症状かもしれません。周りに暑苦しい人がいると、頭痛がするんです」

「長野はいないけど」周囲を見回す。

「つまらない冗談を聞くと悪化するみたいです」愛美が鼻に皺を寄せた。

「気のせいだ。頭が痛いなら、売るほど頭痛薬を持ってるから。君には特別に只で譲ってやるよ」

15

作家が――あるいは本に係わる仕事をしている人が神保町に吸い寄せられる理由は、私にも理解できる。書店の集中度で言えば、この街はおそらく世界一なのだ。本に係わることを生業《なりわい》としている人にとって、理想の街に違いない。

何度か通ううちに、私もこの街の基本的な構造が何となく分かってきた。芯の芯になるのは、街を東西に貫く靖国通りの神保町交差点から駿河台下交差点までで、チェーンの大型書店、古本屋がびっしりと立ち並んでいる。通り沿いを歩くと、本の臭いが漂ってきそうなほどだ。より広く解釈すれば、小川町の交差点から専大前の交差点までの一キロ弱を「神保町」と定義してもいいだろう。書店をサポートするような形で、スポーツ用品店と楽器店が建ち並んでいるのもこの街の特徴である。どれも私には縁のない世界であったが。

神保町の表通りが賑やかな表情を見せる一方、一歩裏道へ入ると急に様相が変わる。先日花崎と会った神田すずらん通りが代表的だが、昭和がそのまま残った感じなのだ。倒れそうな建物に入った定食屋、表通りにあるのより一回り小さい古本屋、ＣＤではなくレコードばかりを専門に扱っているショップ。二十年ほど前の地上げ攻勢を逃れたそれら昭和の象徴は、未だにしぶとく生き残っている。

花崎の仕事場に着き、ドアをノックする。返事、なし。インタフォンにも反応はなかった。

「いないんじゃないですか？ 京都にでも行っているのかもしれません」

「何で京都なんだ」

「時代小説なら京都でしょう？ 古い雰囲気が味わえるのは、今、あそこぐらいじゃないですか」

「なるほど。俺は居留守に賭けるけど」

「どっちでもいいです」呆れたように言って、愛美が溜息をつく。本当に体調が悪いのでは、と私は疑った。

愛美がドアノブに手をかける。手首を返すと、あっさりとノブは回った。

「俺の勝ちだな」

「賭けしてませんから」むっとした口調で言って、愛美がドアの隙間から顔を突っこむ。

「花崎さん、いらっしゃいませんか？ 警視庁失踪課です」

空気が揺らいだような気がした。しばらく沈黙が続いていたが、やがて部屋の奥から花崎が姿を現す。グレイのジャージの上下。部屋の中なので当然かつらはなし。目は充血し、隈ができている。この前会った時とは打って変わって、疲れ切った中年の印象が色濃かった。

愛美がその場で固まっている。そういえば、花崎が髪を剃り上げていることを話していない。坊主頭でも別におかしくはないのだが、「強い」印象ではなく「変な人」という印象を彼女は受けたのだろう。愛美の肩口から顔を出している私に気づいたのか、花崎が「ああ」としわがれ声を出した。目には露骨に迷惑そうな色が浮かんでいる。

「お休みでしたか」わざとらしく腕時計を覗く。「こんな時間に」

「世間の時計で仕事をしてないんでね」花崎が頭を掻いた。「何ですか、いったい。この前もそうだったけど、電話もかけないで失礼じゃないですか」

「この前は偶然お会いしただけだし、今日は電話は入れましたよ。そちらが気づかなかっただけだと思います」

「まあ、いい……」自分のミスに気づいたようで、不機嫌に捻じ曲がっていた唇をゆっくりと一本の線に戻した。「何か？」

「藤島さんの話の続きです」

「この前、全部お話ししましたけどね」

「そうですか？　話していないこともあると思いますけど」

「まさか」花崎が乾いた声で笑った。「それで今回は色じかけですか？　可愛いお嬢さんだけど、相手が誰でも同じですよ」

「誰が来ても話さないということですか」

「そういう意味じゃない」

私たちの間を沈黙が流れた。それを破ったのは花崎の方だった。

「まあ……そこじゃ何ですから入って下さい。今日は冷えるからね」

「では、遠慮なく」

足を踏み入れた彼の仕事場は、先日よりも明らかに乱れていた。デスクの上にはゲラが散乱し、参考資料だろうか、古い本が何冊も床に投げ出してあった。暖房がきつく効いているせいで、男臭さが充満している。「仮眠用だ」というソファの上では毛布が丸まっており、彼がつい先ほどまで寝ていたことを証明している。花崎はパソコンが乗ったデスクに向かって腰を下ろすと、椅子を回して私たちと向き合った。

「座って下さい……と言っても無理だね」

「このままで結構です」愛美が冷たい口調で言った。彼女の中の冷静な人格が発露したようだった。花崎のように飄々《ひょうひょう》としたタイプの人間には、愛美のやり方が効果的かもしれない。私は一歩引いて、この場を彼女に任せることにした。

「藤島さんのことについて、お伺いしたいんです」

「それはこの前、高城さんに話しましたよ。あまりお役には立てなかったかもしれないけど」

「ええ、まったく役に立っていません」愛美があっさりと断じた。「それはあなたが、知っている情報を隠したからじゃないですか」

「何だと」瞬時に花崎の禿頭が赤くなった。「それは失礼だろうが。こちらは、いきなり押しかけてきた刑事さんにも誠心誠意、対応したんだ。それをこんな風に言われるいわれはない」

「本気で誠心誠意と言っているなら、あなたは嘘つきです」

「高城さん、何なんですか」顔を紅潮させたまま、花崎が私に抗議の言葉を投げつけた。

「あなた、部下の教育がなってないんじゃないか」

「いいえ。私も明神とまったく同じ意見です」

「何だと」花崎が私に視線を据えたまま、煙草を引き寄せる。震える手で唇に押しこみ、何とか火を点けた。深く吸いこんで咳きこみ、体をくの字に折り曲げる。愛美は同情心の欠片《かけら》もない視線を彼に降り注いでいた。

「私は反省してますよ」

「何を」目に涙を溜めながら花崎が訊ねる。

「あなたの本音を見抜けなかったことを」

「本音？　私が何か嘘でもついたというんですか」

「あなたと藤島さんの関係……それを見誤っていました。あなたは自分で語ったよりもずっと、藤島さんと深い関係にあったはずです。一時、仕事場を一緒に借りていたこともあったそうですね。それだけ仲がいいはずなのに、あなたは藤島さんのことを通り一遍にしか話してくれなかった。それは、私が他の人と話した内容よりも深いものではありませんでした。どうしてこういうことを隠していたんですか」

花崎の肩ががっくりと落ちた。指先から立ち上る煙が、私たちと花崎の間に薄いベールを作る。

「警戒していたんですか？」一転して優しい声で愛美が訊ねた。「刑事がいきなり訪ねてきても、馬鹿正直に話す人ばかりじゃありません。当然の反応だと思いますよ。でも高城が訪ねて来た時に話してくれれば、捜査はもう少し先に進んだかもしれません」

「私は……」花崎がのろのろと顔を上げた。「逮捕されたことがあるんだ」

花崎の打ち明け話は、一言で言えば「若気の至り」だった。酒場の喧嘩で、相手に重傷を負わせて逮捕され、執行猶予つきの判決を受けた。二十歳の時であり、今さら蒸し返す人間もいないであろう古い話だが、厳しい取り調べが花崎の胸にトラウマを植えつけたのだった。

「その時私の取り調べを担当していた刑事がひどく嫌な男でね。暴力を振るわれることはなかったけど、言葉の暴力はひどかった。私は高校を卒業してから、しばらくアルバイトで食いつないでいた時期があったんです。それがその刑事の目には、ぶらぶらしているいい加減な奴、と映ったんでしょうね。説教のレベルを超えた、ひどい言い分でした。事件については反省しましたよ。相手にも謝りました。それこそ床に額を擦りつけるようにしてね。でも、ひどい取り調べは、いつまで経っても頭から消えないんです。それからは警察との係わりはなかったんだけど、この間は、つい……」

「そうですか」私は先日と同じ椅子に座っていた。愛美は少し距離を置いて窓辺に立っている。「それは、申し訳ないことをしました」

深々と頭を下げると、花崎が「は？」と頭から抜けるような声を上げた。

「私は知らないことですけど、私の先輩があなたに不快な思いをさせたのは間違いありません。何十年も経ってから、もう手遅れかもしれませんけど、謝罪させてもらいます」

「今さらそんなことされても……」困ったように言って、花崎が両手で顔を擦る。手が顔から離れた時、その目がわずかに潤《うる》んでいるのが分かった。

「とにかく、申し訳ありませんでした」

「ああ、いや……古い話ですよ。こういうことを仕返しのチャンスだと考えるようだと、私も人間としてはまだまだですね。あの事件は、私に今の仕事を与えてくれたのに」

「そうなんですか？」

「執行猶予つきの判決が出て、しばらく実家に閉じこもっていたんですよ。外へ出るのが申し訳なくてね。その時に、時代小説を読みまくったんです。それこそ一日一冊ペースでね。それが今の私を作ったんだ」

「悪いことばかりじゃなかったんですね」

「そんなことは口が裂けても言えないけど」花崎が小さな笑みを浮かべた。

「それで、藤島さんのことなんですが」それまでの話をまったく聴いていなかったような様子で、愛美が唐突に本筋に戻った。花崎が苦笑しながら、私に助けを求める。

「おたくの刑事さんは、厳しいですね。私を取り調べた刑事とは違った意味で」

「職務に忠実でありたいだけです。たぶん、私たちには時間がないんです」

花崎がすっと背筋を伸ばした。

「藤島君と私は似ていました。デビューするまで時間がかかったこととか、デビューしても簡単には売れなかったこととか。だから傷を舐めあうみたいにして、一緒の仕事場を借りたんですよ。あの頃はろくに原稿も書かないで、一日中愚痴ばかり零してましたね。彼は、私にだけは甘えてくれたな」

「それは今も変わらないんですよね」愛美が念押しした。

「ただし、私が彼の全てを知っているとは言えませんよ。相手が誰でも、そんなことは不可能です」

「そうですね」愛美が相槌《あいづち》を打つ。

「ただし、あなたが指摘したように、私は自分の知っている藤島憲という人間について全て話したわけではない。特に、一番大事な問題についてはね。それは、自信がないせいもあったんです。素面《しらふ》の時に、はっきりと聞いたわけでもないですから」

「女性、ですね」

愛美の指摘に花崎が目を見開く。愛美がゆっくりとうなずいた。

「誰なんですか？」

花崎が口を開く。「自信がない」と言いながらも、彼の口から零れた情報は、私たちにとって千金の値を持っていた。


「いい仕事だった」車に乗りこむと、私は愛美をすかさず褒めた。強引だったが、という追加の言葉は呑みこむ。

「あれぐらいは当然です」愛美は手帳を開いて、何やら忙しく書きつけていた。顔が近い。失踪課に来てから、目が悪くなったようだ。

「女か……いい筋だけど、今度はその女を捜さなくちゃいけない」

「何とかなりますよ。名前が割れてるんですから」

「高木晴菜《たかぎはるな》か」

「同姓同名が十万人もいるような名前じゃないでしょう？　ひとまず都内に絞りこんで捜してみましょう」

「そうだな……」

「何か納得できないみたいですね」

「何だかリアリティが感じられないんだ」

「リアリティ」愛美が平板な声で繰り返した。

「君の仕事ぶりのことじゃないよ。今まで藤島に私生活の臭いは全然しなかった。急に女がいたと言われても、正直言ってぴんとこない。花崎さんも、あまり詳しいことは知らなかったしな」

「そんなことで悩んでるんですか」愛美が右の眉をくいっと上げた。「無意味ですよ。私生活を全部他人に曝《さら》け出《だ》している人なんかいないでしょう。最近は特に、皆プライベートな事情を隠すようにしているし」

「そうか」自分の中に生じた違和感を上手く説明できない。もどかしさを感じながら言葉を捜しているうちに、携帯電話が鳴り出した。

「どうも、宮崎です」

「ああ、お疲れ。どうだった？」

「ＤＮＡ鑑定に関しては有力ですね。風呂場から体毛を何本か、ゴミ箱から切った爪も見つけました」

「よし。大至急で鑑定を頼む。他には？」

「パソコンは駄目ですね。起動画面から先に進めません。パスワードが必要です」

「やっぱりそうか。俺がやった時も駄目だったんだ。何とかならないか？」

「専門家に頼んでみますよ。ちょっと時間がかかるかもしれません」

「構わない。パソコンは押収してくれ……そこにオヤジさんはいるか？」

「ええ。代わりますか？」

「頼む」

がさがさと送話口を擦る音。遠くで「法月さん」と宮崎が呼ぶ声が聞こえた。もう一度雑音が混じった後で、法月が電話口に出てきた。

「はいよ」

「お疲れ様です。捜索は順調みたいですね」

「宮崎たちが頑張ってくれたからな」

「感触はどうですか？」

「うーん」法月が唸《うな》った。迷っているのはすぐに分かる。手持ちの材料があれば、迷わず出す男なのだ。「何とも言えない。部屋に物が少な過ぎる。一つだけ可能性が高いのは、この部屋では何も起きてないということだ」

「電話」

「ああ?」

「電話、ありますよね。そこの指紋、採取できましたか?」

「もちろん。ここで電話を受けた人間を割り出したいんだろう?」

「電話を受けた人間が、受話器を掃除していなければ」

「指紋は採取できてるんだから、そこから先は科捜研に任せよう」

「そうですね。それと、パソコンを押収することを、村上さんのお兄さんに伝えてもらえますか。念のためです」

「承知した」

電話を切って助手席の方を見ると、愛美がじっとうつむいていた。肩が震えている。横顔に血の気はなく、唇からは色が抜けていた。

「どうした?」

「いや、ちょっと……」声に張りはない。

「調子、悪いのか」

「すいません、頭が……」

「病院に戻るか? 無理しない方がいいぞ」

「大丈夫です。失踪課に戻って下さい。それで治らなければ、病院に行きます」

「そんな風に無理するの、流行らないぞ」

「余計なこと言ってないで、早く出して下さい」

攻撃的になれるほどには元気があるわけか。不安は胸の中に渦巻いたが、私はできるだけ安全運転を心がけて渋谷を目指した。愛美との会話がなくなったので、一人で考える余裕もできた。

やはり女の存在が気になる。藤島が交際している女性がいても不思議ではないが、あまりにも周囲に隠し過ぎていたのではないか。兄貴分と慕う花崎には打ち明けたものの、それはたまたま、藤島が相当酔っ払っていた時に聞かされたのだという。何度も彼女の名前を繰り返し、「彼女と小説とどっちを取るかと言われたら彼女を取る」と明言していた――酔っ払いの戯言《たわごと》と取れなくもないが、その言葉は妙にはっきりと頭に染みついた、と花崎は言い切った。小説を捨てさせるほどの存在があるのは凄いことだ、と。

高木晴菜。さほど珍しくもないその名前が、頭の中で次第に存在感を増してくる。ひたすら原稿を書く日々の中で、藤島にとって唯一の潤いだったのだろうか。彼女に何か問題があって、仕事を放り出さざるを得なくなった？　あり得ない話ではない。本当にそこまで、それこそ一人の人のためだけに生きられるのか――そうやって人生を破滅させてしまった人を、私は何人も見ている。私自身もそうかもしれないが。娘に固執し過ぎたが故に――あるいはこだわりが足りなかったが故に、私の人生の何年かは確実に失われた。

——だからといって、仕事にそういう気持ちを持ちこまないでね。

——綾奈、運転中なんだけど。

——大丈夫、すぐ消えるから。でもパパ、発想の転換をしてみたら？

フロントガラスの向こうに現れた綾奈は十五歳ぐらいだった。股の中ほどまでしかない短いスカートに、中がもこもこした毛で覆われた茶色のブーツ、ダウンベストという格好である。スカートが短過ぎるぞ、と私は心の中で悪態をついた。

——発想の転換って？

——その人……藤島さんが、女の人のために何かをしたと思ってるでしょう？　でも、逆かもしれないわよ。

——女性の方が藤島さんを助けてるとか？

——いい線ね。

にっこり笑った綾奈が、顔の前で人差し指を立てた。まったく、生意気な。

——あまりこだわり過ぎると失敗するわよ。柔軟にね。

——もう、頭が硬くなる年なんだ。

——そういうこと言って、がっかりさせないで。

綾奈が悲しげな表情を残して消える。私は右手を伸ばし、フロントガラスに触れた。そこに娘の感触が残っているのではないかと思った。

「何してるんですか？」助手席から、愛美が疑わしげな口調で訊ねる。

「いや、ちょっと汚れてたんだ」

「運転中に危ないですよ」

「分かってる」

愛美が小さくうなずき、目を閉じた。ゆっくりだぞ、病人を運んでるんだから。自分に言い聞かせながら、私はハンドルをきつく握り締めた。

16

「もう一度言っていただけますか？」

「高木晴菜さん、です」一音ずつ区切るように、私は再度名前を告げた。

「……覚えがないですね」一瞬間を置いて紗江子が否定する。

「昔の友だちとか、同級生とか」

「私の知っている人じゃないと思います」

「そうですか」

私が小さく溜息をついたのを、紗江子が耳ざとく聞きつけた。

「その人がどうかしたんですか」

「藤島さんと交際していたんではないか、と」

「そういう人がいても不思議ではないですけど……やっぱり分かりません。だいたいそんなこと、一々私には言わないと思いますよ。結婚でもするならともかく」

「そうですか。何か思い出したら連絡してもらえますか？」

頼みこんで電話を切り、額を揉んだ。愛美には私の頭痛薬を与え、渋谷中央署の女性用当直部屋に押しこんである。病院へ行くほどのことはない、と言い張る彼女と一問着《ひともんちゃく》あったのだが、あまり無理強いもできない。後で彼女が入院していた病院に電話すること、と頭の中にメモする。しばらくしてから脳震盪の症状が出てくるようなことがあるかどうか、確認しなくては。

続いて井村にかけたが、「高木晴菜」という女性についての情報は得られなかった。花崎の思い違いではないか、という疑念が募ってくる。だいたいあの男は、相当ちゃらんぽらんだ。中途半端に警察慣れしているのも気に食わない。いっそのこと、ここへ呼びつけて取調室で厳しく絞り上げてやるか——何も出てこないだろう、と簡単に予想できた。

失踪課では、森田と舞がへばっていた。藤島の資料の分析を頼んでおいたのだが、分け入っても分け入ってもきりがない文書の森に辟易している様子である。

「そろそろいいですか?」舞が遠慮なしに切り出してきた。時計を見ると、既に就業時間は過ぎている。

「ああ、お疲れ。今日はどこへ行くんだ?」彼女は、仕事の後に真っ直ぐ帰宅する習慣がない。

「フラです」

「フラ?」

「フラダンスです。最近流行ってるんですよ。やっぱり体の軸を鍛えないと」舞が掌をひらひらと舞わせた。

「軸ねえ」彼女がゆったりした動きで腰を動かす様を想像した。警察官がこれでいいのか……悪い、とは言えない。とにかく、こんなことでがみがみ言いたくはなかった。あまりにもレベルが低過ぎる。

「フロッピーの中身、全部プリントアウトしておきましたから」

かなりの厚みがある紙の束を、私の前に置く。一ファイル一枚でプリントしたようで、余白ばかりが目立った。

「紙の無駄だぜ。まとめてくれればいいのに」

「ファイルを結合してると時間がかかりますから。それじゃ、お先に失礼します」

荷物をまとめ、そそくさと部屋を出て行く舞を、私は呆気に取られて見送った。まだ必死でパソコンの画面を見ている森田に声をかける。

「森田……」

「はい」大声とともに森田が立ち上がった。

「もう少し効率よくやってくれよ。六条があんな調子なら、お前がコントロールしなくちゃ駄目じゃないか」

「でも、六条さんは先輩ですし」

「こういう仕事をするのに、先輩も後輩もないんだよ。まったく、経費削減で煩いのに……」私は紙の束を平手で叩いた。「それで、お前の印象は？」

「藤島さん、昔から文章が上手かったんですね」

「そういうことじゃなくて……」文句を言いかけ、口をつぐむ。森田に言っても無駄である。そろそろ、別の人間の視点が必要だ。長野さえ許してくれれば、やはりはなの意見を聞いてみよう。あの妙に堅苦しく論理的な物の見方は、この断片に新たな光を当ててくれるかもしれない。紙の束と、愛美のデスクに載っていた『蒼』を取り上げて立ち上がる。捜査本部に向かおうとして思い直し、頭痛薬を二つ、口に放りこんだ。さっき愛美に渡してしまったので、残り少なくなっている。新しいのを仕入れておかないと……自分はとことん鎮痛剤ジャンキーだと意識しながら、私は重い足取りで階段に向かった。

長野へのお願いを終えて失踪課に戻ると、人気はなくなっていた。法月たちはまだ村上の家の捜索中。舞に続いて森田も帰宅したようだ。真弓がいないのは、例によって庁内政治をしているからだろう。彼女はここにいるよりも、本庁にいる時間の方が長い。長野に聞いた話だが、思いもかけない場所で見かけることも少なくないという。

もう少し遅い時間になれば煙草が吸えるのに……一本取り出し、フィルターを爪の上で叩く。そのまま鼻先まで持っていって、甘い香りを嗅いだ。煙草が吸えるのは署内でも駐車場の一角だけであり、そこまで行くのが面倒だった。しかも外に目をやると、また雪が降り始めている。今年の天気はどうなっているのか。急に寒さを感じて身を震わせる。手がかりは目の前にあるのだと自分に言い聞かせ、高木晴菜という女性の存在を穿《ほじく》り返《かえ》し始める。

しかしすぐに行き詰まりになった。免許証、なし。犯歴もなかった。腕組みをし、他の手がかりを検討する。車を運転せず、犯罪も犯したことのない人間の情報をどうやって引っ張るか……。

「どうもすいません」いきなり言われて慌てて振り返ると、愛美が、普段見せない情けない表情を浮かべて戻って来たところだった。血の気が引いている。

「大丈夫なのか？」思わず立ち上がり、声をかける。

「何とか」愛美がいかにもだるそうに自席に腰を下ろした。小さく溜息を漏らし、拳のつけ根で目を擦る。「駄目ですね、鈍っちゃって」

「病院、どうする」

「大丈夫だと思います」

「変なところでオヤジさんの真似をしなくてもいいんだぜ」しばらく前に法月は、「自分はまだできる」と証明するためだけに、心臓病を押して無理に動き回っていたことがある。

「だいぶ楽になりましたから、問題ないと思います。普段頭痛薬を呑まないから、効くんですね」

「俺は時々薬を替えるんだ。ずっと呑み続けていると、耐性がつくみたいで効かなくなるんだよ」

「高城さんの年代の人が病気自慢が好きなのは知ってますけど、それ、自慢にも何にもなりませんよ」

一瞬むっとしたが、意に反して笑みがこぼれ出てしまう。こういうきつい皮肉が言えるのは、彼女が自分のペースを取り戻している証拠なのだ。愛美が事故に遭ってからのどこか物足りない毎日は、これが聞けなかったせいだと思い至る。

「どうもどうも、遅くなって」法月が右手を振りながら失踪課に戻って来た。醍醐が片手に一つずつ段ボール箱を抱えている。

「ああ、お疲れ様です。どうですか」

「パソコンも含めて、持ってこられるものは持ってきた。ＤＮＡ鑑定に使えそうなものは、宮崎の方で持っていったよ。大至急でやってくれるってさ」

「後で礼を言っておきます」

醍醐が自分のデスクに段ボール箱を下ろした。頬を膨らませて息を吐き、愛美を見て顔をしかめる。

「どうかしたか、明神？」

「大丈夫です」

「顔色、悪いぞ」

「何でもないです」愛美が力なく首を振って答える。

「醍醐、細かい気遣いはお前らしくないぞ」

皮肉を飛ばすと醍醐が少しだけ眉をひそめたが、すぐに真顔に戻り、段ボール箱の蓋《ふた》を開け始める。

「大して参考になりそうなものはないんですけど、すぐに分類しますね」

「頼む」私は手首を上げて腕時計を見た。「あまり無理しないでな。先週末からばたばただったから、お前も早く家に帰ってやれよ」

「オス」醍醐が真面目な表情で言ったが、靴の先は床を蹴っていた。どうやら今日も、あまり帰りたくないらしい。まさか夫婦の危機では、と私は訝った。「あの、コーヒー、もうないんですよね？　淹れ直しますから飲みませんか？　すっかり冷えちゃって」

「分かったよ」私は苦笑を浮かべ、椅子に腰を下ろした。「四人分だ……明神はコーヒー、大丈夫か？」

「はい」

彼女が立ち上がろうとするのを、醍醐が手を挙げて制する。普段コーヒーを準備するのは、三方面分室最年少の愛美の仕事なのだ。

「今日はいいよ。醍醐、頼む」

「オス」

法月が椅子を引き、私の正面に座った。薄らと白い髭が浮かんだ顎を掻き、困ったように目を細める。

「何とも言えないな、今回の件は」

「そうですか」

「さっきも言ったけど、あそこで何か事件が起きたとは思えないんだ。ルミ反もやってみたけど、収穫ゼロだったしな」

「オヤジさんの読みも動きませんか」

「残念だけどな」

綺麗に白くなった髪を、法月が両手で後ろに撫でつけた。口を閉ざすと、冷たい沈黙が室内に満ちる。署内は既に当直体制に入っており、少し弛緩《しかん》した静けさに包まれていた。渋谷中央署は、渋谷という大きな繁華街を管内に抱えてはいるが、当直に切り替わってから午後九時過ぎまでは、一日の中で比較的落ち着いた時間帯だ。九時を過ぎると、一次会で出来上がった連中がセンター街へ繰り出し、騒動が始まる。そこから終電が終わるまでの時間は、「狂騒」という言葉がよく似合う。新宿や池袋に比べて若い連中が多いので、引き際を逸したまま一線を越えてしまう事件も少なくない。だからこの署で一番忙しいのは、外勤の連中だ。何かあれば真っ先に現場へ駆けつける制服組にとって、泊まり勤務は鬼門である。

「コーヒー、できましたよ」

醍醐のかけ声で、愛美が何とか立ち上がった。醍醐を手伝い、人数分のカップにコーヒーを注ぎ分ける。醍醐のコーヒーは、愛美が淹れるよりもかなり濃かったが、眠気を吹き飛ばすにはちょうどよかった。しばらく無言でコーヒーを啜る。愛美はカップを両手で抱え、体を掌から温めようとしている。醍醐は立ったまま、ファイルキャビネットに体の左半分を預けて足首を組んでいた。法月は一口飲んで立ち上がり、コーヒーメーカーのところに置いてある砂糖とミルクを加える。

捜査の合間の、エアポケットに入りこんだような静かな時間。四つのコーヒーの湯気が少しだけ部屋を温め、私は急速にだるさが体を満たすのを感じた。コーヒーはいつも、即効的な興奮剤の役目を果たしてくれるのだが、今日ばかりは駄目だった。何となく、高木晴菜のことを目の前の三人に話すのが躊躇われる。自分の無能さを晒すのが怖かった。

愛美が無神経に、私の不安を突いた。

「高城さん、さっきの高木晴菜の件、どうなんですか？　人定はできたんですか」

「いや」

「誰だ、それ」法月が身を乗り出してきた。「新しい登場人物だな」

私は花崎に対する事情聴取の結果を話した。高木晴菜という女性に対して、有力な手がかりがないことも。

「ネットで検索してみましたか？」愛美が訊ねる。

「いや。そんなもの、当てにならないからな」ネットの世界では、組織や企業に関する情報はいくらでも転がっている。しかし有名人でない限り、個人情報は簡単には捜せないものだ。

「やってないんですか？」愛美が眉をぎゅっと寄せる。「今時基本中の基本ですよ。お金がかかるわけでもないのに……」

「そういう問題じゃない。信用してないだけだ」

「取っかかりにはなりますよ。まったく、変に頑固なんだから……」愛美の声が次第に小さくなった。

「何か言ったか？」

「高城、素直になれよ」法月が声を上げて笑う。「何もネットの情報を全面的に信用しろって言ってるわけじゃないんだぜ？　きっかけになればいいんだよ。裏取りは後でできるだろう」

愛美がノートパソコンのモニターを開き、一連なりに聞こえるようなブラインドタッチでキーワードを打ちこんだ。

「千件ぐらいですね」

「そんなにたくさん、どうやって篩《ふるい》にかけるんだよ」

「関係なさそうなものは、見ただけで分かります」

「そんなものに頼ってないで、自分の足を使ったらどうなんだ」

「ちょっと黙っててもらえますか」愛美が顔を上げ、艶々した髪をかき上げた。私を一睨みすると、すぐに視線をモニターに戻す。

「お前さんの負けだ。明神に任せておけよ」法月が呆れたように言って、コーヒーカップをデスクに置いた。「醍醐、引き上げてきたものを整理しちまおうぜ。面談室を使おうか。あそこのデスクは広いから」

「オス」

醍醐が二つの段ボール箱を平然と両脇に抱え、面談室に向かう。法月は「あまりみっともない喧嘩はするなよ」という忠告を残した。

五分後、愛美が「あれ」と短く声を上げた。自分のデスクの端に尻をひっかけてコーヒーを啜っていた私は、立ち上がって彼女の肩越しにモニターを覗きこんだ。

「何だ」

「このページなんですけど、珍しいですね」

「珍しいのはいいけど、高木晴菜と何か関係あるのか」

「高木晴菜という人が、実名で書いてるブログなんです」

「実名で書くのは珍しいのか？」

「有名人でもなければ、ほとんどないんじゃないですか。名前や顔が売れてる人なら、宣伝になるけど、普通の人はプライバシーを守るために本名は出しませんよね」

「内容は？」

「闘病日記ですね」

タイトルは「アカルイSPMA日記」と読めた。ページの左肩に本人らしき女性の写真が載っている。振り向いた瞬間を斜め後ろから写した写真で、特別な相手にしか見せないであろう笑顔を浮かべている。肩までの長さの髪。柔らかそうな頰。白いブラウスと変わらないぐらい顔が白いのが、「闘病」という言葉の重みを感じさせる。ブログの本文自体は、かなり細かい文字で、しかもシングルスペースでびっしり書きこまれていた。この距離では、文字を追うだけでも目が疲れる。

「内容は？」

「それよりこれを見て下さい。写真です」

私はほとんど愛美の肩に顎を乗せるようにして、モニターに顔を近づけた。愛美がさりげなく首を横に倒して、私の顔から遠ざかった。

写真の下の方に、わざわざ撮影者の名前を入れてあるのが見える。Photo：K. F.。K. F. イコール藤島憲。

「おい――」私はアドレナリンが血管内を駆け回り始めるのを感じた。

「これ、藤島さんのイニシャルですよね」愛美の声もわずかに上ずっていた。

「当たりか？」

「あるいは」

「ちょっと、この人――高木晴菜について調べてくれ。それと、SPMAという病気についても」

私はそのまま面談室に駆けこんだ。あまりにも焦っていたのだろう、押収してきた品物に番号札をつけて整理していた二人が、呆気に取られたように私の顔を見る。だが「藤島の恋人らしい人が見つかった」と告げると、二人は整理すべき押収品を即座に放り出した。

ＳＰＭＡ——脊髄性進行性筋萎縮症。ＳＭＡ、脊髄性筋萎縮症と表されることもあるようだ。「ゲーリッグ病」とも呼ばれる筋萎縮性側索硬化症と症状はよく似ており、全身の筋肉の力が次第に弱まり、同時に筋萎縮が進む。成人になって発症した場合は、転びやすくなったり、歩けなくなるなどの深刻な症状が出ることもあるらしい。要するに、次第に運動能力が奪われていくという厄介な病気だ。根本的な治療方法はまだ確立されておらず、対策としては、筋力を落とさないためのリハビリが重視されているらしい。

それらの情報を得た後、私たちはどんよりと沈黙の中に沈んだ。高木晴菜という女性の将来を思うと、彼女が藤島の失踪に関係しているとしても、手放しでは喜べない。

それ故私は、今日の仕事の打ち切りを宣言した。一晩寝て頭をすっきりさせ、明日の朝から巻き返す必要がある。それに、雪も気がかりだった。天気予報で確認すると、先日の雪よりも積もるのではないか、ということだった。

「というわけで、雪がひどくならないうちに、さっさと帰ってくれ」私は三人の顔を順番に見ながら言った。

「高城さんも帰って下さいよ」愛美がすかさず言い返した。「ここに泊まられると困りますから」

「分かってるって」本当は泊まりこむつもりでいたが、朝出勤してきて私が起き抜けの格好でいると、愛美は心底嫌そうな表情を浮かべる。ここまで釘を刺されたら、帰るしかないだろう。

醍醐が先に部屋を出て、愛美が続いた。法月と私が最後になる。外へ出た途端、法月が「ひゃあ」と甲高い声を上げた。大粒の雪が天を舞い、容赦なく襲いかかってくる。法月は首をすくめ、コートの襟を立てて暖を取った。私もダウンコートの前を閉めた。

「お前さんも、案外デリケートなんだな」署のすぐ前から歩道橋を上りながら、法月が言った。両手をコートのポケットに突っこみ、背中を丸めている。そのせいか、口調はもごもごとして聞きづらかった。

「そうですか?」

「高木晴菜という女性のことが気になって、弱気になったんだろう」

「病気は大変ですよね。俺も酒が手放せなくて大変なんですよ」

「自分でそういうことを言う奴は、病気でも何でもない。高校生がワルぶってる程度のレベルだな」

「俺は若い、ということで理解しておきますよ」

「何事も自分勝手な解釈をするのが、年を取った証拠だぜ」

「大きなお世話です」愛美の口癖が移ってしまったな、と思わず苦笑した。

明治通りと青山通りをまたぐこの歩道橋はかなり大きく、署を出てから目の前の駅の構内に辿り着くまで数分はかかる。今日は雪が降っているので、余計に時間を要した。既に薄らと降り積もっており、歩く人たちは皆歩幅を狭くして、すり足のように進んでいる。その方が滑りやすい感じだが……法月は特に雪を意識するでもなく、両手をポケットに突っこんだバランスの悪い状態で、平然と歩いていた。

「オヤジさん、雪には強いんですか？」

「生まれが山形だからな。あの辺じゃ、これぐらいは雪とは言わないよ。冬になればスキーで学校に通うんだから……とはいえ、降り始めが一番事故が多いんだ。今日は降ると思って、それ用の靴も履いてきてる」

「というと？」

「ゴム底なんだけど、ちゃんと滑り止めがついてるんだ。これだけでも結構しっかり歩けるよ」

「準備がいいですね……それにしても冷えるな」

両手を擦り合わせる。東京では「寒い」という季節感が薄れてからずいぶん歳月が経ったような気がするが、さすがに今日の冷えは応える。それでも歩道橋の上では、脚がほとんど全部見えているような女子高生たちが、嬌声を上げながら早足で歩いている。

「一杯飲んで温めたいですね」

「こういう日に合うのは熱燗なんだけど、お前さん、日本酒は駄目だろう」

「そうでした」

「ウィスキーのストレートって感じじゃないよな……ま、俺は遠慮しておく。最近自重してるから」

「そうして下さい。娘さんを怒らせると怖いですからね」

「分かってるよ……おい、明日の朝は早く出て来た方がいいぞ。電車が停まるかもしれない」法月が空を見上げた。両手をポケットから引き抜き、体の横で広げて掌で雪を受け止める。「これは積もる雪だな」

「だから失踪課に泊まろうと思ったんですよ」

「それは不健康だ。たまには明神のアドバイスも聞いておけ」

「あいつの言いつけは、ほとんど守ってると思いますけど」

法月が一瞬脚を止め、弱い街の光の中に、にやけた笑みを浮かべた。

「あれは、一番嫁にしたくないタイプだな」

「それ、聞かれたら殺されますよ」

法月が表情を引き締め、「だから嫁にしたくないんだろうが」とつぶやいた。

渋谷駅で法月と別れ、井《い》の頭《かしら》線に乗る。電車は今のところ、何とか動いていた。自宅のある武蔵境《むさしさかい》に辿り着き、行きつけの中華料理屋で夕食にした。「独身男はコンビニと美味い定食屋と中華料理屋があれば生きていける」と言っていたのは誰だったか……独身時代の長野だったかもしれない。聞いた時は妙に納得して、「なるほど」と膝を打ったものだが、四十代も半ばになって、二十代の頃と同じようにコンビニエンスストアと中華料理屋の世話になっていると、さすがに情けなくなる。

武蔵境は、夜になると急に人気が少なくなる。基本的に学生と普通のサラリーマンのための街で、盛り場の賑わいとは縁遠いのだ。今夜は降りしきる雪が、静けさを増幅させている。渋谷から十数キロほどしか離れていないのに、ずっと寒気が厳しく、雪の降り方も激しく感じた。

冷蔵庫のように冷え切ったマンションの部屋に一人。エアコンの効きは悪く、狭い部屋なのに暖まるのに時間がかかる。その間、ゆっくりシャワーを浴びて何とか体を温めた。大した助けにはならなかったが、風呂場を出た時はようやく部屋が暖まっており、一息つくことができた。今度は内面から温めてやらなくては。グラスの曇りを気にしながらウィスキーを注ぎ、最初の一口を大きく呷る。喉に痺れが走ってウィスキーが胃の底に落ち着き、穏やかな熱が体の中を走り始めた。大抵のことはこれで許せる。

床に直に腰を下ろし、失踪課でプリントアウトしてきた晴菜のブログを読み始める。鬱々たる気分になった。最初に異変に気づいたのは五年前、二十五歳の時で、軽い足の痺れがきっかけだったという。晴菜は国際線の客室乗務員をしていたのだが、仕事はハードであり――しかも案外薄給だった、という余計な打ち明け話もあった――そのせいで疲労が溜まったのでは、と思ったようだ。しかし痺れは取れず、そのうち腕にも広がってきたという。仕事中にも、ごく軽いものを取り落として、乗客に迷惑をかけることがあったようだ。何しろ、背伸びして客席の上のボックスを閉めるのも一苦労だったというのだから、これはもう、普通に仕事ができる状況ではなかったと言っていい。

　診断の結果が、ＳＰＭＡだった。日本では珍しい病気であり、根治の方法がないことから一時は絶望して自殺も考えたが、すぐに死ぬことはないと知り、何とか生活を立て直すことができた。以来、リハビリ――治すのではなく、体の機能を維持していくための――を続けながら、この病気に関する啓蒙《けいもう》活動を続けている。実名でブログを開設したのも、世間の人にＳＰＭＡのことをよく知ってもらうためだった。

　本当に病気なのだろうか、という疑念が消えない。トップページに貼られた写真は、人並み以上に元気そうで屈託がなかったから。しかしブログの内容に嘘があるとも思えない。ＳＰＭＡの患者の家族会のホームページにも、彼女の書いた記事が載っていた。後援会のレポートや、このブログの紹介。

　病気に対する世間の認知度が極めて低いのが、彼女にとって最大の悩みの種だった。筋萎縮性側索硬化症の場合、ルー・ゲーリッグという稀代《きたい》の野球選手がこの病気を患ったこともあって広く世間に知られるようになったのだが、ＳＰＭＡは筋萎縮性側索硬化症と混同されてしまい――実際症状は似ているのだが――理解を得られないのだという。

「せめて私が有名人だったらよかったんでしょうが」という自嘲気味な一節もあった。

気になったのは、時折登場する「大事な友だち」という人間だった。名前も性別もなし。しかし文脈から、恋人を指していることは容易に想像できた。普段のブログの内容は、日々のリハビリの内容や食生活、他の患者や医師との交流などを綴ったものなのだが、時折「大事な友だち」が顔を見せる。「自宅でのリハビリを手伝ってくれる」し、「調子がいい時は二人で食事に出かける」こともある。「これをただの想い出にしたくない」という一節を見つけた時は、私はしばらく紙を伏せざるを得なかった。

甘いんだ、俺は。こんなところで引っかかるな。

決定的な一言を見つけたのは、読み始めてしばらく経ってからだった。

「大事な友だちは、実はちょっと有名人です。でも表に出たがらない人だから、私の病気のことでも無理なお願いはできません」

藤島憲。日本人なら誰もが知っている有名人、というわけではない。しかし彼が「自分の恋人が難病で苦しんでいる」と明かしたら、世間にはそれなりにアピールするだろう。

電話が鳴り、私はいつもの癖ですぐに腕時計で時刻を確認した。十一時を数分回っている。愛美だった。

「何やってるんだ、こんな時間に」第一声で、私はきつい叱責を与えたつもりだったが、彼女はまったく平然としていた。

「ＳＰＭＡのことなんですけど」

「病気の講釈なら必要ない。今、彼女のブログを読んでたところなんだ。だいぶ理解できたと思う」

「藤島さんの小説にＳＰＭＡの女性が出てくるのはご存じですか？」

「何だって？」

愛美が鼻を鳴らしたような気がした。気のせいだろう。気のせいだと思いたい。

「設定はちょっと違うんですけど……『霧の中で踊る』という小説で、そもそも藤島さんの作品のスタイルとは違うんです」

「犯人側から書いてない？」

「そうですね。普通に探偵役の刑事がいて、そのパートナーが……ＳＰＭＡの十代の女の子なんですよ。その子がけなげに捜査の手伝いをして、重大な手がかりを持ってくるんです」

「一般人が刑事の手伝いをする？　リアリティゼロだな」

「小説ですから、その辺はスルーして下さい」愛美が冷ややかに言い切った。「病院で読み残した本の中の一冊でした。今読み終えたんですけど、ＳＰＭＡに関する記述が多過ぎて、小説としてのバランスが崩れてる感じですね」

「君はいつから文芸評論家になったんだ？」

「茶化すならやめますよ」

「ああ、分かった、分かった」誰も見ていないのに、私は空いている右手を上げて降参のポーズをとった。「続けて」

「これは、藤島さんによるSPMAの啓蒙書ですよ。リハビリに励《はげ》む恋人のために、自分の一番得意なもので掩護《えんご》射撃したとか」

「実は、ブログにはそれと逆のことが書いてあった。逆じゃなくて、晴菜さんの願望かな。藤島さんらしき人がよく出てくるんだけど……ええと」プリントアウトした紙をひっくり返した。「こう書いてある。『表に出たがらない人だから、私の病気のことでも無理なお願いはできない』ってね。藤島さんは、自分に出来る範囲で、彼女の願いに応えようとしたんじゃないかな。SPMAはあまり世間に知られていない病気だから、誤解もある。何かの形で知ってもらいたい、というのが彼女の願いなんだ」

「そうですね」愛美が一瞬、沈黙の中に沈んだ。「愛、ですかね」

「愛だな」

愛美が軽く咳払いをする。何となく照れて、私も彼女に倣《なら》った。

「いい話ですけど、それ以上にいい手がかりですよ。まだ間接的ですけど、二人のつながりを証明するものですから」

「彼女に話を聴いてみるか」

「病人ですよ。それも難しい病気です」愛美の声に、非難する調子が混じった。

「日常生活にどこまで支障をきたしているか分からないけど、まだ大丈夫だと思う。実際彼女はブログを頻繁に更新してるし、講演会なんかであちこちを動き回ってるだろう？事情聴取ぐらいはできると思う」

「まず、晴菜さんについて少し詳しく調べた方がいいですよね」

「そうだな」

「仮に藤島さんが彼女と一緒にいるとしたら、私たちにはある程度余裕があるはずですよ」

「どうして」

「病気の彼女を放り出して、藤島さんがいなくなるわけがないじゃないですか。近くにいると考えていいと思います」

「その読みは、ちょっとロマンチック過ぎないか？」

「冷静な判断です。明日は忙しくなりますね。遅刻しないで下さいよ」

「君こそ、な」立ち上がり、窓を細く開ける。雪は相変わらず勢いよく降っていた。寒気が流れこんで顔を撫でていった。「雪もやみそうにないし」

「そうですね」

「電車、停まらないといいけどな」

「ええ」

「頭痛は？」

「大丈夫です。高城さんのあの薬、効きますね。帰りに同じ薬を買って呑んだんですけど、もう全然平気ですよ」

「ジャンキーの世界へようこそ」皮肉っぽく言って窓を閉める。「一度使うと、手放せなくなるぞ」

「私は高城さんとは違いますから」

愛美がいきなり電話を切った。手の中で静かになった携帯電話を見ながら、私は思わずにやりとした。これでこそ明神愛美だ。これぐらい元気で当たりが強くないと、こちらの調子が狂ってしまう。変な話ではあるが……私は顔に緩い笑みを貼りつけたまま、グラスの底にへばりついたウィスキーの残りを呑み干した。


翌朝、東京は久しぶりの大混乱になった。

雪は一晩中降り続き、窓を開けた途端に、私は白一色の世界に直面した。窓側には高い建物がないので、一戸建ての屋根を見下ろす形になるのだが、全て白の世界である。ただし、豪雪地帯の真っ白な雪と違って、どことなく灰色がかっているようだった。

部屋の真下の道路を見下ろすと、車の轍《わだち》も人の足跡も見えなかった。これは本格的に、都市機能が麻痺してしまうかもしれない。

こういう時にテレビがないと困る。ラジオをあちこちの局に合わせて天気と交通の情報を求め、ようやく私鉄の一部だけが運休していることが分かった。JRは動いているようなので、吉祥寺《きちじょうじ》まで出て井の頭線の運行状況を確認しよう。最悪新宿まで行って、山手線に乗り換えればいい。ただそれも、いち早く家を出るのが前提になる。慌てて着替え、手持ちの靴の中で一番保温性が高いフィッシング用のブーツに足を通す。そもそも雪対策として買ったものだが、なかなか履く機会がなく、埃が積もっていた。靴底から二センチほどはぐるりとゴムで覆われており、その他の部分は雨に強い合成皮革。これなら足を濡らして凍えることもあるまい。

それが甘い考えだということはすぐに分かった。このブーツはあくまで「釣り用」であり、浅い水場や泥の中ではその能力を十分発揮するのだろうが、雪に対しては無力だった。溶けた雪が染みこむようなことはないが、寒さまでは防げない。足首まで埋まる雪の中を歩いて行くうちに、足先が痺れるように凍えてきた。しかもソールのグリップ力が心もとなく、時折滑りそうになる。周りを見ると、交通の乱れを予期して、私のように早く家を出て来たサラリーマンの姿が目立つ。一様に傘を差し、背中を丸めて、冷たい空気を突き抜けようとするように足早に歩いていた。これぐらい積もってしまった方が滑りにくくなるようで、ゆっくりだが足取りはしっかりしている。

普段の二倍近い時間をかけて、武蔵境駅まで辿り着いた。まだ七時前だが、駅はラッシュ時並みに混雑している。電車はのろのろ運転。吉祥寺の手前で「井の頭線は運行している」というアナウンスがあったので、いつものルートで出勤することにした。井の頭線は徐行運転をしていたが、さほど遅れることはなく、八時前には渋谷駅に着いた。凍えた両手に息を吹きかけながら、井の頭線の駅が入るマークシティの中を抜けて外に出る。駅前のバスターミナルも、いつものようにバスで埋まっていた。ただし、普段は人が溢れているのに、今日ばかりは閑散としている。

マークシティのコーヒーショップに寄り、六人分のコーヒーを仕入れてきたので大荷物になってしまった。雪がかからないよう、何とか傘の下で保持しようとしたので、次第に腕が疲れてきた。

「高城さん」雪に染まる歩道橋にさしかかった時、後ろから声をかけられる。醍醐が傘もささず、ダッフルコートのフードを頭からすっぽり被って立っていた。長身の彼が濃緑色という珍しいダッフルコートを着て、頭に雪が白く積もっていると、動くクリスマスツリーのように見える。「荷物、持ちますよ」

「悪い。だけどお前、傘もささないで……風邪《かぜ》引くぞ」

「大丈夫です」醍醐がにやりと笑った。「最近のハイテク下着、馬鹿にしたもんじゃありませんよ」

「そういうの、どういう顔をして買いに行くんだ？」

「俺が行くわけじゃありません。嫁が買ってきてくれるんで」

「なるほどね」一人暮らしの寂しさを嚙み締めながら、コーヒーの入った袋を差し出した。この店の袋は、中身に比して大き過ぎる。

無言で雪を踏みしめ、渋谷中央署に向かう。いつも難儀する巨大歩道橋だが、今日は雪山さながらの難所になっていた。明らかに人通りは少なく、真下の明治通り、青山通りを行き交う車も少ない。それでも今日、交通課は大忙しになるだろう。

失踪課に着くと、既に出勤していた愛美が何か袋を広げていた。

「ドーナツ？」

「にやけないで下さい、高城さん」愛美が忠告したが、彼女の表情も穏やかだった。「コーヒーは持ってきてくれたんですね？」

「ああ」

醍醐が自分のデスクにコーヒーの袋を置く。愛美のドーナツを一つ摘むと、一口で半分を食べてしまった。

「お前、朝飯は食べてるんじゃないのか」

「今日は抜きです」ドーナツを口いっぱいに頰張ったまま、醍醐が私の質問に答える。頰のあちこちを出っ張らせて咀嚼《そしゃく》を続けていたが、やがて呑みこみ、「早かったですから」と答えを完成させた。

「いやあ、お待たせ」法月が傘を畳みながら失踪課に入ってきた。コーヒーの湯気に目を止めると、嬉しそうに顔を綻ばせる。「お、もらっていいのかな？」

「どうぞ。冷えたでしょう」

私は彼にカップを一つ手渡した。法月は、これでもかとばかりに砂糖を振ったドーナツの山を凝視していたが、ほどなく溜息をつき「そっちは遠慮しておくか」と言った。決して太っているわけではないのだが、心臓の持病のために、医師から厳しく食事制限を言い渡されているのだ。

「六条が来る方に賭ける奴は？」私はドーナツを手にしたまま訊ねる。全員がにやにや笑いながら首を横に振った。「賭けは不成立だな……じゃあ、取り敢えず今日の予定。昨夜の段階で、藤島さんと高木晴菜に関係がある可能性が濃くなった。今日は、高木晴菜について徹底して洗ってくれ。必要があれば彼女に直接会いに行く」

「大丈夫なのか？」自身病気と闘う法月が渋い表情を浮かべた。「その、彼女の病気は……」

「今のところは大丈夫でしょう。ブログを読んだ限り、元気にやっているみたいですから。その辺も含めて、彼女の情報を収集して下さい」

「了解」法月がさっそく受話器に手を伸ばした。話し方から、相手は警察内部の人間ではなく、どこかの情報源だと知れる。おそらく銀行かカード会社だろう。金の流れを追えれば、高木晴菜本人に辿り着くのは簡単である。醍醐はSPMAの患者の家族会へ接触を試みようと電話をかけ始めた。愛美は再びインターネットで、彼女に関する情報を漁り始める。動き始めた仲間たちの姿を見届けてから、私は真弓に報告する内容を頭の中でまとめ始めた。これはあくまで、捜索願の出ている人を捜すための手順に過ぎない。間違ったことは何もやっていないのだし、真弓に因縁をつけられる恐れはない——そう考えても、何故か不安は拭えない。

「有名な高城の勘」と、揶揄するように言う人がいる。長野然《しか》り、真弓然り。今回は、その勘が見事に当たった。目の前の電話が鳴り出す。無意識のうちに手に取った。相手が話し始めてしばらくすると、私は「何だと！」と叫んで立ち上がっていた。三人が怪訝そうに私の顔を見詰める。

宮崎だった。彼からの電話は、藤島の件には直接関係なかったが、大きな穴を埋めてくれる情報をもたらした。

17

「どういうことなの」

「どうもこうも、今言った通りです」

私は苛立ちをそのまま言葉に固めて真弓にぶつけた。彼女はそれを正面から受け止め、自分の中で怒りに転化しないように時間をかけて消化してから、もう一度「どういうことなの」と訊ねた。

「火災現場で発見された身元不明の遺体。そのＤＮＡが村上さんのものと一致しました。以上」

「以上って……」真弓が椅子に力なく背中を預けた。肘掛に乗せた両肘で、ようやく体を支えている感じである。私の顔を凝視したまま、マグカップに手を伸ばす。一口啜って、思い切り顔をしかめた。「何か合理的な説明はつけられるの？　藤島憲が村上さんを殺したとか？」

「それは短絡的です」私はすかさず否定した。「確かにあの二人は、『ブルー』で一緒にいたのを目撃されています。ただそれも、しばらく前のことですからね。火事が出た日に一緒にいたとは限らない。今のところ、そういう状況を裏づける証言は一切ありません」

「ネックレスの件はどうなるの」

「それなら、説明がつきそうな推理が二百ぐらいあります。一番目から聞きたいですか？」

「遠慮しておくわ」真弓が姿勢を正し、マグカップを両手で包みこむ。

「現時点では、藤島さんの捜索を最優先にします」

「容疑者として？」

私は首を横に振ったが、それがはっきりした否定でないことは二人とも分かっていた。一方で「短絡的です」という私の台詞が絶対のものでないことも。あくまで事態は曖昧なままなのだ。

「あくまで参考人扱いですね。もう一つ、室長の方から捜査本部にアドバイスをしたらどうですか？『ブルー』のマスターについて、もう少し調べてみた方がいい。何かあるんじゃないですかね」

「前科の問題？」

「それとは直接関係ないと思いますが、一度罪を犯した人間は……」

「再犯の可能性は否定できない。というより、人間の性根は簡単には変わらないわね。でも、マスターについては今までも調べたんでしょう？」

「ええ、何も出てきてませんが」

「一応、捜査本部には強く言っておくわ。それで、藤島さんの方の目処は立ってるの？」

「女の線を追います」

「了解」真弓が短く言って、受話器を取り上げた。ボタンをプッシュしようとして右手を止め、一度受話器を左肩の上に置く。「人手は足りてる？」

「六条からは休みの連絡が入りました。でも、朝の段階でそうなるのは予想してましたから」

「そう。まったく……」空いた右手で真弓がゆっくりと額を揉む。「室長レベルでは強い人事権がないのが痛いわね」

「他のメンバーで十分ですよ。信用して下さい」

「してるけどね」やけに晴れやかな顔で真弓が言った。見ようによってはやけっぱちとも取れたが。


捜査本部に出向く前に、井村に電話をかけた。藤島は依然行方不明だが、死体は村上だったと告げると、急に無口になる。

「気味が悪いですね」

「状況はまだ把握していないんですが」

「こんなことは言いたくないけど、私に関係があるのは藤島さんのことだけですから……申し訳ないですが、村上さんの件では何も言えませんね」

「ちょっと——」

電話は切れていた。それまで協力的だったのが、一転して素っ気無くなっている。その変化が気がかりだったが、今は追及している余裕がない。

捜査本部に足を踏み入れると、久しぶりにざわついた雰囲気に迎えられた。朝の捜査会議が始まる前に、死体の身元が村上だと分かったことで、捜査の方針は新たな局面を迎えたのだ。長野がちょうど説明を始めようとしたところで私に目を留め、座るよう促す。とは言っても、それほど広くない捜査本部では席は全て埋まっていた。仕方なく私は、後ろの壁に背中を預けて立った。刑事たちと正面から向き合う形で立った長野は、デスクに両手をついて前屈みになった。刑事たちに向かって、まずは静かに語りかける。

「……今言った通りで、渋谷区桜丘町の火災現場で発見された二遺体のうち、一遺体の身元が判明した。ええ、村上崇雄、三十五歳。職業、勤務先は食品開発会社『アースフード』。会社の住所は……」

長野の報告を聞きながら、私は藤島のことを考えていた。分かっている事実関係は多くはない。姿を消したこと。そのしばらく前に、「ブルー」で村上と会っているのを見られていたこと。しかし村上と藤島の間にトラブルがあったかどうかは分からない。もう一つ、高木晴菜という恋人がいたらしいこと。

結局まだ、何も分かっていないということだ。長野が報告を終え、当面村上の交友関係と行動パターンについて重点的に調べるよう、指示を飛ばす。

「高城、分かってる範囲で、村上という人間について説明してくれないか」

いきなり声をかけられ、慌てて顔を上げる。刑事たちが一斉に振り返った。知っている顔もある。まさか、後ろを向かせたまま喋るわけにもいくまい。私はデスクの間を縫って部屋の前に向かったが、脚が震えるほど緊張しているのを意識した。昔は、こういうことは何でもなかった。幾つもの捜査本部に参加し、大勢の前で報告するのは、単なる日常だったから。しかしまともな仕事から外れてぐだぐだしていた七年間は、私からそういう日常を奪ってしまった。

長野の横に立ち、頭の中で報告をまとめる。口を開いたが、喉が渇いて言葉が出てこない。刑事たちの顔を見回すうちに、さらに上がってしまい、心臓が飛び出しそうなほど鼓動が激しくなってきた。冗談じゃない、こんなことで自分を見失ってどうするんだ――ふと、はなの顔が目に入る。眼鏡の奥の目を瞬かせ、口元に手を持っていって欠伸を隠した。それで急に緊張感が消える。彼女も意識して欠伸したわけではないだろうが。すっと息を呑み、テーブルに両手を置いて前のめりの姿勢を作ってから、一気に言葉を吐き出す。

「村上崇雄と、失踪課で行方を追っている藤島憲は、高校時代の同級生だった。二人は、いわば小説仲間だったらしい。村上は学生時代に『蒼』文芸賞新人賞という賞を取ってデビューしたが、その後は小説から離れてしまっています。一方藤島は、村上よりかなり遅れてデビューした。その後の活躍は知っている人も多いと思います。二人が、最近もつき合いがあったという証言もありますが、明確な証拠はない。村上の動きですが、火事が起きた日の夜七時半過ぎに会社を出て、その後で火事に巻きこまれたことになります。食事に出たという証言は取れていますが、この時に誰かと会っていた可能性があります」長野の顔を見やる。うなずいたので、勢いを殺さず続けた。「藤島に関しては、失踪課も引き続き行方を捜します。村上に関連する情報が出た時は、直ちに報告します」

「以上?」長野が訊ねる。

「以上」息を吐き、刑事たちの顔を見回す。最前列に座っていたはなが「よろしいですか」と手を挙げた。

「どうぞ」

「藤島を、村上殺しの容疑者と見なしていいんでしょうか」

「今のところ、積極的に裏づける材料はない」本当に?　自分の言葉に疑問を感じながら、私は答えた。裏づける材料もないが否定する情報もないというのが本当だ。

「分かりました」はながあっさり引き下がった。それで、残りの刑事たちも納得した様子である。私の情報は、彼らの頭に「村上と藤島の間に何らかの事情があった」という先入観を植えつけてしまった。あまりよいことではないが、今のところは客観性を狂わせるほどの情報ではあるまい。

「以上」長野が散会を宣言した。一斉に椅子を引く音が、妙に懐かしく感じられる。床を擦る不協和音は、刑事たちが部屋を飛び出す号砲《ごうほう》であり、戦闘開始の合図なのだ。

急に捜査本部が静かになる。あれだけ狭く感じられたのに、数人が残っただけの状態では、やけにだだっ広い。長野が両手で勢いよく顔を擦ってから、にやりと笑う。

「取り敢えずの方向性は決まったな」

「ああ」

「で、お前は藤島がやったと思ってるのか？」

「断定はできないけど、二人の間に何らかの問題があったのは間違いないと思う」

長野が舌打ちをし、テーブルを人差し指で叩いた。

「ちょっと慎重過ぎないか、ええ？」

「それより、火事の当日に店から出た人を見たっていう目撃証言はどうなんだ？　それが藤島さんに似てるとすれば――」

「残念だけど、人相ははっきりしない」長野が首を振った。「それが分かれば、もう一歩踏みこめるんだがな……村上が、あの夜誰かと会っていたのは間違いないのか？」

「確証はない。だけど、疑わしい状況ではある」

「やっぱりお前は慎重過ぎるよ」不満気に言って、長野が音を立てて椅子に座った。

「お前が突っ走り過ぎるんだ」隣に腰を下ろし、長野の暴走を諫《いさ》める。これぐらいでは彼がまったく応えないのは分かっていたが。

「ちょっといいですか」

顔を上げると、はなが「休め」の姿勢で立っていた。

「座れよ」

無言でうなずき、椅子を引いてきて私の正面に座る。床に下ろした紙袋から、大量の書類を取り出してデスクに置いた。彼女に分析を依頼していたものである。

「気がついたことがあります」

「まさか、もう目を通したのか？」私は目を見開いた。

「昨夜は雪で帰りそこねましたから、ここで泊まるついでに目を通しました。書類は大量だったんですが、ぼんやり見えてきたことがあります」

うなずき、先を促した。はなは書類を無視したまま、自分で作ったメモを置き、私が読めるように逆さにした。几帳面な細かい鉛筆書きで、Ａ４判の紙がほとんど黒く埋まっている。所々にボールペンで赤いラインが引いてあった。

「いろいろな材料を比較してみました。テキストは、村上さんのデビュー作、それと藤島さんの高校時代のメモです。村上さんのデビュー作をテキストA、藤島さんのメモをテキストBとします」

「何だか、古代文字の解読をしようとしているみたいだけど」

「その方が整理が容易だからです」眼鏡を人差し指で押し上げながら、はなが生真面目な声で言った。「テキストAとテキストBの精神性が似通っています」

「精神性？」

「すいません、小説は専門じゃないので……仮にそういう言葉で話を進めさせていただきます」さらりと言って続ける。「文章が似ているとか、ストーリー展開が似ているとかではなく、考え方の根底にあるものが同じだということです」

「藤島さんの——テキストBの方が時代が古い。高校生の頃のメモ書きみたいなものだから。つまり、藤島さんのメモからテキストAが生まれたって言いたいのか？　あの受賞作が盗作だとでも？」愛美も同じようなことを言っていた、と思い出す。性格も仕事の進め方も違う二人の意見の合致。

「盗作の定義がどういう風に決まるのかは、私にはよく分かりません。その件に関しては、解釈にかなり曖昧な部分があるようです。ただ、アイディアに関しては盗作はない、というのが一般的な解釈のようですね。それを細かく言い出したら、ミステリなんかはほとんどが盗作ということになるんじゃないでしょうか。トリックは、もう出尽くしていると言われているようです」

「文章の真似は盗作だって言われるよな」

「ええ。最近は特に、ネットの文章をそのままコピーアンドペーストして、というケースも目立つようです。昔に比べて書き写すのが簡単になったし、抵抗も少なくなっているんでしょうね。ストーリーが似ているというのも、やはり問題になることがあるようです」

「アイディアは盗作じゃないって言ってたじゃないか」

「その辺、微妙なところではあるようですが」

「それで君はどう考えてるんだ？　テキストAはテキストBの盗作だと？」

「何とも言えません」珍しく自信なさそうにはなが言った。「ただ、二人は同じ考えを共有していたような気がします。特に犯罪……人間心理の闇に関して」

「二人の関係から言って当然かもしれないな。高校時代、二人は小説を介した友だちだったんだ。あれこれ議論しているうちに、考え方が似てくるのは仕方ないんじゃないかな」

「そうかもしれません」

「君の分析を否定しているわけじゃないよ」

「分かってます」はなが唇を嚙んだ。これは犯罪捜査の範疇《はんちゅう》に入る話ではない。文学部の連中が、一言一句を追いながらテキストの分析をするようなものだ。

「他には？　村上さんを殺した犯人について、何かプロファイリングはできないだろうか」

「私はプロファイリングの専門家じゃありませんよ」

「君の喋り方は、プロファイリングしているように聞こえるんだ。とにかく、意見でも何でもいいから」

「犯人は矛盾した性格の持ち主だと思います」一転して自信たっぷりにはなが告げた。

「矛盾？」

「ネックレスの存在がポイントになります。あれが村上さんのものでない、という前提での話ですが……犯行は、激情に駆られたものと言えます。一人を殴り殺して、もう一人を刺し殺したという状況は、犯人が体力の限界に挑むような大暴れをしたことを示唆しています。高城さんにこんなことを言うのは釈迦《しゃか》に説法ですが、大の大人二人を殺すのは大変ですよ。銃でも使うなら話は別ですが……その後に放火したのは、激しい憎悪の表れとも取れます」

「『とも』？　他の可能性もあるということか」

「そこから、犯人のアンビバレントな性格が読み取れるんじゃないでしょうか。自分を見失うほど興奮していたと考えられる一方、証拠湮滅《いんめつ》を図るぐらいには冷静だったとも考えられるわけです。ネックレスについてもそうですね。被害者の身元を混乱させるためだったとも思えます。消えた金庫に関しても、目くらましだった可能性があります。強盗と見せかければ……」

「つまりそれは、藤島さんが犯人だという前提での話だよな」

「ええ」

「そうか……」

「おいおい、あまり考えこむなよ」長野が私の背中を叩いた。「うちの優秀な刑事が言ってるんだから、この筋は悪くないぜ」

「まだ推測の域を出ない」

「分かっています」私の否定的な見解にも、はなは淡々とうなずくだけだった。

「だから、現段階ではまだ犯人を決めつけないでくれ。頼むぞ、長野」

「分かってるけど、藤島の存在をうちの刑事たちの頭に叩きこんだのはお前だぜ」

確かに。もう少し抑えた表現をすべきだったかもしれない。しかし、一度出てしまった言葉は取り消せないのだ。取り消すことはできるかもしれないが、一度聞いてしまうと、印象そのものを拭い去るのは容易ではない。


「高木晴菜の住所が割れたぞ」

失踪課に戻ると、法月が最初に声をかけてきた。

「どこですか」私は立ったままでいた。座りたくないと思うほど、体内をアドレナリンが駆け巡っているのが分かる。

失踪課では、立川《たちかわ》中央署に間借りしている八方面分室の管内になる。

「福生《ふっさ》」

「事情は、醍醐が家族会から聴き出した。失踪人の手がかりを知っていそうな人、ということでね」

「それは事実ですね。醍醐、詳しく教えてくれ」

「オス」醍醐が自席で立ち上がり、メモを手にした。「高木晴菜さん、出身地は神戸《こうべ》です。東京の短大卒業後にフライトアテンダントをしていたという話は……もう分かってるからいいですね」

「続けてくれ」

「発病後、主治医のいる病院の近くに部屋を借りて、治療とリハビリを続けているようです」

「一人暮らしなんだな？」

「ええ」醍醐が指先でメモ帳を叩いた。「治療の都合でそうしているそうです。地元の関西の方には、適当な病院がないという話なんですね。ちなみに両親は健在です。父親は、大阪に本社のある信用金庫の取締役。母親は専業主婦」

「藤島との関係は？」

「すいません、そこまではまだ分かりません。家族会で話を聴いた人も、プライベートなことは知りませんでした」

「収入はどうなってたんだ」

「親の援助、それに講演やエッセイを書いた謝礼なんかですね」

「それじゃ、ぎりぎりの生活だったんじゃないか？　難病ということは、金だってかかるだろう」

「そこで奇妙な話が出てくるんだよ」法月が割って入った。

「というと？」

「十日ほど前なんだが、高木晴菜の銀行口座に五千万円が入金されている」

「何ですって？」私は髪が逆立ち、血液が沸騰《ふっとう》するような興奮を感じた。五千万円――藤島が自分の口座から引き出した額と合致する。

法月が、薄笑いを浮かべながら続ける。この、少しばかり嫌らしい表情は、彼が調子に乗っている証拠だ。

「何と、藤島は銀行に現金を持ちこんで預けたらしい」

「まさか」その時の様子を想像する。ボストンバッグを開けて大量の札束を見せ、「これを入金したいんだが」という一言。いくら金の扱いに慣れた銀行でも、一瞬空気が凍りつくだろう。

「いや、本当なんだ。いきなり現金で五千万円を持ちこんでくる人がいたら、銀行だって覚えてるさ。特異なケースだよ」

「なるほど……」

「その時に、高木晴菜も一緒だったようだ。それなら問題ないだろう」

「そうですけど、やはり特異なケースですよね」

五千万円を現物で見る機会は滅多にない。それこそ銀行員でもない限り、紙の上、あるいはモニター上の数字としてしか認識できないのが普通ではないだろうか。

「銀行の方は、オヤジさんが調べてくれたんですね」

「ああ。向こうも怪しいとは思ったそうだが、断る理由もなかったという話だ」

「何か不自然ですね」私は顎を撫でた。既に無精髭のレベルではなく、真弓が何も文句を言わないのが不思議だった。

「そりゃ不自然だよ。わざわざ現金を持ってくるなんていうのは……」法月が力なく首を振った。「犯罪絡みだな、普通は」

「隠《かく》れ蓑《みの》にしたんでしょうかね。自分の痕跡を消すために他人の口座を利用した。それならあり得ない話じゃないでしょう」

「まあ、その線が無難かな」

「ちょっと待って下さい」愛美が手を上げる。残る三人の視線が、一斉に彼女に向いた。愛美は一瞬言いよどみ、股の所に揃えて置いた手を見下ろしていたが、やがて顔を上げて決然とした表情を作った。「単なる印象なんですが」

「どんな？」

「本当に、根拠はない話ですよ」彼女がここまで慎重になるのは珍しい。両手を忙しなく擦り合わせ、自分がこれから発する言葉が、私たちにどんな影響を及ぼすか、必死で計算している様子だった。

「言ってくれ、明神。話さないと何も始まらない」

「遺産……生前贈与みたいな気がするんですが」

私の中で暴れまわっていた興奮が瞬く間に消滅し、すっと気持ちが落ち着いた。そう、私自身、その可能性を考えていたのだと気づく。無理はない。それどころか、これがもっとも自然な流れのような気がしていた。理由はともかく、自殺を決意した藤島が恋人に財産を譲る。

「可能性としては否定できないな」

愛美が私の顔を見て、わずかに安堵するような表情を浮かべた。全面否定されると思っていたのかもしれない。だとしたら、彼女もまだ読みが甘いものだ。長く一緒に仕事をしていると、考え方がシンクロしてしまうのは珍しくないのだ。それは捜査の醍醐味でもあると同時に危険性でもある。一緒に動く相棒とぴたりと考えが合っている時の快感。しかし二人とも同時に同じ結論に達した時は、他の可能性——往々にして真実——を見逃してしまっていることが多い。

「醍醐、家族会の方はお前さんの説明で納得してくれたか？」

「大丈夫だと思います」

「高木晴菜には口外しないように、念押ししてあるな」

「それも問題ありません」

「まあ、念押しというか」法月が耳の後ろを擦りながら言った。「あれを一種の脅しと受け取る人間もいるかもしれないが」

「醍醐……」私はゆっくりと首を振った。「無茶するな」

「オス」醍醐が慌てふためき、顔をくしゃくしゃにした。「そういうつもりじゃないんですが」

「まあ、仕方ない。取り敢えず、高木晴菜の周辺捜査を続行しよう。八方面分室にも協力を要請するか」室長室をちらりと見た。真弓は誰かと電話で話している。ここは筋を通して、室長同士で話し合ってもらおう。「明神、出られるか？」

「もちろんです」愛美が素早く立ち上がる。

「福生へ行ってみよう。高木晴菜の顔を拝んでおこうぜ」

「直当たりするんですか？」

「状況によっては。まずは彼女の居場所を確認することからだ……オヤジさん、明神と福生まで行って来ます。バックアップをお願いできますか？　それと、室長に、八方面分室に協力を依頼するよう、頼んでおいて下さい」

「承知した」

「じゃあ、明神……」

「準備できてます」ダウンジャケットに腕を通しながら愛美が答える。

「そっちの方じゃない方の準備は？」

「何ですか？」

私は耳の上を人差し指で叩いた。「頭痛薬だよ」

「大丈夫です。売るほど持ってますから」愛美がバッグを平手で軽く叩いて見せた。この台詞は私の口癖なのだが……鎮痛剤愛好家の増殖は、決して喜ぶべきことではあるまい。


雪の勢いは朝方よりは弱くなっていたが、依然として東京を白く染めていた。私鉄があちこちで運休になり、中央道《ちゅうおうどう》は神奈川県境で通行止め。首都高は五十キロ制限になっていた。雪国なら、道路上にも雪が何十センチも積もり、先行する車が作った轍を辿っていかなくてはならないのだが、さすがに東京では交通量が違う。次々と通り過ぎる車が、雪に積もる隙を与えなかったのだろう。ただし、一番左側の走行車線の端は、さすがに白くなっている。

窓に張りつく雪を、ワイパーが軽々と吹き飛ばす。雪が溶けてガラスにくっつかないのは、それだけ気温が低い証拠である。真っ白な砂塵《さじん》が降っているようでもあった。

「この寒さはきついだろう」暖かい静岡出身の愛美に訊ねた。

「厚着してますから平気です。それに寒いっていっても、北海道なんかに比べれば大したことはないでしょう？」

「だろうな」

「今日は車、少ないですね」

「一日ぐらい、皆大人しくしていてくれた方がいいな」言った途端、大型のトレーラーがシャーベット状の雪を跳ね上げながら、脇を通り過ぎていった。運転席側の窓が、半ば溶けた雪と泥で汚れ、サイドミラーが見えにくくなる。悪態をつくと、愛美が助手席で鼻を鳴らした。

「余計なことを言ってると、自分に跳ね返ってきますよね」

「大きなお世話だ」煙草が吸いたい。しかし窓を開ければ、煙草がフィルターまで燃える数分で、車内は氷点下の寒さになってしまうだろう。苛立ちを抑えるために、ハンドルを指先で叩き続ける。失踪課用に割り当てられたスカイラインの中で一台だけの４ＷＤ車を借り出してきたのだが、不安感も否めない。時折アクセルを強めに踏むと、タイヤが空転する感覚が伝わってきた。

「あの人——井形さん、資料について何か言ってましたか」

「ああ、いろいろ」運転に半分意識を奪われながら、私は彼女の分析を披露した。愛美は顎に手を当てたまま、じっと目を細めている。狭い助手席で脚を組んでいるのだが、決してリラックスしている様子ではなかった。

「どう思う？　君も村上さんの小説をずいぶん熱心に読んでくれたじゃないか」

「そうですね……ええと、井形さんが気づいていたのと同じようなことは、私も気づいてました」

「何だって？」

「村上さんの小説、『死が我らを分かつまで』なんですけど、あそこに藤島さんの全ての小説の原型があるような気がします。『空と』との共通性についてはもう言いましたけどね」

「原型って？」

「何て言うんでしょう」愛美が首を捻る。「専門家じゃないんで上手く説明できないんですけど、やっぱり盗作ではないと思うんです。同じテーマで、別の人が別の小説を書いたような感じ、ですかね。犯罪に至る心の動きが大きなテーマなんです。藤島さんはずっと、それにこだわって書き続けているわけでしょう？」

「ああ」

「藤島さんはずっと同じ路線を突き進み、村上さんは書けなくなったんですよね。皮肉な話です」

「単に、藤島さんの方が作家に向いていただけの話じゃないかな。書き続ける方がずっと大変だって、誰かが言ってたぜ」

「確かに体力はいるでしょうね」愛美が素直にうなずく。「才能というよりも」

「皮肉はよせよ。俺には想像もできない世界なんだから」

「向こうにすれば、私たちがやっていることこそが想像できない世界だと思いますよ。こんな、地面の上を這いずり回るような仕事は……」

「嫌いなのか」

「そうじゃありませんけどね」愛美が頬杖《ほおづえ》をつき、窓の外を見やった。「雪、止《や》みませんね」とぽつりとつぶやく。

「ああ」

「長引かないといいんですけど」

「俺も、こんな雪の中で一晩中張り込むのはごめんだな」

「そうじゃなくて」

「——藤島さんの身の安全、だろう？」

「何で分かるんですか」

愛美が慌てて私の方を見た。私はにやりと笑って、前方を見据えたまま答えた。

「分かるに決まってるだろう？　相棒なんだから」

愛美が思い切り唇を歪め、そっぽを向いた。まるで自分の相棒は私ではなく、車のウィンドウであるとでもいうように。

18

福生に入り、国道一六号線を武蔵野橋北の交差点から北へ向かって走ると、ずっと横田基地の脇を通っていくことになる。途中からは、基地の敷地内を国道が突っ切るような形だ。強固なブロック塀の上には鉄条網。車で走っていると中の様子はほとんど窺《うかが》えず、内側が日本でないことを強く意識せざるを得ない。そういう光景が約四キロにも渡って続くのは、やはり一種異様な感じである。そして基地の近くには、アメリカを強く感じさせる光景が広がっている。巨大なサンドウィッチやハンバーガーを食べさせる店や、原色が目立つ雑貨店、米軍放出のミリタリーグッズを扱うショップ。やたらと英語名の看板が目立つのも、いかにもそれっぽい。

一方で、市の西部は典型的な多摩《たま》地区の顔を見せる。米軍基地は国道一六号線とＪＲ八《はち》高線《こうせん》沿いに広がっているのだが、ＪＲ青梅《おうめ》線、新奥多摩街道沿いは、普通の人たちが暮らす普通の街だ。市の中心部である福生駅の周辺はこぢんまりとした商店街で、そこを抜けると、一戸建ての住宅が建ち並ぶ落ち着いた町並みが姿を現す。

高木晴菜の自宅は、駅前の商店街が途切れ、駅前通りと新奥多摩街道が交わる交差点を通り過ぎた辺りのはずだ。住所を見る限り、戸建て住宅である。

「一戸建てはちょっと意外ですね」

「確かにな」私は愛美の感想に同意した。「この辺なら一戸建てでも家賃は高くないだろうけど、アパートやマンションの方が安いよな。住宅費にはあまり金をかけられないような気がするんだけど」

「藤島さんの五千万円がありますよ」

「それが彼女の口座に入ったのは、つい最近だぜ」

「そうでした」

本来の街の光景は、雪の下に隠れているのだろう。目に見える範囲全てがグレイ一色に染まっている。私は当該の住所近くのコイン式駐車場に覆面パトカーを停め、冷たい地面を踏んだ。都心部と違って雪は踝《くるぶし》近くまで積もっており、ブーツでなければ靴下が濡れていただろう。愛美もヒールの低いブーツで、しかも膝下までの長さなので、それほど冷たさは感じていないようだった。

「少し小降りになってきましたね」ダウンジャケットのフードを頭から被った愛美が言った。やや粒の小さくなった雪が濃紺のフードに舞い降り、しがみつくことなく滑り落ちていく。都心部より気温が低いようで、雪の粒が硬いのだ。本格的に積もるのはこれからかもしれない。

「油断しないでいこう。転んで怪我でもしたらつまらない」

「高城さんこそ気をつけて下さい」

言って、愛美がさっさと歩き始めた。ブーツのソールが滑らない造りになっているのか、乾いた道路を歩いているのと変わらない足取りである。私は慎重にいくことにした。

「あの家じゃないか?」私は地図と住居表示をつき合わせた。ほとんどの家の屋根は雪で白くなっていたが、目星をつけた家の屋根からは、明るいブルーがかすかに覗いている。

「そうみたいですね」私が広げた地図を愛美が覗きこんだ。「先に偵察しますか?」

「行けるか?」

「一回りして来ます」うなずき、愛美が散歩でもするような軽い足取りで歩き出した。

彼女の姿が見えなくなったところで、煙草をくわえた。久しぶりの一服をゆっくりと味わいながら、寒さに耐える。五分ほどして愛美が戻って来た時には、私が頭から被ったダウンコートのフードは少しだけ重くなっていた。頭を振ると、粉雪が顔の周囲に舞う。

「この辺の基準で見ると小さい家ですね」

「そうだな」

「表札は『高木』になっています」

「一人暮らしか」

「でしょうね」

「無用心というか……大丈夫なのかな。体の自由が利かない状態で、ちゃんと生活できるんだろうか」

「親御さんは神戸ですからね。それこそ、藤島さんが面倒を見ていたんじゃないですか」

愛美が両手を擦り合わせた。昼だというのに薄暗く、それがまた寒さを増幅させている。

「彼にそんな暇、あったのかな」

「無理かな……近くに住んでるならともかく、渋谷と福生は結構遠いから」

「電車の乗り継ぎが上手くいっても一時間はかかる。往復二時間……仕事しながら、毎日彼女の面倒をみるのは無理だな」一瞬だが、介護殺人、という考えが浮かんだ。私には経験がないが、介護は人を心底疲れさせるだろう。

会話が途切れる。時間だけがじりじりと過ぎ、私は次の一手を決断しかねていた。思い切ってインタフォンを押すべきか、彼女が姿を現すのを待つか。

「どうしますか」先に痺れを切らしたのは愛美の方だった。

「行ってみるか」彼女の一言で、私はようやく決心を固めた。「話してみて悪いことは何もない」

「案外、藤島さんがひょっこり顔を出すかもしれませんね」

「そう上手くはいかないだろう」私は肩をすくめた。

「高城」声をかけられ、振り返る。八方面分室の斎木《さいき》が、コートのポケットに両手を突っこんだ姿勢で立っていた。階級も私と同じ警部、八方面分室ではやはりナンバーツーの立場になる。私よりも五歳ほど年上で、肩幅の広い、上半身のがっしりした男だ。半ば白くなった髪を綺麗に七三に分け、体にフィットした上質なウールのコートをスマートに着こなしている。胸元にチェックのマフラーを覗かせているのも、英国紳士風だ。しかし、ズボンの裾を黒いゴム長靴に雑に突っこんでいるので、画竜点睛《がりょうてんせい》を欠いている。

「どうもお疲れ様です。連絡、いきましたか」

「ああ、阿比留室長からね……凄い勢いで」

斎木が端整な顔をわずかに歪ませたが、すぐに表情を引き締め、愛美に顔を向ける。

「三人でこんなところに突っ立ってると、いかにも怪しくないか？」

「そうですね」愛美がうなずく。「二人で散歩でもしてきたらどうですか？　ここには私がいますから」

「それより車を取ってきてくれよ」私は指示した。「近くにあった方が便利だ」

「分かりました」愛美が降りしきる雪を突いて、駐車場に向かった。

「てきぱきしてるねえ、相変わらず」嬉しそうに斎木が言った。「うちにもらえないか？」

「本庁から遠ざかったら激怒しますよ。今でも結構持て余してるのに」

「そうか？　結構いいコンビでやってるって聞いてるけどな」

「無責任な噂ですね……何か情報はあったんですか」

「藤島は、この辺で頻繁に目撃されてたみたいだな」

「そうなんですか」心臓が高鳴ったが、高揚ではなく、自分でも原因がつかめない不安のためだと気づく。

「ああ」斎木が手袋越しに両手を擦り合わせた。煙草を引き抜き、素早く火を点ける。ライターはダンヒルか何か、普通の刑事には手が出そうにないものだった。そういえばこの男は、失踪課に移ってくる前、組織犯罪対策部で暴力団捜査に当たっていたことがある。何かと癒着が噂されている部署ではあるが……いや、あり得ない。マル暴から貰ったものをこれ見よがしに身につけている人間など、警察組織の中では生き残れない。

「毎日とは言わないけど、週に一回は来ていたみたいだな。特に週末。藤島って人、作家なんだろう？」

「ええ。かなり売れっ子の、ね」

「そういう人が、毎週女の所へ通うような暇があるのかね」斎木が肩をすくめる。

「それより大事なことなんて、ありますか？」風が出てきた。私は掌を丸くし、その中で煙草に火を点けた。

「お前さんらしくもない台詞だな」斎木が声を出して笑う。

「最近、人情派に転向したんですよ」

「そうか……まあ、いい。とにかく、藤島があの家へ頻繁に出入りしていたのは間違いないようだ。二人で外出するのも見られてる」

「高木晴菜は、近所づきあいはあったんですか？」

「それなりに、な。自治会の活動に積極的に参加するほどじゃなかったけど——病気のことがあるからな——普通にやってたみたいだぜ。まあ、最近は近所づきあいって言っても薄いものなんだろうが」

「病気のことは、周りの人は知ってたんでしょうか」

「特に隠してたわけじゃないようだ。ただ、近所の人の話だと、そもそもそんなに大変な病気には見えなかったらしい。歩く時に多少脚を引きずるのと、重い物が持てないぐらいで、日常生活に重大な支障を来すほどじゃなかったようだ」斎木が携帯灰皿に煙草を入れ、外側から潰すようにして火を消した。「藤島の写真を見せて、作家の藤島だと分かった人は一人もいなかったけどな。有名人じゃないのか？」

「斎木さん、作家の顔、何人思い浮かびます？」

「それは……」斎木が額に手を当てた。「何人もいないな。そもそも藤島の顔だって、今回写真で見て初めて知ったぐらいだ」

「そんなものですよ」

「お、車が来たぞ」斎木が私の肩越しに視線を投げた。振り返ると、愛美がことさらゆっくりとスカイラインを運転して、路肩に寄せているところだった。斎木は車に乗ろうとはせず、ルーフに片手を乗せたまま、私と向き合った。「俺は行くぞ。うちの刑事を待たせてあるんだ。もう少し近所の聞き込みをしてみるよ」

「すいません、そちらの案件でもないのに」

「いやいや」苦笑しながら斎木が首を振った。「最近、暇でね。何か仕事を投げておかないと、若い連中はすぐにさぼるから。あんたのところとは事情が違うんだよ。よく教育したな」

「俺が教育されたのかもしれませんよ」

斎木が声を上げて短く笑い、私の肩を叩いた。ダウンコートにしがみついていた雪が舞い上がる。

助手席に滑りこみ、愛美の肩越しに晴菜の家を見る。特に動きはなかった。

「突っこみますか？」

「醍醐みたいなことを言うな」苦笑いしながら斎木の情報を伝える。

「早く行きましょう。その方が話が早いですよ。待つ意味はありません」

そう、それを言い出したのは私自身だ。しばらく愛美の提案を吟味していたが、やはり同じ結論に達する。張り込みを続けていれば、藤島が必ず姿を現すという保証もない。

「よし、行こう。君が先導してくれ」

「了解です」愛美が勢いよくドアを押し開ける。冷気が流れこんできたが、先ほどよりも暖かくなっているようだ。ほとんど舞うだけになっていた雪が雨粒に変化しているのに気づく。道路がぐちゃぐちゃになって、本当に歩きにくくなるのはこれからだ。

愛美がドアの前に立ち、一度だけ肩を上下させた。フードを被ったままだったのに気づき、慌ててはねのけてからインタフォンのボタンを押しこむ。反応を待つ間、私は彼女の三歩後ろに下がったまま、家の様子を観察していた。新築ではない。綺麗に塗り直されてはいても、あちこちが古びているのは明らかだった。家全体は非常に細長い造りで、奥に深くすることで居住スペースを稼いでいる様子だった。

愛美が振り返る。返事がないのだ。ドアの横にあるポスト――棒の上にかまぼこ型のポストが乗っているタイプだった――を開けてみたが、新聞も郵便物もない。いるはずだ。うなずき返すと、愛美がもう一度インタフォンのボタンを押す。今度はすぐに返事があり、彼女は前屈みになってインタフォンに顔を近づけた。

「警視庁失踪課の明神と申します。高木晴菜さんでいらっしゃいますね？」

向こうの声は、少し離れた場所にいる私には聞こえなかった。しかし会話は成立しているようで、愛美は落ち着いた声で話し続けている。

「――いえ、違います。ちょっと参考までにお話を伺いたいことがありまして。ドアを開けていただけませんか？」

明神が一歩下がった。振り向き、「大丈夫です」と言う代わりに小さくうなずく。さらに一分近く待たされた後で、ようやくドアが開いた。人の顔がようやく見えるぐらいの隙間が現れただけだったが。晴菜とおぼしき女性が、ドアに顔を挟まれるようにして愛美と対峙《たいじ》する。左手できつくドアの端を握りしめており、それで何とか体を支えているように見えた。

「お忙しいところ、どうもすいません」愛美が頭を下げる。晴菜は特に警戒している様子ではなかった。愛美は愛想がいい方ではないが、人を警戒させないような態度は身につけている。顔を強張らせず、穏やかに話すだけでいいのだ。

「何でしょうか」

「人を捜しているんです。失踪課ですので……きゃっ」愛美が急に甲高い――彼女らしくない――悲鳴を上げた玄関の真上、二階の出窓のところから落ちた雪の塊に頭を直撃されたのだ。それを見て、晴菜がわずかに表情を緩める。

「まだ降ってるんですね」

「みぞれっぽくなってきました」愛美が首を振りながら答えた。

「すいません、そこだと濡れちゃいますよね」晴菜が慌てて言った。「どうぞ、中へ入って下さい」

「いいんですか？」

「ええ。風邪引いちゃいますよ」

「すいません、では、お言葉に甘えて……あ、もう一人いますので」

晴菜が顔を上げ、愛美の肩越しに私の姿を認めた。先ほどまで笑みが浮かんでいたのに、それがあっという間に消えてしまったのに気づく。髭だ。こいつのせいで、怪しく見えるに違いない。毎度の真弓の警告には、やはりそれなりの意味がある。この顔で笑っても逆効果だろうと思い、私はごく真面目な顔でうなずき、自己紹介するに留めた。

「同じく失踪課の高城と申します」

「どうぞ」愛想のいい笑みを浮かべた晴菜が、ドアを大きく開け放った。愛美が先に立ち、玄関に入る。一人暮らしの私のマンションと変わらない広さだった。靴は二足。一足はスニーカーで、もう一足はパンプスだった。パンプスはヒールがなく、ぺたんこである。男物の靴は見当たらない。左側にある靴箱を開けたいという欲求を辛うじて抑える——そこに藤島の靴があるのではないか。晴菜は、私たちが苦労しながらブーツを脱ぐのを、立ったまま見守っていた——正確には廊下の壁に手をつき、体を支えていた。靴を脱ぎながら彼女を観察する。外見上は特に変わった様子はなく、病気で苦労している感じではない。百七十センチ近いだろう、すらりと背が高く、だぼっとしたコットンのパンツと体を締めつけないルーズなシルエットのカットソーという格好でも、スタイルの良さが容易に想像できた。髪は顎までの長さのストレートで、照明を受けて艶々と輝いている。ピンクのフレームの眼鏡が愛らしい印象で、見た目を何歳か押し下げていた。

何か違和感がある。フラットな家の造りのせいだとすぐに気づいた。玄関から廊下にかけて段差がない造りで、廊下の片隅には車椅子が折り畳んで置いてあった。彼女の病気を意識させるものはそれぐらい——いや、彼女自身がそうだった。ようやく私たちが靴を脱ぎ終わると、ゆっくり踵を返して奥に進む。ターンするのに、壁に手をついて体を支えていたし、歩く際にかすかに右足を引きずっているのを私は見逃さなかった。

「こちらへどうぞ」晴菜が振り返り、右手にある部屋のドアを開けたが、その際も壁に掌を当てていた。わずかに眉をひそめている。この程度であっても、体を捻る動作は負担なのかもしれない。

通されたのは、十畳ほどの広さのリビングダイニングルームだった。二人がけの丸いダイニングテーブルと一人用の小さなソファ二つを除いては、家具らしい家具はない。奥にはカウンターで仕切られたキッチン。カウンターの上にはドライハーブが吊るしてあったが、生活感はほとんど感じられず、モデルルームのようだ、という印象が強い。薄いカーテンが引いてあり、室内は薄暗かった。隣家の壁が迫っているので、雪の日でなくとも、陽光が燦々《さんさん》と降り注ぐというわけにはいかないだろう。晴菜が照明をつけると、室内に清潔な明るい光が満ちた。白っぽい雰囲気が、どことなく病室をイメージさせる。

愛美が室内を見回し、困ったような笑みを浮かべて晴菜の顔を見た。

「座ってお話ししたいんですけど、どうしましょうか」

「テーブルでもいいでしょうか」晴菜の細い指が、木製の椅子の背を摑んだ。

「構いませんよ」

晴菜が私の顔を凝視する。私は首を横にふり、「椅子は二つしかないから、私は立っていますよ」と言った。晴菜がどこか不満そうに目を細めたが、無視して窓際に立つ。

「お茶でも？」

「どうぞお構いなく」椅子に座った愛美が丁寧に頭を下げた。ダウンジャケットは折り畳んで、膝の上に乗せている。クッションを抱くような格好になった。

「ちょっと失礼します」

晴菜が部屋を出る。玄関の方に向かったようだ。耳を澄ましていると、かすかに「かたり」という音が聞こえた。家の中か？　外か？　気にはなったが、この場を離れて調べに行くわけにはいかない。

愛美の背が、緊張で少し硬くなっているのが見える。私は、窓の外に視線を投げた。隣家のブロック塀が、五十センチ先に迫っている。塀と家の間は細い通路になっているが、奥の方がどうなっているかは見えなかった。この寒さでは、窓を開けるのも不自然である。

「すいません、お待たせしました」ゆっくりとした足取りで晴菜が戻って来る。愛美の斜め向かいの位置に座ると、少し椅子を引いて彼女と距離を取った。

「ある人を捜しています」前置き抜きで愛美が切り出した。

「はい」晴菜は、両手をきっちり揃えて膝に置いていた。やや緊張しているようだが、返事が不自然になるほどではない。

「藤島憲さんという方なんですが、ご存じですね」質問ではなく、確認。これが正しいやり方だ。こちらは全て分かっている、と相手に意識させる。

「はい」晴菜が手をテーブルの上に出した。最初は緩く組み合わせたが、すぐに力が入って手の甲が筋張る。

「あなたの恋人ですね?」愛美が真正面から切りこんだ。

「そうです」晴菜も臆《おく》せず答える。しかし、次の瞬間には不安に顔を曇らせた。「あの、これはどういう……」

「ご家族と出版社の方から、藤島さんの捜索願が出ています」

「知りませんでした」晴菜の表情が一気に強張る。細い顎に力が入り、唇がへの字に歪んだ。

「捜索願が出ていることを？　それとも藤島さんが行方不明になっていることを？」

晴菜がうつむいた。しきりに手を揉み合わせていたが、やがて決心したように顔を上げる。髪がふわりと乱れ、目の上にかかった。細い指で撫でつけ、唇を舐める。

「彼とは会いました」

「いつですか」興奮した様子もなく、愛美が淡々と確認する。

「十日ほど前です」

「銀行に行ったんですね」

晴菜が細く息を吐き出す。小さな笑みを浮かべ「もう全部知ってるんじゃないですか」と皮肉を零した。

「確認のために、あなたの口から直接聴きたかったんです。銀行に大金を預けていますよね？　藤島さんのお金だと聞いています」

「五千万円でした」この件についてはあっさりと認めた。

「そんな大金を、どうして……」

「私のため、なんです」急に晴菜が声を張り上げる。そうしないと体が崩れ落ちてしまうとでもいうように。「そこまで調べているなら、私の病気のことも当然ご存じなんですよね」

愛美が無言でうなずき、先を促した。晴菜がまた両手をきつく握り合わせ、テーブルに置く。突然、愛美が肩の力を抜いた。それでなくても細い肩なのだが、まるで子どものように小さくなってしまう。それまでと打って変わって柔らかい声で続ける。

「馴《な》れ初《そ》めとか、お聞きしてもいいですか」

「それが何か関係が……」晴菜の顔に戸惑いが広がった。

「知りたいだけです。捜査とは関係なく、個人的に、ですけどね」

「それは……」晴菜は眉をひそめていたが、やがてふっと力を抜いた。唇が横にわずかに広がり、笑みのようなものが漏れる。「私はフライトアテンダントをやっていました。藤島さんはお客様でした」

「藤島さんが思い切り飛行機酔いして、それで看病したとか？」

「知ってるんじゃないですか」晴菜がかすかに目を細める。からかわれていると思っているのかもしれない。

「単に勘が当たっただけです。続けて下さい」

「藤島さんは初めての海外で、緊張もあったせいか、ずっと調子が悪かったんです。あの頃はようやく小説が売れ始めて、取材と骨休めを兼ねてニューヨークに出かけたそうです。でも、離陸した直後に吐き気が止まらなくなって……」その時のことを思い出したのか、晴菜が顔をしかめる。

「そういう時に世話してくれた人は、天使に見えるでしょうね。特に高木さんはお綺麗だし」

　そういうことを言われ慣れている人間の常で、晴菜は照れもせずに穏やかな笑みを浮かべるだけだった。少なくともこうやって座っている限り、彼女の美貌は病気の影響をまったく受けていないように見える。

「私はその後……藤島さんとつき合い始めた後、発病しました」慣れている、と私は感じた。異性関係はともかく、自分の病気のことは、あちこちで喋ったり書いたりしているせいだろう。「それから何年も経ちますけど、藤島さんはずっと私と一緒にいてくれました。仕事が忙しいのに……週末にはだいたいここに来て、泊まっていきます」

「一緒に住んではいなかったんですね」愛美が念押しした。

「ええ。彼は渋谷に仕事場を持っていましたから。都心にいた方が便利だし、時間の節約にもなるからって」

　作家が都心に住むことに何の意味があるのだろう。取材の必要？　東京であれば、どこに住んでいてもさほど不便は感じないはずだ。見栄？　だったら、あんな小さなマンションではなく、大きな家を買うぐらいの余裕が藤島にはあったはずだ。晴菜べったりの生活にならないための予防線ではないだろうか。話を聞いている限り、藤島は晴菜の面倒を相当見ていたようである。その気になれば、自分の時間を百パーセント、彼女に捧げることもできただろう。

そうしなかったのは、彼は小説を書かねばならなかったからだ。突出した二つ——仕事と恋人、人生がその二点だけに凝縮されている。

「この家は、どうしたんですか」

愛美が部屋の中をぐるりと見回した。途端に晴菜が身を硬くするのが、私の視界に入った。

「ここは彼が……」

「買ったんですか?」

「ええ、二年前に」

藤島が売れ出して、ある程度預金口座に余裕もできた頃だろう。しかし、家をプレゼントするとは……そういうことは、にわかに金を儲けただけで頭の空っぽな人間が、世慣れした女性に騙されてするものだとばかり思っていた。しかし彼は……違うか。少なくとも晴菜は、男に金を貢がせるような女性には見えない。

「ちょっと待って下さい」愛美がストップをかけた。「確認します。あなたたちは交際していた。それは間違いないですね? でも、同棲していたわけではない。なのに藤島さんは、あなたにこの家を買い与えたんですか」

「与えたって……」晴菜が一瞬顔を強張らせたが、すぐに平静な顔つきに戻った。「そういうのじゃありませんよ。パトロンとか、そういうことを想像していらっしゃるならば、ですけど」

「そういうつもりで言ったんじゃありません」

「私は、この街から離れられないんです。ずっと治療をしてくれている病院が福生にあって、何かあった時のことを考えると、どうしても近くに住む必要があるんです」晴菜が淡々とした口調で続けた。こちらが得ていた情報と一致する。「それに一戸建てっていっても、ここは中古ですよ。相当古いんです。そんなに高い買い物じゃありませんでした」

「それでも、私には法外なプレゼントに思えますが」

まずい。愛美の悪い癖が出てきた。不満や疑問を胸に抱えると、どうしても隠しておけなくなる時がある。

「まあまあ、明神」私は壁から背中を引きはがした。二人の視線が、同時に突き刺さる。「その辺はプライベートな事情だから……ところで高木さん、この家、改築したんですね」

「分かりますか？」

「玄関をフラットにしたでしょう？　何だか不自然な造りだから分かりました」

「ええ」

「それも藤島さんの指示で？」

「そうです」

「あなたのことを、本当によく考えていたんですね。後々のことまで視野に入れて、住みやすい家にしたんでしょう」

「そうです。本当に、頭が上がりません」

「優しい人なんですね」

「ここにいる時は、私に何もさせようとしないんです。家事は全部引き受けてくれて、私が移動する時も一々抱き上げて」晴菜の頬に少し朱が差した。「本当は全部自分でやらなくちゃいけないことです。普通に生活することがリハビリなんですから」

「要するに、あなたにべた惚れだったたっていうことですよね」私は可能な限り大きな笑顔を浮かべた。「男は馬鹿ですよね。惚れた女のためには、何でもしてやろうっていう気になるんですよ」

「私なんか、好きにならなくてもよかったのに」晴菜が唇を噛んだ。「こんな病気になって、治る見こみは全然ないし、いろいろ苦労ばかりかけちゃって。彼には大事な仕事があるんです。彼の小説を待っている人がたくさんいるんです。足を引っ張っているんじゃないかと思うと不安で……彼にも聞くんですけど……」

「否定されるだけでしょう」

晴菜がはっと顔を上げ、私の顔を凝視した。

「私は小説のことは分からないけど、藤島さん、もの凄いペースで執筆されてますよね。あれで足りないっていうなら、別のペンネームを用意して書くしかないんじゃないですか」

「そうかもしれません」

　晴菜がほっそりとした人差し指で、目の端からこぼれ落ちる涙を拭った。私は、彼女に対して抱いていたイメージが、ゆっくりと崩壊するのを感じていた。ブログのタイトルについた「アカルイ」という少し軽薄な形容詞は、自分の弱さを隠すために必要だったのかもしれない。本当の彼女は脆《もろ》く、常に誰かの助けを必要としているのではないか。

「話が変な方向に行ってしまいましたね」私は愛美に目配せした。五千万円の件をもう一度突っこめ。彼女は敏感に気づいたようで、晴菜に向かって少しだけ身を乗り出し、質問を再開した。

「銀行に預けた五千万円のことですけど」

「はい」晴菜がすっと背筋を伸ばした。

「大金ですよね。変な喩《たと》えですけど、この辺りだったら家が二軒ぐらい買えるんじゃないですか？　そんな大金を――しかも現金でいきなり持ってきて、あなたの口座に預けたのはどういうことなんですか」

「生活費です」

「生活費って……」愛美の声に戸惑いが混じる。いや、相手を惑わせるための戸惑いの演技だ。「多過ぎませんか？　いくら何でも……もちろん、治療にお金がかかるのは分かりますけど、何年分なんですか」

「それは分かりません」晴菜が力なく首を振った。「でも私は、それが彼の別れの言葉だと思いました」

「それはどういう――」

「手切れ金です」晴菜が愛美の質問を途中で遮った。「これで終わりにするために」

「藤島さんがそう言ったんですか？　そんな露骨な言葉で？」私は念押しした。そうしたことで、私が晴菜の言葉を全く信じていないことを気づかれたようだ。彼女は私と顔を合わせようとしない。

「何があったんですか」

「それを言わないといけないんですか」晴菜の目に、急に力が宿った。

「そうです。あなたの説明に納得できませんから」

「どうしてですか」

晴菜がテーブルを杖代わりにして立ち上がろうとした。愛美がそっと腕を摑み、首を振る。晴菜は私と愛美の顔を交互に見たが、やがて力なく腰を下ろしてしまった。

「晴菜さん」愛美が落ち着いた声で話しかける。「手切れ金って簡単に言いますけど、五千万円はあまりにも多いですよ。離婚の慰謝料だって、それほど高くなるのは珍しいはずです。それにあなたたちは、二人揃って銀行を訪れていますよね？　私には経験がないから分かりませんけど、そういうことは普通はないんじゃないですか。これから別れようとするカップルが、一緒に銀行に行って手切れ金を入金するなんて」

「でも、実際そうなんです」

「理屈が通りません」

「こういうこと、理屈じゃないと思うんですけど」

沈黙。晴菜の硬い表情を見る限り、二人が睨み合っているのは間違いない。私のいる場所からは愛美の背中しか見えないが、緊張で肩が強張っている。

「明神」

呼びかけると、愛美がゆっくり振り返る。小さくうなずいて、話を引き取る合図にした。二歩ほどテーブルに近づき、まだ愛美を凝視している晴菜に話しかける。

「最後に会ったのはその時――一緒に銀行に行った時ですか」

「ええ」

「その後、彼はどこに行ったんでしょう」

「知りません。聞きませんでした」

首を振ると、髪が顔にかかり、彼女の視界を塞《ふさ》いだ。わざとやっているのではないかと私は疑った。こちらの顔を見ないで済むように。

「彼は、自分の仕事場に戻っていないんですよ。マンション、銀行口座、カード、携帯電話、全て契約を解除しています。それはどうして――」

携帯電話が鳴り出し、私は口を閉じた。まずいタイミングである。出るべきか……法月だった。意外な話だったが、小さな傷のようなその情報が、私の心に疑念を植えつける。

晴菜の表情が気になった。ひどく興奮している様子である。暖房はさほど強くないのに額には汗が浮かび、目を盛んにしばしばさせていた。テーブルの上で組み合わせた両手はかすかに震えている。電話を切り、愛美に声をかけた。

「明神、今日はこれで失礼しよう」

「どういう――」

「いい。終わりにしよう」

愛美が数秒、私の目を覗きこみ、こちらの真意を把握したようだった。ダウンジャケットを手にして立ち上がる。

「大変お騒がせしました」愛美が丁寧に頭を下げた。

「あの……」愛美に釣られるように晴菜も立ち上がる。私が手にした携帯電話に視線が吸い寄せられていた。「何か……」

「何でもありません。単なる業務連絡です」背広の胸ポケットに電話を落としこんだ。

「それでは、これで失礼します」

うなずき、晴菜が私たちを先導するように部屋を出た。一瞬の隙を見て、私は愛美の耳元に口を寄せ「時間を稼いでくれ」と言った。愛美がドアの方を向いたまま素早くうなずく。

　私が先に玄関に出て、苦労してブーツに足を通し始めたタイミングで、愛美が「トイレをお借りできませんか」と晴菜に訊ねる。晴菜が一瞬玄関から目を離した隙に、私は靴箱の扉を五センチほど開けた。当たり。明らかに男物の銀色のスニーカーの踵が、一番下の段に見えている。素知らぬ振りをして、ブーツの紐を結びにかかった。段差がないので片膝をつくような格好を取らざるを得ず、苦しいことこの上ない。

　ようやくブーツを履き終わった時、愛美がトイレから出て来た。頭を下げて晴菜の横を通り過ぎ、自分のブーツに足を通す。ジッパーなので、私よりはずっと早かった。晴菜が私たちに向かって頭を下げた瞬間、全身を強張らせる。その視線は、開いたままの靴箱を見ていた。

「高木さん、ちょっと確認したいことがあります。ここに男物の靴があるようですけど、これは誰のものですか。藤島さんが、まだここにいるんじゃないですか？」

　晴菜が、いきなり頬を張られたように廊下の奥を向く。階段があり、上の方でかすかにことり、という音がするのを私は確かに聞いた。

「逃げて！」晴菜の悲鳴が響く。

「明神、裏だ！」

愛美が弾かれたように飛び出して行く。私はブーツを履いたまま廊下に上がろうとしたが、晴菜が両手を大きく広げて私の進路を塞いだ。急な動きをしたせいか、体が頼りなく揺れる。

「どいて下さい」私は冷静な声で言ったが、晴菜は一歩も引こうとしなかった。口を引き締め、指を一杯に広げている。すり抜けて階段を上がるのは難しくなかった。しかしそれでは、彼女を傷つけてしまうかもしれない。「あなたは今、罪を犯しつつあるんですよ。公務執行妨害です。現行犯で逮捕することもできる。でも私は、そういうことはしたくない！　どいて下さい」

「駄目！」

「藤島さんが何をしたのかは、私にはまだ分かりません。しかし彼には、自分のしたことを語る義務と……権利があるんです」

晴菜の両腕が、ぱたりと脇に落ちた。その場に崩れ落ちそうになったので、慌てて肘を持って支える。身長に比してあまりにも軽かった。彼女を壁に預けるようにして座らせ、脇を通り過ぎて階段を駆け上がる。二階に上がって左に曲がると、六畳ほどの広さの部屋があり、窓が空いていた。吹きこむ風に揺れるカーテンを払いのけながら顔を突き出す。隣の家のベランダがすぐ目の前にあり、屋根に積もった雪の上に足跡がくっきりとついていた。身を乗り出して左右を見回すと、家と家の隙間から覗く道路を走る男の姿が目に入った。一瞬こちらを振り向いた時に目が合う。藤島。携帯電話を取り出し、愛美に「家の裏手を逃走中」とだけ伝えて切る。

階段を下りて、もう一度晴菜と顔を合わせるのは忍びない。私は窓枠に手をかけ、重い体を持ち上げた。隣の家のベランダまでは五十センチほど。腕を伸ばして冷たく凍った手すりを摑み、窓枠を蹴って一気に隣家に飛び移った。手すりを伝ってベランダの端まで移動し、体を屈めてベランダの床の部分に両手でぶら下がる。勢いを殺して膝を曲げ、何とか無事に庭に着地した。ちょうど居間の正面であり、家の主《あるじ》らしい六十歳ぐらいの男性と目が合ってしまった。素早く会釈だけして、驚いた表情の男の存在を頭から追い出し、庭を駆け抜ける。体の内側から熱が噴き出し、顔に叩きつけるみぞれも気にならなくなっていた。

19

藤島の背中は五十メートルほど先に見えていた。ずっと追っていた相手を初めて生で見るのが逃走中の背中というのも妙な話だが……どこかに靴を隠してあったらしく、積もったシャーベット状の雪を跳ね上げながら、軽快なペースで走っている。

　息が切れる。煙草をやめられない弱さを恨みながら、何とか引き離されないように走り続けた。このブーツは走るために作られていないので、スニーカーらしきものを履いている藤島に対しては大きなハンディがある。それでも何とか一定のペースを保ち続けた。藤島は焦げ茶色のフライトジャケットにジーンズという格好で、雪の白に染まっている中では非常に目立つ。よほどのことがない限り、見失いはしないだろう。藤島は奥多摩街道に出ると、少しだけスピードを上げた。時折振り向いて私の顔を確認する。焦りではなく、「いつでも振り切れる」という自信が覗く。

　走っているうちに意識が研ぎ澄まされ、事態が読めてきた。

　藤島は、晴菜を隠れ蓑に使おうとしていたに違いない。全財産を銀行から引き出し、彼女の口座に移す。金を使う時は晴菜名義のカードを利用すれば、藤島が金を下ろした証拠は電子的には残らない——だが不自然なことも起こる。先ほどの法月の電話は、それを指摘するものだった。ここ数日の間に、一日に数回、晴菜の口座から現金が引き落とされたが、それは妙ではないか、と。

　おそらく藤島は、全てを投げ捨てて失踪したわけではなかったのだ。彼をつなぎとめていたもの——晴菜の存在。これまでの献身的な態度を考えると、それも当然だろう。治る見込みのない難病を抱えた恋人の許を去ろうとしないのは、彼が心底晴菜に惚れこんでいた証拠である。

「藤島！　待て！」乏しい酸素を吐き出して叫ぶ。藤島は振り返ろうとはせず、さらに足の回転を速めた。まだ余裕たっぷりじゃないか。このままでは逃げられてしまう——そう思った瞬間、一台の車がサイレンを鳴らしながら私を追い抜いた。スカイライン。愛美の後頭部がリアウィンドウ越しに見えた。安堵の吐息を漏らした直後、足を止めるな、と自分を鼓舞する。愛美に任せるわけにはいかないのだ。

スカイラインが一気に藤島を追い越した。ガードレールが邪魔になって直接進路は妨害できないが、ドアを開け放したまま外へ飛び出し、ガードレールを飛び越えて両手を広げる。藤島が急ブレーキをかけ、少し滑ってバランスを崩した。愛美がその隙に、一気に間合いを詰めて行く。無理するな。その場で釘づけにしておけばいい。そう思ったが、私の肺はほとんど空っぽで、まともに声を出せなかった。

藤島が立ち止まり、金網のフェンスにゆっくりと背中を預ける。がしゃん、と音がして、積もった雪が頭に降り注いだ。フェンスの向こうはコンクリートで固められた小さな川。飛び降りるつもりかもしれない……そう思ったが、彼も呆然自失の状態で、どうしていいか分かっていない様子だった。愛美がゆっくりと近づき、両手を広げて進路を塞ぐ。溶けかけた雪に足を取られながら、私は全力疾走を続けた。あと五十メートル。挟み撃ちされれば、さすがに藤島も諦めるだろう。

突然、愛美が額に手をやる。うつむいたと思った瞬間、右膝ががくんと折れた。まずい──まだ脳震盪が治り切っていないのだ。愛美の動きが止まったのを確認して、藤島が一か八かの賭けに出る。ガードレールを飛び越し、スカイラインに乗りこんだ。愛美が苦悶《くもん》の表情を浮かべながらも力を振り絞り、助手席のドアに手をかける。車が動き出した。何とかドアを開けると、愛美は飛びこむように助手席に体を滑りこませる。

「明神！」

私の叫びは冷たい空気に空しく消えた。馬鹿な。尻を振りながらあっという間に小さくなるスカイラインを目で追いながら、私は呆然とその場に立ち尽くした。愛美が藤島を確保したのか？　藤島が愛美を拉致したのか？

すぐに緊急配備が敷かれたが、一時間以上経っても藤島は発見されなかった。私は現場に急行した長野や真弓と落ち合い、覆面パトカーの後部座席で己の失態を噛み締めていた。愛美が無理をしなければ……いや、私がもう少し速く走っていたら、こんなことにはならなかったはずだ。

「心配するな、高城」隣に座った長野が私の背中を叩く。強烈な一撃に、頭痛が自己主張を始めた。「明神は、自分の面倒ぐらい自分で見られる」

真弓は無言。不機嫌な空気が、助手席から波のように伝わってきた。この事態は、彼女にとっても大きな失点になるだろう。明神が自分から車に乗りこんだとはいえ、部下を人質に取られたも同然なのだ。頭の中では、様々なケースを想定しているに違いない。ケース一、愛美を無事発見、藤島を確保。ケース二、藤島を確保したものの、愛美が重大な怪我を負っている。ケース三、藤島には逃げられ、愛美も死亡――クソ、冗談じゃない。そんなことを許してたまるか。頭を振ると、一層激しい頭痛が襲った。バッグからいつもの頭痛薬を取り出し、一度に四錠を呑み下す。明らかに飲み過ぎで、後から胃が痛み出すのは分かっていたが、今は頭痛を抑えるのが先決だ。

無線が引っ切り無しにがなり立てる。緊急配備は福生の市街地から次第に広がり、今は昭島《あきしま》、武蔵村山、羽村《はむら》、あきる野と周辺に及んでいた。車さえあれば逃げるのは難しくないが、今のところ藤島が高速に乗った記録はない。この近くで車を乗り捨てた可能性もある。

「――車を発見！」無線が叫ぶ。所轄のパトカーらしい。「現場《げんじょう》、羽村市内都道二九号線沿い、多摩川近くの自動車修理工場跡地。繰り返す、現場は――」

長野が後部座席から無理矢理身を乗り出し、無線を引っつかんだ。

「こちら捜査一課、長野。全車、現場へ急行。到着後は待機！」

無線を乱暴にフックに戻し、ふう、と鼻息を漏らしながら後部座席に身を落ち着けた。腕組みをし、前方をじっと睨みつける。ふと思いついたように、横に座る私に訊ねた。

「藤島は何か凶器を持ってるのか?」

「分からない」

「そうか……」拳を二度、三度と顎に打ち据える。「とにかく何とかしないとな、何とか」

真弓が依然として無言なのが気になった。この場の指揮は長野に任せるようだが、ぴりぴりした気配は、顔を合わせずとも嫌というほど伝わってくる。

「高城君」ゆっくりと、脅しをかけるように振り返る。無表情——一番怒っている時の顔つきだ。「終わったら話があるから」

無言でうなずいた。クソ、こんなところで後始末について持ち出さなくても。今大事なのは愛美を助け出し、藤島の身柄を確保することだ。しかしそのように反論しても、無意味な口論が続くだけだろう。怒りを封じるために唇を嚙み、鋭い痛みを与えた。

自分に対する罰でもあった。

スカイラインは廃工場の駐車場に、斜めに突っこむ形で停まっていた。助手席のドアは開いたまま。パトカーは少し離れた小学校に集結し、私たちは徒歩で現場に向かっていた。みぞれは完全に止み、今は冷たく湿った空気が体にまとわりつくだけである。二十人を越える刑事たちの存在は頼もしいが、状況が分からないままでは安心できない。

長野が出した斥候が二人、腰を屈めた低い姿勢で車に近づいて行く。しばらくその姿勢のままスカイラインの周囲を回っていたが、やがて一人が運転席に座り、トランクを開けた。空。私はひとまず安心したが、すぐに気を引き締めた。車を乗り捨ててどこに行ったのか……この近くには公共交通機関はないし、タクシーも使えないだろう。一瞬、スカイラインのリアコンビランプにぱっと明るい灯が灯る。キーがつけっ放しになっていたのだ。

二人組の若い方が戻って来て、息を弾ませながら長野に報告する。

「まだその辺にいると思います。エンジンは冷えてません」

それを確認するためにキーを捻ったのだ。私は彼の前に進み出て、低い声で訊ねた。

「血痕の類は？」

「目視はできませんでした」

「よし……おい！」長野が一声発すると、近くにいた刑事たちがすかさず彼の前に集まる。歩道上で殺気だった男たちが輪を作ったので、異様な光景になった。「五人でこの工場の中を捜索。残りは周辺の聞き込みに当たってくれ」現場に残る五人を指名する。その中には、はなも入っていた。

「俺たちも手伝う」刑事たちが散った後で、私は長野に告げた。

「頼む」

醍醐を呼びつけ、周囲の聞き込みに参加するよう指示した。私は工場を選ぶ。何となく、二人がまだここに隠れているような気がしていたのだ。まだ分厚く残る雪を踏みしめながら、工場の裏手に回った。

低いフェンスの切れ目から、工場の敷地に入りこむ。かなり大きな自動車修理工場だったのが、錆《さ》びついた看板の大きさからも分かった。スカイラインが停めてあった正面側は、幅が五メートルほどもある金属製の引き戸になっていたが、かんぬきと南京錠でがっちりと閉じられている。工場の捜索を命じられた刑事たちは、窓を覗きこんで中を確認していた。耳に突っこんだイヤフォンから、次々に報告が入ってくる。だいぶ混乱している様子だ。

建物を迂回して裏手に回る。多摩川の河川敷と敷地を隔てる金網のフェンスは、高さが一メートルほどしかない。ところどころが傾いでおり、何人かで押したら倒れてしまいそうだった。試しに手をかけ、力を入れてみると、ぐらぐらと揺れる。しかし金網の上の部分を見ると、まだ雪が積もったままだった。誰かが乗り越えた形跡はない。左側の河川敷に目をやる。一面銀世界で、よく見るところどころ枯れた茶色の草が顔を出していた。人の姿は見当たらない。二人はまだ工場の中にいるのではないか、と私は疑った。車のエンジンが冷えていないのが証拠である。ここにスカイラインを停め、工場の中を抜けて逃げようとしたところで追っ手の存在に気づく。そのまま身を隠した……あり得ない話ではない。極限状態に追いこまれると、人間は大した知恵が働かなくなるものだ。

裏手を歩き、窓を覗きこむ。雪が吹き溜まっており、時々足を突っこんでバランスを崩してしまった。一番奥に、裏口のドアを見つける。鉄製の冷たいドアに耳を押しつけて中の様子を窺ったが、何も聞こえてこなかった。誰かが建物の角を回ってきたので、慌てて耳を離す。はなだった。私に歩み寄って来ると、無表情のまま「二人とも中にいます」と告げる。

「状況は」

「事務所のドアから入ったようです。二人でベンチに腰かけていますが、それ以上の状況は分かりません。休んでいる感じです」

「呑気《のんき》に観察してる暇なんかないだろうが。すぐに突っこめ！」瞬時に怒りと焦りが沸騰する。ドアに手をかけた。

「高城さん！」

はなが鋭く忠告を飛ばしたが、それを無視して静かにドアを引き開けた。きついオイルの臭いが鼻を突く。中の状況は……ただのだだっ広い作業場。コンクリートの床はところどころが黒く汚れ、放置された工作機械が壁際に集められている。車輪が外され、腹を直接床に擦っている古いセダンが一台。私はいきなり藤島と対面することになった。藤島がゆっくりと顔を挙げ、私と視線を絡ませる。明神はきつく唇を嚙み締め、己の失態を恥じていた。藤島がゆっくりとベンチから立ち上がると、愛美の右腕が引っ張られて上がった。明神、これは失態じゃないぞ。お前は間違いなく藤島を確保したんだから。

二人は手錠でつながれていた。

私が三歩歩いたところで、藤島が素早く動いた。運動選手を彷彿《ほうふつ》させる軽い身のこなしであり、私は一瞬足を止めざるを得なかった。藤島は、愛美の体をくるりと回し、手錠で自分の左手とつながっていた彼女の右腕を、首に巻きつけた。藤島の方がかなり背が高いので、愛美は上へ引っ張り上げられる格好になる。しかし、最後の一瞬で顎を引くのは忘れなかった。これで取り敢えず、喉を潰されることはない。愛美がバランスを取ろうと足を動かすと、床の埃が舞い上がった。

「藤島憲さん、ですね」

私は静かに話しかけた。二人の間には五メートルほどの空間。一気に襲いかかれる距離ではない。藤島は無表情で、ひたすら愛美の自由を奪うことに専念していた。端整な顔には髭が蓄えられており、目の下には隈ができている。盛んに目を瞬いて、神経質な一面を覗かせていた。

「取り敢えず、彼女を放してもらえないか。大事な部下なんだ」

「俺は……」初めて聞く藤島の声は予想外に甲高く、震えていた。この男も怯えているのだ、と確信する。

「少し話をしましょう」

私は一歩歩み寄った。途端に藤島が腕に力を入れ、自動的に愛美の首が絞まる形になった。愛美は既に爪先立ちになり、目で苦しさを訴えていた。足を止め、一歩下がる。藤島の腕から力が抜け、愛美の靴底が完全に床に着いた。

「これ以上近づかないから、無茶しないでくれ。ここで彼女を殺したら、大変なことになりますよ」

「俺は……」藤島の言葉は実を結ばない。目も泳いでいる。

「落ち着いて下さい」私はダウンコートの前を開け、両手で広げた。「武器は持っていない。あなたには、聴きたいことがたくさんあるんです。落ち着いて話をしませんか」

「話すことなんかない」

「あなたは人を殺したんですか」

いきなり核心部分に入ると、藤島が身を震わせた。唇が歪み、目が細くなる。愛美が少し暴れて自由を取り戻そうとしたが、藤島はすぐに腕に力を入れた。抱き合っているカップルに見えないこともないが、愛美の苦悶の表情がその印象をすぐに打ち消す。

「捜索願が出ています。妹さんと、担当の編集者の方から」

「余計なことを」藤島が吐き捨てた。

「余計なことじゃありません。あなたを心配しているからですよ」

「それが余計なんだ。俺は俺の好きなようにやる。俺は一人で生きていくんだ」子どものような理屈を並べ立てたが、説得力はない。言葉を使って生きている人間とは思えなかった。

「いい加減にしなさい」私は少しだけ語気を強めた。「あなたは一人では生きていけない。だから高木晴菜さんを盾に利用したんじゃないんですか。マンション、銀行口座、カード、全て契約を解除したのは、自分を追跡させないための基本的な方法です。あなたの小説の登場人物も、同じように姿を消したりするんですか？」

私の皮肉には応えず、藤島がゆっくりと一歩下がった。引っ張られて愛美の顔から血の気が引く。クソ、どうすればいい？　思い切って突っこんで体当たりを食らわせるか？しかしそんなことをしたら、体調が万全でない愛美にどんな影響が出るか分からない。私は距離を置いたまま話し続けた。

「あなたは卑怯《ひきょう》だ」

藤島の顔が青褪めた。二人をつなぐ手錠が、硬く冷たい音を立てる。

「高木晴菜さんを隠れ蓑にしたんだから。彼女の銀行口座に金を入れて、そこから彼女のカードで金を引き出せば、誰にも気づかれませんからね。あなたはこれまでの自分と決別して、新しい人間になって、彼女と二人で暮らしていくつもりだったかもしれないけど、それは不可能です」

「どうして。俺はただ、今までの人生が嫌になっただけだ。やり直したいだけだ」

「作家としての人生に嫌気が差したんですか」

「締め切りに追われるだけで、下らない小説を書き飛ばして、そんなことに何の意味がある？　俺はもう、そういうことに飽き飽きしてるんだよ。本当に書きたい小説は誰も書かせてくれない。そんなもの、誰も読みたがらないそうだから――段々自分が汚れていく感じがするんだ。あんたに分かるか？」

「いい加減にしなさい」

　ぴしゃりと言うと、藤島が口をつぐんだ。細心かつ大胆かと思えば、単に気の弱い男にも見える。彼の中に潜む複雑さが今回の事件の原因になったのではないか、と私は疑った。

「ここであなたの小説談義につき合うつもりはない。私は小説に関しては素人ですから。そんな人間を相手に難しい話をしてもつまらないでしょう。それでも聴いて欲しいんですか？　それともこれは時間稼ぎですか？」

　藤島が小さく舌を出して唇を舐める。吐く息は白いが、それと裏腹に額を汗が一筋伝った。左目に入ってしまい、思わず目を閉じる。チャンス――と思ったが、すぐに空いた右手で汗を拭ってしまった。

「あなたは火事が起きた『ブルー』で、以前目撃されています。あなたと村上さん、高嶋さんはどういう関係なんですか？　それを教えてもらえると期待していたんですよ。言いたくないんですか？　場所を変えてもいい。あなたとは、こういう場所ではなく取調室で話をする必要があります」一気にまくし立ててから声を落とした。「これ以上罪を重ねないで下さい。あなたを待っている人はたくさんいるんですよ。そういう人の期待を裏切らないで欲しい」

「あんたに小説の何が分かる？」

「そんな議論はここではできない」

「書く人間の苦しみなんか、誰も分からないんだ。誰も俺になんか興味を持ってない。原稿を生み出す機械だとしか見てない」

本音か？　私は真意を測りかねた。ただ時間を稼ぐ——稼いでどうなるものでもなかったが——ための手段なのか、それとも小説の世界にまったく関係ない私にだからこそ、本音を吐き出しているのか。

「だから何なんですか？」

「書くことがどれだけ苦しいか、あんたみたいな人には分からないだろう」

「あなたが途中で方針転換したことは知っています。それが今でも引っかかってるんですか？」

「誰が下らないミステリなんか書きたいと思う？　あんなもの、一瞬盛り上がってすぐ消える花火みたいなものだ。意味がない。クソみたいな小説だ」

本当にそう思っているのか。単なる時間稼ぎの可能性を私は考えた。そんなことをしても何にもならないのに——しかし藤島の激昂《げっこう》は本物であり、愛美の腕を引く手に無意識のうちに力が入っている。彼女はまだ喉を傷めてはいなかったが、自分の腕で完全に鼻と口を塞がれ、顔面は蒼白になりつつあった。

「あなたの悩みは分かりました」私は声のトーンを落とした。「内容が理解できたわけじゃないけど、あなたが悩んでいるのは分かった。だからといって、やっていいことと悪いことがある。こんなことをしていると知ったら、晴菜さんも哀しみますよ」

「晴菜は関係ない！」

ほとんど悲鳴のように藤島が叫んだ。バターのように柔らかい彼の心に、ナイフの切っ先を突き刺してしまったことを意識する。バターが固まって切り口が塞がっても、刺された事実は消せない。一歩下がって質問を続けた。

「書くのはそんなに大変ですか」

「当たり前だ。モニターに向かって字を打ちこんでいく……そのうち他のものが何も見えなくなる。現実が消えるんだ」

「あなたと村上さんは、高校時代、そういうことに——書くことに関してずっと議論していたんじゃないんですか」

「議論するのと、それで金を儲けるのは全然別問題だ」

「苦しまないで金儲けはできません。私も、苦しみながら給料を貰っている」

「公務員に何が分かる？」

「いい加減にしろ」私はつい声を荒らげた。「どんなに理屈をこねても、あんたが今やってることは犯罪なんだぞ」

「煩い！」ヒステリックに怒鳴って藤島が私を睨みつけた。焦りで汗が浮き、顔が輝いて見える。

無言の睨み合い。私は視界の隅で何かが動くのに気づいた。私たちが怒鳴りあっている間に事務所のドアが音もなく開き、はながわずかな隙間から工場内に忍びこんでくる。藤島までの距離はわずか五メートルほど。冷静な状態なら彼も気づいたかもしれないが、怒りに身を任せている今は、普通の感覚さえ失っているようだった。

私は藤島の目から視線を外し、愛美の顔を見た。苦しそうに顔を歪めて、空気を求めて胸が上下していたが、私の視線には間違いなく気づいたようだった——準備しろ。はなが床に両手を着くように低い姿勢を取る。クラウチングスタート。私は愛美とはなの両方に見えていることを祈りながら、体の脇に下ろした右手を拳に握った。カウントスリーで行動開始。人差し指、中指、薬指……薬指が伸びた瞬間、愛美が足を前方に投げ出す。重みで藤島が下へ引っ張られ、自然に屈みこむ格好になった。首が絞まり、愛美の顔が苦痛に歪む。その時には既に、はなはスタートしていた。埃を舞い上げながら短い距離をダッシュし、その勢いを利用して藤島の膝の裏側に前蹴りを食らわせる。藤島が両膝をついて床に崩れ落ち、愛美は体を捻って自分の腕の戒《いまし》めから逃れた。私はすかさず二人の許に駆け寄り、藤島の首を前から抱えこんだ。くぐもった悲鳴が上がり、彼の汗の臭いが鼻腔に入りこむ。手錠が思い切り引っ張られ、愛美が短い悲鳴を上げた。はなが、藤島の開いた右手を捻り上げる。私が首を放すと、はなは腕を持ったまま藤島を仰向けに倒した。藤島と愛美が手錠で手をつながれたまま、大の字になる。

「鍵は！」私は愛美に訊ねたが、彼女は首を振るだけだった。

「鍵だよ、鍵」

「駄目です」天井を見上げた姿勢のまま、愛美が左手を床に垂らした。

「何言ってるんだ」

「私の獲物ですよ。放しません」

「君が手錠をかけたのか？」

「当たり前じゃないですか」

頑固者め。苦笑が漏れそうになったが、何とか表情を引き締める。表の出入り口から長野たちが雪崩れこんできた。私は立ち上がり、彼に向かって「遅いぞ」と文句を言った。

「そう言うな」長野がはなの肩をぽん、と一つ叩く。「よくやった」

はなは無表情でうなずくだけだった。見事に切りこみ役を果たしたのに、それを誇る様子もない。若い刑事たちが藤島と愛美を囲み、手を貸して二人を立たせた。つながれたまま作業場を出て行く二人の背中を見送りながら、私は長野を非難した。

「どうして彼女を突っこませた」

「本人が志願したから」長野が肩をすくめる。「それに井形は、腕は確かだ。信頼できる」

「滅茶苦茶だぞ」

「結果的に上手くいったじゃないか」

「それでいいのか、井形？」

私ははなに向き直った。はなは相変わらず平然としたまま、服の乱れを直していた。一瞬だけ顔を上げて目を細める。

「ＯＫです」

「一人で突っこむのは無茶だ。もっと作戦の立てようがあったはずだぜ」

「時間がなかったからです。それに何人もで突っこんだら、すぐに気づかれます」

「それは分かるけど……」

「先に一人で突っこんだのは高城さんですよ」

一本取られた。言葉を呑んで唇を引き結ぶのを見て、長野がにやにや笑う。「お前の負けだよ」と捨て台詞を残して、工場の出入り口に向かった。取り残された私は、何とかはなに一太刀浴びせようと言葉を捜したが、結局出てきたのは「どうして志願した」という質問だった。

「彼女は、私のことを嫌いなようですから」

「彼女って、明神?」

無言で首を振る。この二人に何か因縁が……接点はある。川本を調べた時だ。あの後で愛美が「嫌な感じ」と漏らしていたのを思い出す。はなは事情聴取中に、愛美の発する気配に気づいていたのかもしれない。だからといって、いいところを見せようという気持ちは理解できなかった。

「何も、彼女に貸しを作らなくても」

「そういうつもりじゃありません」

「じゃあ、何なんだ?」

はなが肩をすくめた。眼鏡を直し、私の顔を凝視する。

「人の気持ちは、科学的には説明できません」

「何だよ、それ」

私たちは揃って歩き出した。格闘による緊張は解け、今は緩い空気——激しい運動の後のクールダウンのような——が流れている。工場のドアは軋《きし》むことなく開いた。建物の前の空き地にはパトカーが集結しており、回転灯の赤で空が染まっている。いつの間にか雲が切れて晴れ間が覗いていた。愛美は「私の獲物です」とアピールしていたが、結局手錠を外され、不満そうな表情を浮かべている。右手首を労《いた》わるように擦っていたが、取り敢えず重大な負傷はないようだった。真弓が厳しい表情で叱責を与えている。愛美は一々うなずいていたが、その視線が真弓の肩の上辺りに固定されているのを私は見逃さなかった。助け出してやるか——彼女にはまだ仕事があるのだ。私にも。ぬかるみに変わりつつある地面をゆっくり踏みしめながら、私は二人の許に近づいた。真弓が口を閉ざし、険しい視線を向ける。私はそれを無視し、愛美の右手を握って顔の高さに上げた。痛みに、彼女が思わず顔をしかめる。

「何でこんな無茶したんだ」愛美の手首には、赤い刺青のように丸い輪ができていた。所々皮膚が破れ、肉が見えている。刺すような痛みを感じているはずだし、こういう傷は案外長く残るものだ。

「仕方ないでしょう。あの状況ではこうするしかなかったんです」

「車は大事だからな。あれを盗まれたら洒落にならない」

「そういう意味で言ってるんじゃないですよ」愛美が口を突き出す。

「意味なんかどうでもいいよ。室長、ちょっと明神を借りますよ。説教してやらないと」

「それは私の仕事なんだけど」

真弓が抗議したが、私は愛美の肩を抱くようにして向こうを向かせ、そのまま歩き出した。振り返って、肩越しに声をかける。

「俺にも管理職らしい仕事をさせてもらえますか」

藤島が乗り逃げした失踪課のスカイラインは、しばらくは鑑識活動の対象になる。仕方なく、長野が乗ってきた車の後部座席に落ち着いた。

「早く手当てしろよ、それ」

「後でいいです。大したことはないですから」

「目立つぞ」

「私が気にしてないからいいんです」言いながら、愛美は傷の周辺を盛んに擦っていた。実際、赤いブレスレットのようになってしまっており、しかも周囲が紫色に腫れ上がり始めている。

「あんな無茶しなくてもよかったのに。あの直前、頭痛にやられてたんだろう」

「分かりました？」愛美が小さく舌を出した。そういう可愛い仕草が似合う場面ではなかったが。

「あの失態を取り戻そうと思ったんだろう」

「当たり前じゃないですか。自分の失敗の責任ぐらい、自分で取らないと」

「だからって、乗りこんだ瞬間に相手と自分を手錠でつなぐなんて、やり過ぎだぞ。もしかしたらあれで、藤島はやけっぱちになったのかもしれない」

「彼はずっと冷静でしたよ。ただ、どうしていいか分からない様子でしたけど。私たちが晴菜さんの家に来てしまったことで、パニックを起こしたんです」

「そうか……ということは、今回の件は俺の失敗でもあるな」

「でも、藤島と話す時間はたっぷり取れました。彼は不安だったんです」

「不安？」

「ええ。自分がやってしまったこと……その事実に押し潰されそうになっていたんです」

愛美の説明は長くなった。しかし理路整然としており、そのまま調書にしても認められそうだった。

「やっぱりそれが動機だったんだな」

「そうだと思います」

「そうか……」煙草を取り出し、唇に挟む。火を点けずにぶらぶらと上下させ、愛美にかけてやる言葉を捜した。独断専行を責めるべきなのだが、どうしても叱責の言葉が出てこない。

「よくやった」

「説教じゃなかったんですか？」

「残念だけど、説教は中止だ。プラスマイナスで考えれば、お手柄だからな」

愛美が小さな含み笑いを零した。

20

「いったいどういうことなんですか」井村は不満を隠そうともしなかった。

「どういうこと、ね」私は彼の台詞を繰り返して惚けた。失踪課の面談室。藤島逮捕の翌日、朝早く私は彼を呼び出した。一報は昨夜のうちに流れており、マスコミは当然のように飛びついていた。人気作家を放火容疑で逮捕——本人は殺人に関しては否認していた——というのは、間違いなく美味しいネタである。井村からも何度も電話がかかってきたが、私は全て無視していた。話をする前に、事実関係をまとめる必要があったから。

「我々は遠回りしてしまったのではないか、ということです」

「何のことか、分かりませんね」井村が首を傾げた。その態度に嘘はない、と判断する。編集者は海千山千だろうが、刑事に面詰《めんきつ》されるのに慣れている人間はいないはずだ。怒鳴り上げたわけではないが、私の冷たい言葉は胸に突き刺さっただろう。

「藤島の逮捕はいつ知りましたか」

「昨日の夜遅く、知り合いから連絡がありました。あなたからではなく、他社の編集者からね」精一杯の皮肉を滲ませる。

「そうですか。それを聞いてどう思いました？」

「何なんですか、これは」井村が突然怒りをぶちまけた。「俺を容疑者扱いするつもりですか？　今回の件では、こっちも被害者みたいなものですよ。作家さんを一人、失うことになるんだから」

「経済的損失は大きいということですね」

「それだけじゃない……」井村がふいに口をつぐんだ。唇を舐め、両手を揃えてテーブルに置く。愛美がすっとコーヒーを差し出した。左手を使っている。右手首の包帯が痛々しい。井村が私の顔を見たまま、音を立ててコーヒーを啜る。チェックのシャツの胸ポケットから煙草を取り出したが、私が壁の「禁煙」の張り紙を指差したので、盛大に溜息をついてパックに戻した。視線を駐車場に投げ、喫煙スペース——単に水の入ったペンキ缶が置いてあるだけだが——を見る。昨日の雪がまだ残っている中、制服警官が二人、肩を丸めて煙草を吸っていた。私も無性に煙が欲しくなったが、何とか我慢する。

「最初からいきましょう」

手帳を広げ、すぐに閉じた。藤島の自供内容はほとんど頭に入っている。昨夜遅くまで続いた取り調べで——担当したのはは、な、だ——藤島はほぼ全面自供していた。本人も、私たちが晴菜の家に行った時点で、もう駄目だと覚悟していたのだろう。逃げたのは、恐怖に駆られた反射的な行動に過ぎなかったはずだ。

「藤島と村上さん――この二人の関係については、あなたにも前にお話ししましたね。二人は、同年代の友人たちが部活で汗を流したり、デートしたりしている間も、飽きずに文学談義を続けていたんです。私には理解できない世界ですけど……あなたも同類じゃなかったですか」

「必ずしもそういうわけじゃないですよ」井村の口調は平静に戻っていた。「人並み以上に小説は読んでましたけど、それだけじゃなかったですからね。本なら何でもよかったんです。だからこの会社に入った後も、小説だけじゃなくて雑誌の仕事もしたんだから」

「あの二人は違いました。小説が全てだったんですね。村上さんは一歩先にデビューしました。しかし彼は、それからまったく書かなく――書けなくなった。今となっては理由は分かりません。一方藤島は遅れてデビューしたものの、その後はやはり苦しみました。あなたが教えてくれた通りに」

「アイディアが浮かばない、筆が進まないのは、地獄なんてもんじゃない」井村が大きくうなずいた。

「そこに手を貸したのがあなたでしたね。純文学にこだわらないで、もっとたくさんの人が楽しめるような小説を書けばいい、と。そう仰いましたよね。そういうアドバイスはよくするんですか？」

「藤島さんは特別ですよ。何とかしてあげたかったんです。彼は元々、犯罪者心理に並々ならぬ興味を持っていましたから、そこはそのままにして、小説としてはミステリの形に持っていくようにアドバイスしたんです。人の心を描くのに、純文学もエンタテインメントも関係ないでしょう？　スタイルの問題だけなんです。むしろ読みやすいエンタテインメントの形で書く方が、自分の考えを多くの人に伝えられる」

「なるほど」しばらくこのまま喋らせておくことにした。興に乗ったのか不安をかき消すためなのか、井村の口調は非常に滑らかになっている。こちらから下手に何かを言わない方が、本音が出てくるはずだ。

「ほんのちょっとしたきっかけで、一気に動き出すこともあるんですよね。藤島さんの場合は、それがずばり当たりました。人が変わったみたいに書き始めましたからね。自慢するわけじゃないですけど、いい仕事ができたと思っています」

「あなたはその時――藤島が転機を迎えた時、どれくらい親身になって話をしましたか？彼にとっては、人生の一大事だったんでしょう」

「それはそうですが……」井村が口を濁した。「最後に決めるのは本人ですからね。我々がいくら言っても、全ての決定権は作家さんにあるんですよ」

「だいぶ苦しんだんでしょうね、藤島は」

「ええ」井村がゆっくりと顎を撫でた。今朝は髭を剃る間もなかったのだろう、顔の下半分には薄い陰ができている。「書くことは、いつでも大変ですよ」

「書くことじゃなくて、藤島にとってはそのとっかかりを考えるのが一大事だったんです」

「何ですか、それ」井村が片方の眉を上げた。

「彼は、あなたに言われて死ぬほど悩んだそうです。藤島に言わせると、物語のテーマや着想を生み出すノウハウがまったく分からなかったということです。そういう時、彼が誰に頼ったか、分かりますか？　あなたではなかった。編集者に『何を書いたらいいんでしょう』と相談するのは、恥ずかしいことだったのかもしれませんね」

「それは、ネタを出すのは――」

「作家の仕事、ですよね。それは分かります。でも藤島は、とうとうアイディアを思いつかなかった。だけど締め切りは迫ってくる。書かないと、これから作家として生きていけないかもしれない――焦った藤島は、村上さんを頼ったんです」

井村が口を開きかけたが、ふいに何かに思い至ったように、唇を引き結ぶ。組み合わせた両手に力をこめ、視線をテーブルの上で彷徨わせた。

「村上さんは昔のつきあいで、藤島にネタを提供しました。高校時代に暖めていた材料です。村上さん自身は、それを小説として書くことはなかったけど、ずっと頭の中にあったんでしょう。藤島はそれに飛びついた。書き上げた小説は、彼にとっていわば二度目のデビューをもたらしたわけです。ただし藤島には、決定的に欠けていたものがある——テーマや小説になるアイディアを生み出すセンスです。

我々は、藤島が高校時代に書き綴った小説の断片やメモを分析しました。どれも習作のようなものだと思っていたんですが、テーマやアイディアが村上さんと全く同じ藤島の小説が、いくつもありました」

「だから?」井村の目に暗い影が過った。

「藤島は、村上さんの語ったアイディアを自分でメモしていたんですね。ネタに詰まった時に、その中から使っていたことを認めています」

「それは……盗作とは言えないんじゃないかな。アイディアに著作権はないというのが、概《おおむ》ねの傾向だから」井村はどこか落ち着かない様子だった。拳を何度も顎に打ちつけ、視線を私の頭上辺りに固定する。

「ええ。仮に裁判になっても、盗作という判断は出ないかもしれない。ただし、それが何度も繰り返されたら、元々ネタを出した人はいい気分はしないでしょう」

「村上さんは……」

「彼は既に、忘れられた存在だった。デビューした当時の編集担当者とも最近は接触していなかったぐらいで、本人も普通にサラリーマンとして生活していましたからね。でも、内心忸怩《じくじ》たるものはあったと思います。自分が好意で提供したネタが小説になり、それがヒットしてしまった。しかもその後も藤島は、村上さんが高校時代に話したネタに頼って書き続けていたんです。村上さんにすれば、盗作された、という感覚があったんでしょう。そのうち藤島は、とうとう高校時代のネタを使い果たしてしまいました。それで村上さんに泣きついたんです。昔のようにネタを出してくれ、と頼んだんですよ。村上さんにすれば、屈辱だったでしょうね。せめて原案者として自分の名前が出るようにするとか、共著にするとか……そうすれば村上さんのプライドは満たされたかもしれません。でも藤島はそれを拒否したんです」

「漫画や映像作品ならともかく、小説で『原案』というのはないから」井村が小声で説明をつけ加えた。

「結局金を出すかどうか、という話になったようです。自分には、アイディア料のような形で金を受け取る権利があると言い出したのは村上さんだそうです」

私は手を組み合わせ、ぐっと身を乗り出した。井村は両手を解き、椅子に背を押しつける。私との距離をある程度保っておかないとまずいことになる、とでも思っているように。

「あなたはこの件でも、藤島から相談を受けていましたね？　藤島はそう証言しています。どうなんですか？　『昔の友人のアイディアを使ってしまった。それも一本や二本ではない、どうしたらいいか』と。あなたはそれに真摯に応えましたか？」

「私は……」井村が唾を呑んだ。「その話を聞かされた時は、文芸の仕事をしていなかった。直接彼を担当していたわけじゃないんです。文芸に戻ってまた彼の担当になったのは最近ですから」

「だから責任はなかったと？　親身になって相談に乗らなかったんですか」

「そういう立場になかったんだ」

「でもまた、藤島の担当に戻った。その時点で何とかすべきではなかったんですか。私には思いつかないけど、何か手はあったと思います。村上さんが納得して、藤島にも傷がつかないような方法が」

「そんな簡単なことじゃないんだ」井村が語気を強めた。「もっとずっと事情が複雑で……」

「藤島はあなたに絶望したんだと思います」自分の一言が彼を決定的に傷つけたな、と意識しながら私は続けた。実際井村は衝撃で貫かれ、体が固まっていた。「藤島は、基本的に弱い人間なんです。あまりにも小説に夢中になり過ぎて、働いていた時にも、普通の社会人が身につけるはずの打たれ強さを持ち得なかった。彼にとってあなたは特別な人間だったんです。自分を引っ張り挙げてくれた恩人だと思っていたんですよ。それが、窮地《きゅうち》に陥った時に助けてもらえなかった。ショックは大きかったと思います」

井村の喉仏が上下した。視線があちこちを彷徨い、テーブルに置いた手が細かく震える。

「私が最初に村上さんの名前を出した時、どうして話してくれなかったんですか？　二人の関係が分かれば、もう少し早く藤島を捜し出せたかもしれないのに」

「それを言えば……」

俺も罪に問われるかもしれない。少なくとも非難の視線は浴びる。仕事を失う恐れもあるだろう。井村の恐れは簡単に読めた。

急に疲れを覚え、愛美に視線を向ける。昨夜からほとんど寝ていない。藤島の話を聞き、裏取りに走り、長野たちと議論を続けた。それでも井村に会うまでは、体中を駆け巡るアドレナリンに突き動かされていたが、話が山場を越えたところで一気に疲労が襲ってきた。愛美が無言でうなずき、どこから取り出したのか、私たちの間に灰皿を置く。それに気づいた井村が顔を上げた。

「吸って下さい」自分の煙草を取り出しながら、私は言った。「私も吸います。正直言って、煙草がないとやってられませんよね」

井村が煙草をくわえる。ライターの火を煙草の先にもって行こうとしたが、手が震えて炎が重ならない。目を細め、煙草を唇から引き抜いて舌打ちをした。私は天井を向いて、煙を吹き上げた。井村は煙草をテーブルに転がしたままである。

「二人のトラブルに絡んできたのが、『ブルー』のマスターの高嶋さんでした。藤島と村上さんにとっては、たまたまあの店で打ち合わせをしたのが悲劇の始まりだったんですね。高嶋さんは偶然二人の話し合いを聞いてしまい、自分も一枚嚙もうと決めたんです。彼は昔、恐喝で逮捕された前科があります。今は犯罪には絡んでいなかったようですが、そういう性癖は簡単には直らないんでしょうね。それで端的に言ってしまえば、『金で解決しろ』と、村上さんを焚きつけたわけです。村上さんも一時はそれに乗りかけた。二人に脅された藤島は、それまでの生活を全て捨てる決心を固めたんです。そのために家も銀行口座も全部捨てて、恋人を隠れ蓑にする計画を立てました。そうやって自分の身元につながるものを全て消した上で、二人と最後の対決に臨んだんです」

昨夜の藤島に対する取り調べ。私たちは彼の苦悩とはまった深み、それに人間としての浅さを十分知ることになった。普通の人間なら、あんなことになる前に、何か解決策を得ていたはずである。

藤島の供述が頭の中で蘇る。

「あの夜、村上と高嶋は、二人揃って私を責めてきました。今までの小説のアイディアは全部村上のものだ、だからあいつは利益を受ける権利がある、と。私は拒否しましたが、正直、恐怖を覚えました。高嶋には前科があります……本物の犯罪者は、私の小説に出てくる人間とは違う。心の闇とか、そういう問題ではないんです。利益のためなら何でもやる、高嶋はそういう単純な思考回路の持ち主でした。話し合いは膠着《こうちゃく》しました。高嶋はそれに業を煮やしたんです。今度は攻撃の矛先を村上に向けました。『あんたがしっかりしないと、あんたのことも世間にばらす。人気作家に金を要求したなんてばれたら、恐喝ても、どうしようもなかったんです。それからは、はっきりとは覚えていません」

だと思われて大変なことになるぞ』と。高嶋の理屈は滅茶苦茶でした。それは分かってい

　その後の出来事に関して、藤島の説明を全面的に受け入れられるかどうかはまだ分から

ない。激昂した村上が、ビール瓶で高嶋を殴りつけた。ふらふらになった高嶋は、村上が

背中を見せた隙を狙って包丁で刺した。瀕死《ひんし》の重傷を負った村上は、それでも高嶋に最後

の一撃を与え、二度目の殴打が致命傷になって高嶋も倒れた――この件には、自分は一切

係わっていない。ただ見ていただけ。証拠を消すために店に火は放ったが……。

　長野も私も、その証言を完全に信じたわけではなかった。例によってはなが詰め将棋《しょうぎ》

をするように論理的に攻めたが、それ以上の証言を藤島から引き出すことはできなかった。

現場の状況も、彼の証言を積極的に裏づけるものでもないし、逆に否定するものでもない。

　その後の様子を、藤島は淡々と語った。

「チャンスだと思いました。自分を脅していた二人は死んだ……もちろん、自分も無事で

済むとは思っていませんでした。現場にいたんですから。それが知れたら、何もなかった

では済まされないでしょう。ただ、行方をくらますには絶好のチャンスになった。だから

村上の……遺体にネックレスを押しつけ、強盗の仕業に見せかけるために金庫を持ち出し

て、店に火を点けたんです。そうすれば、死んだのは自分だと警察を騙せるかもしれない。

すぐに逃げ出して、そのまま福生に向かいました。その後はずっと晴菜の家に隠れていて

「……いえ、彼女は知りませんでした。何も話していません」

藤島はその一線だけは絶対に譲るつもりがないようだった。晴菜の事情聴取はしなければならない、と私は強調したのだが、藤島は「晴菜は関係ない」「重大な持病があるから警察の取り調べに耐えられるはずがない」と繰り返した。しかし結局、彼の意思とは関係なく、晴菜を呼ぶことになる。非常に難しい取り調べになることを、私も長野も意識していた。藤島が彼女に事実を喋っていたかどうかは、この際問題ではないのだ。晴菜が否定してしまえば、実質的に裏を取るのは不可能である。

昨夜藤島が浮かべていた奇妙に穏やかな表情を頭の中から消し去り、私は目の前の井村に対峙した。これ以上この男を脅し、責めて何になる？　今回の犯罪に意図的に係わっていたわけではないのだ。現段階では単なる善意の第三者であり、ここにいる理由は、捜索願を出していた男が発見されたので正式の報告を受けている、という以上のものではない。それなのに何故か、釈然としないのだ。

この男が、重大なポイントに立っていた重大な人間であるが故に。

「井村さん」

ようやく煙草に火を点けた井村が顔を上げた。次に私の口から出る言葉を予想しようというように、すっと目を細める。

「藤島はどうなると思います？」

「そんなこと、私に分かるわけがないじゃないですか」

「事件そのものについては、こちらで調べます。あなたに教えて欲しいのは、彼の行為――村上さんのアイディアを盗んだことが、実際に問題になるかどうかなんです」

「それは、あなたたちが公表するかどうかにかかってるんじゃないですか」

「我々が黙っていても、裁判では間違いなく明らかになります。動機につながる重要な問題ですから」

「何が言いたいんですか」

「あなたにもできることがあったはずだ。村上さんとの関係について藤島が相談してきた時に、もう少し親身になって相談に乗ることはできたんじゃないですか？　藤島は不安だったんですよ。売れても、それが自分の実力じゃないことは分かっていた。でも一度売れてしまったら、注文は断れなかった、と言うんですね。断ったら仕事がなくなるかもしれませんから。でも、村上さんが騒ぎ出して、それどころではなくなった。その結果起きたのが、あの悲劇です」

「俺のせいだというんですか」井村の唇から色が引いた。くわえた煙草が細かく震え出す。

「いや……あなたを罪に問うことはできないと思う。同義的に責めるのも筋違いかもしれない。もっと責任を持って藤島の相談に乗ってやるべきだった、そう言うのは簡単です。あなたはあくまで、仕事として藤島と付き合ってきた。人間として、友人同士として、というわけではない。少なくとも私には、そうやってあなたを責める資格はない」

「それはどういう――」

「刑事にできることには限界があるんです……井村さん、刑事はね、世の中の悪事全てを裁けない。そもそも裁く権利すらない。それは裁判官の仕事です。刑事にできることは、こうやって目の前にいる人と一緒に悩むぐらいなんですよ。だけど」言葉を切り、深く息を吸いこむ。「とにかく最初から話して欲しかった。我々が調べたことの九十パーセントを、あなたは捜索願を出した時点で既に知っていたはずです。怖くなかったですか？　私たちがどんどん事実に迫っていくことが」

喋りながら、私は自分の言葉が自分の心を切り裂いていくのを感じた。一人の人間が取れる責任の範囲内であっても、人は往々にして責任を放棄《ほうき》する。私が娘を捜さなかったように。捜せたはずなのだ。なのに私はその努力をせず、自分の殻に閉じこもった。人生の七年間を空白にし、今も完全に昔に戻ったとは考えていない。

「あなたにとっても厳しい状況じゃなかったんですか。藤島が見つかって罪を告白すれば、あなたの冷たい態度に原因の一端があったことがばれてしまうかもしれない。しかし無視しておくわけにもいかない。本当は見つからない方が良かったと思っていませんでしたか？　家族のこともあるから、無視するわけにもいかなかったんでしょうが」

「俺は――」井村が立ち上がる。愛美がすっと脇に寄ると、空気が抜けたように椅子にへたりこんだ。愛美が何をしたわけではないのだが。

「井村さん」私は両手を組み合わせ、そこに顎を乗せた。「人間って、後悔してばかりですよね。私もそうです。間違ってしまった時点に戻れるわけもないのに、あの時はこうするべきだった、と仮定の話ばかりを考えている。でもね、それを知っているのと知っていないのでは、大きな違いですよ。多くの人は、自分の過ちに気づきもせず、へらへらと毎日を過ごしているだけです。知っている人間は、過ちを正せるかどうかはともかく、後悔することはできる。自分のミスを噛み締めて、将来に生かすことができるかもしれない。俺はあなたに『責任を取れ』とは言えない。そんな権利はありません。でも、自分が誤った選択をしたんだっていうことだけは知っておいて欲しいんです」

「高城さん……」

愛美が口を挟んだが、何を言いたいのか、自分でも分かっていない様子だった。暗い沈黙が面談室に満ちる。私はそれから逃げた。顔を背け、駐車場に視線をやったのだ。昨日の荒れ模様が嘘のように、春の訪れを告げる柔らかい陽光がアスファルトに照り返している。

ひどいことを言ったと自分でも分かっていた。どうしてわざわざ彼に告げなくてはならなかったかは……自分が藤島に対して、同情に近い感情を抱いていることに気づく。晴菜を除いて、誰も彼を守ろうとしなかった。誰かがほんの少し手を貸してやれば、この件はこんなに大事にならず、藤島も今頃、次の作品に取りかかっていられたかもしれないのに。小説ファンではない私は、藤島という作家が二度と小説を書けなくなるだろうという事実に関しては、何とも思わない。しかし彼という一人の人間が、これから社会と隔絶されることに関しては、同情を禁じ得なかった。


「残酷でしたね、高城さん」井村を帰した後、愛美がぽつりとつぶやいた。

「説教ですか？」

「分かってる。だけど、どうしても一言言わずにはいられなかったんだ」

「そういうわけじゃない。彼に、自分のしたこと――しなかったことを意識しておいて欲しかっただけだ」

「それが残酷なんですよ」

「分かってる。俺には、あんなことを言う資格も権利もないよな」膝を叩いて立ち上がった。藤島と直接話をしたいという気持ちが湧き上がってくる。

「どこへ行くんですか」咎めるような視線を愛美が向けた。

「藤島に会ってくる」

「取り調べの途中ですよ」

「ちょっとぐらい大丈夫だろう。状況は複雑だけど、彼は素直に喋ってるから」

「そうですか」

「何か不満なのか？」

「いえ……私も行っていいですか？」

「どうして」

「ちょっと……藤島の小説のファンになりましたから」

私はまじまじと彼女の顔を見詰めた。耳を赤くしてうつむき、「さっさと行きましょう」と捨て台詞を吐く。彼女の中の意外な柔らかさを意識しながら、私は失踪課を出た。


朝から再開された取り調べは、午後に入って一段落していた。藤島は椅子に背中を預け、だらしなく足を伸ばして、ぼうっと取調室の壁を眺めている。事情を話すと、調べを担当していた若い刑事が気を利かせて、出て行った。

「どうも。寒くないですか」渋谷中央署は、都内の警察署では新しい方で、空調はしっかりしている。それでも私は、薄ら寒さを感じていた。

「ええ……ご迷惑をおかけしました」藤島は深々と礼をした。昨日の態度がいかに作ったものであるかが分かる。憑《つ》き物《もの》が落ちたように、素直になっていた。顔を上げると溜息をつく。「俺は卑怯者でしたね」

「原稿のアイディアを盗んだことが、ですか」

「そもそも作家に向いてなかったんですよ。それを無理して……ネタが出てこなくて村上に頼ったんですから、言い逃れはできません。それ自体が罪になるかどうかはともかく」

「それは、ここで議論することではないですね。それより幾つか、聴きたいことがあるんです」

「事件のことならちゃんとお話ししてますよ」藤島の目がすっと細くなった。

「個人的に疑問に思っていることです。あなた、あの火事の後で村上さんの部屋に行ったでしょう」

藤島がすっと背中を伸ばした。それを見届け、私は少しだけ身を乗り出す。

「うちの課の者が村上さんの家に電話をかけましてね。あなた、その時村上さんのふりをしたんでしょう？ 彼は死んでいないと、我々に誤解させるために。電話は格好のチャンスになりましたね」

「……はい」

「どうしてあの部屋に？」

「あいつが何か証拠を残していないかと……俺との関係が分かるようなものがないかと調べていたんです」

「何かあったんですか」

「いえ」

「その他にも、ホテルにあなたがいると、偽装の電話をかけたでしょう。あの時我々は、高校生を連れこんでいる男を見つけましたよ」

「まさか」藤島の頬がわずかに緩む。「冗談でしょう？」

「いや、本当に。偶然ですけど、向こうにすればとんだとばっちりでしたね……あれも偽装工作のつもりだったんですか」

「ええ。でも、上手いやり方じゃなかったですよね。小説とは違います」藤島の唇が皮肉に歪んだ。

「金庫の件もそうですよ」わずかな現金が入った金庫は、晴菜の家から発見されていた。

「強盗の仕業に見せかけようとしたんでしょうけど、偽装工作は、だいたい上手くいかないものです。小説の中では、そのために捜査が混乱することもあるけど、今回、我々はさほど混乱しなかった」

「そうですね。つい、理屈だけで考えてしまったけど、本物の刑事さんがそう簡単に騙されるわけがない」

「でも、そこから謎が解かれてあなたに辿り着いたわけでもないから、互いにポイントが取れずに時間切れ引き分け、という感じですかね……もう一つ、いいですか？」

「ええ」

「あなたはずっと、同じテーマを追いかけていましたよね。犯罪者の心理。どうしてなんですか？　確かに犯罪は時代の映し鏡だと言いますけど、常に犯罪者の視点から書くのはしんどくないですか」

藤島がふっと軽い笑みを零す。椅子に座り直し、背筋をぴんと伸ばした。

「高校生の頃って、いろいろ下らない話をしませんでしたか？」

「誰でもそうでしょう」

「俺は村上と……小説の話もしたけど、他にもいろいろ、他人が聞いたら何の意味もないようなことをだらだらと話してました。どうしてあんなにむきになったのか、分からないけど。その時、人間はどうして罪を犯すのかというのが、大きなテーマだったんです。きっかけは些細なことでした。テレビのニュースで事件を見た後だったかな。この犯人は、どうしてこんなことをしたんだろうって議論になって。動機は分かるんですよ。そんなに難しい話じゃなかったから。人を憎む心理は理解できます。でも、それが殺すという行動に発展するまでの心の動きが、どうしても分からなかった。そういう闇の中にこそ、人の本音があるような気がしたんです。そこに惹《ひ》かれたんですね」

「惹かれた？」

「小説なんて、物凄く簡単に定義してしまえば、人の心理を描くための道具です。愛する気持ちだったり、プライドだったり、憎しみだったり……その中で、究極のものが犯罪だと思う。それをいつか、しっかりした形で書いてみたかった。それは、俺にも村上にも共通の思いだったんです。二人とも同じように小説を書いて、でも俺は、まだまだ突き詰められなかったと思う」

「まさか、それを実際に理解するために、今回のことを……」

「違いますよ」藤島が寂しげな笑みを浮かべた。両手を緩く組み合わせ、背中を丸める。「もしも本当にそうだったら、俺はある意味、歴史に名前を残せたと思う。でも、そうじゃないんです。単に追い詰められて、自分が破滅するのが怖かっただけです……高城さん、作家なんて、四六時中妄想ばかりしてる人種なんですよ。思考実験っていうんですかね。人はこういうことをしたらどう考えるのか、それで次にどう動くのか、なんてことをいつも考えています。だから、恋愛物を中心に書く作家が恋ばかりしてるわけじゃないし、ミステリの作家が人殺しをしたり、人を騙したりするわけでもない。むしろ自分と遠い世界の話ばかり考えているんです」

「そうですか」私は一瞬言葉を切った。「あなたの描く犯罪の世界は、ひどくリアルですからね。もしかしたら、過去に何かあったのかと思いましたよ」

「まさか」藤島が小さく笑った。「あなたがそう思ったとしたら、私の勝ちですね。本当かもしれないと思ったら、あなたは私に騙されているんです。刑事さんと作家の違いかもしれませんが」

「そういうものですか」

「自分の作品のために人を殺して、その手触りを確かめる……」藤島がゆっくり両手を上げ、掌を開いた。自分の方に向けて凝視する。血で赤く濡れているとでもいうように。諦めの色がさっと顔に広がった。「そういうことはできない。あり得ない。経験ではなく想像で書くのが作家の仕事ですから。もう、終わったんです。俺はもう、小説を書くこともないでしょうね」

「それはあなた自身が決めたことですか」

「もう駄目なんですよ」無理に強張った笑みを浮かべる。だが、その強張りはゆっくりと薄れ、自然な表情に変わっていった。「俺は終わった人間です。書かない決心は固めていたんです。いつまでも村上のアイディアに頼るわけにもいかない。全部から逃げ出そうとしたんですから。晴菜と静かに暮らしていくつもりでした」

「悲痛な告白の割には、穏やかな顔をしてますね」自分の言葉の残酷さを意識しながらも、言わずにいられなかった。

「そう……これからは背伸びしないで済むんですから。ほっとしたんでしょうね」藤島がぱたんと膝に手を落とした。「高城さん、作家というのは不思議な商売なんです。いつまで経っても自分の仕事に自信が持てない。どれだけ売れても、次の一冊で見放されるかもしれないと想像すると怖い。俺はそもそも、小説を書こうなんて考えるべきじゃなかったんでしょうね。作家にならなければ、こんなことにはならなかった」

「そうですか」分かります、とは言えなかった。十分反省し、己の人生全てを否定しているような人間をこれ以上責める権利は、刑事にはない。そもそも私たちの仕事は、人に説教をすることではないのだ。ただひたすら事件と向き合い、捜査を進め、犯人に行き着くこと——犯人に反省を迫るのは、単なる傲慢《ごうまん》である。これまでに一度となくやってしまったことではあるが、藤島という男を前にして、私は自分の過去を反省させられた。

どんな人間でも、人に教訓を与えられるものである。私はその事実をしみじみと噛み締めた。

「私は刑事で、裁判官ではありません」

先ほど井村に告げたのと同じような台詞を繰り返す。何が言いたいのだ、というように藤島が視線を上げた。

「逮捕はできるけど、裁く権利はないんです。そして今回の捜査は、始まったばかりなんですよ。これから、あなたの証言の裏を取っていかなくてはいけない。その結果、検察がどういう図を描くかは、現段階ではまったく見当がつきません」

「覚悟は……できてます」藤島の喉が上下した。「あれだけのことをしておいて、無事に戻れるとは思っていません」

「そうですか？　あなたの証言が本当なら、問われる罪は殺人ではなく現住建造物等放火罪になります。それぐらいはお分かりですよね、ミステリを書かれてるんだから。だとすると、いずれ小説の世界に戻れるし、戻る気にもなるんじゃないですか」

「しかし……」

「晴菜さんの面倒は誰がみるんですか」

「それは……残酷な話だな」藤島の顔から血の気が引く。私も、急に取調室の温度が下がったような気がした。「もう、小説は書かない。俺には書けない」囁きは空気に溶けた。

「書けますよ」

突然、愛美が静かな声で語りかけた。藤島がはっと顔を上げる。

「アイディアを考え出すのが大変なのは、想像はできます。私たちには絶対にできないことです。でも、そもそも小説を一つ書き上げるというのは大変なことじゃないんですか。テーマやアイディアは人から借りていたとしても、あなたは自分一人の力で何百枚も書き続けて、小説を完成させたんでしょう？　一冊だけじゃありません。何冊も、です。あなたには書く力があると思います――そう信じたいんです、私は。あなたの小説を待っている人がいることだけは覚えておいて下さい」

助けを求めるように、藤島が私の顔を見た。私は黙って首を振り、「余計な話をしました」とだけ言った。

立ち上がり、一礼する。確かに余計な話だった。捜索していた相手が犯罪に手を染めていたケースは、一度や二度ではない。その度に、一種裏切られたような想いを味わったものだが……取調室を出て廊下を歩き出す。刑事課の近くはいつもばたばたと人が走り回っているのだが、今日に限って人気はなく、省エネのために照明が半分落とされているせいもあって、薄ら寒い気配が漂っていた。

結局私は、藤島の実態に迫れなかったのだ。いつも捜査対象の内面に踏みこもうと努力するのだが、必ずしも成功するとは限らない。特に今回は。この期に及んで藤島はまだ、自分の心に薄いベールをかけているようだった——そうだ、藤島の本を読んでみよう。愛美には散々「読め」と言っていたのに、私自身はまだろくに目を通していない。たとえそれが村上のアイディアから生まれた作品だったとしても、世間に受け入れられたのには、もっと別の理由もあったはずだ。それを捜してみるか。

私が藤島の内側に踏みこむのは、むしろこれからかもしれない。彼が体現したのは人の弱さなのだが、それは彼の小説の登場人物にも通じるものだろう。それを知ることが、彼という人間を本当に知ることにつながるかもしれない。

この作品はフィクションで、実在する個人、
団体等とは一切関係ありません。
本書は書き下ろしです。

DTP　ハンズ・ミケ

中公文庫

漂《ひょう》 泊《はく》

——警《けい》視《し》庁《ちょう》失《しっ》踪《そう》課《か》・高《たか》城《しろ》賢《けん》吾《ご》

2010年2月25日　初版発行

著　者　堂《どう》場《ば》瞬《しゅん》一《いち》

発行者　浅海　保

発行所　中央公論新社

〒104-8320　東京都中央区京橋2-8-7
電話　販売 03-3563-1431　編集 03-3563-3692
URL http://www.chuko.co.jp/

印　刷　三晃印刷

製　本　小泉製本

Published by CHUOKORON-SHINSHA, INC.
Printed in Japan　ISBN978-4-12-205278-9 C1193

定価はカバーに表示してあります。
落丁本・乱丁本はお手数ですが小社販売部宛お送り下さい。
送料小社負担にてお取り替えいたします。

各書目の下段の数字はISBNコードです。978－4－12が省略してあります。

中公文庫既刊より

と-25-15
蝕罪　警視庁失踪課・高城賢吾　堂場瞬一
警視庁に新設された失踪事案を専門に取り扱う部署・失踪課。実態はお荷物署員を集めた窓際部署だった。そこにアル中の刑事が配属される。〈解説〉香山二三郎
205116-4

と-25-16
相剋　警視庁失踪課・高城賢吾　堂場瞬一
「友人が消えた」と中学生から捜索願が出される。親族以外からの訴えは受理できない。その真剣な様子にただならぬものを感じた高城は、捜査に乗り出す。
205138-6

と-25-17
邂逅　警視庁失踪課・高城賢吾　堂場瞬一
大学職員の失踪事件が起きる。心臓に爆弾を抱えながら鬼気迫る働きを見せる法月。その身を案じつつも捜査を続ける高城たちだった。シリーズ第3弾。
205188-1

と-25-18
約束の河　堂場瞬一
法律事務所長・北見は、ドラッグ依存症の入院療養から戻ったその日、幼馴染みの作家が謎の死を遂げたことを知る。記憶が欠落した二ヵ月前に何が起きたのか。
205223-9

と-25-14
神の領域　検事・城戸南　堂場瞬一
横浜地検の本部係検事・城戸南は、ある殺人事件の真相を追ううちに、陸上競技界全体を蔽う巨大な闇に直面する。あの「鳴沢了」も一目置いた検事の事件簿。
205057-0

と-25-10
焔《ほのお》　The Flame　堂場瞬一
大リーグを目指す無冠の強打者と、背後で暗躍する代理人。ペナントレース最終盤の二週間を追う、緊迫の野球サスペンス。〈解説〉芝山幹郎
204911-6

と-25-7
標《しるべ》なき道　堂場瞬一
「勝ち方を知らない」ランナー・青山に男が提案したのは、ドーピング。新薬を巡り、三人の思惑が錯綜する——レースに全てを懸けた男たちの青春ミステリー。〈解説〉井家上隆幸
204764-8

各書目の下段の数字はISBNコードです。978‐4‐12が省略してあります。

コード	タイトル	シリーズ	著者	内容紹介	ISBN
こ-40-9	復讐	孤拳伝1	今野 敏	九龍城砦のスラムで死んだ母の復讐を誓った少年・剛は苛酷な労役に耐え日本へ密航。暗黒街で体得した拳を武器に仇に闘いを挑む。本格拳法アクション。	205072-3
こ-40-10	漆黒	孤拳伝2	今野 敏	松任組が仕切る秘密の格闘技興行への誘いに乗った剛は、賭け金の舞う流血の真剣勝負に挑む。偶然出会った女実業家に雇われ、邪拳の様相を帯びる剛の拳が呼ぶものとは。	205083-9
こ-40-11	群雄	孤拳伝3	今野 敏	修行の旅の途中、神戸で偶然救った女実業家に雇われ、暴力団との抗争に身を投じた剛は、戦いの真の意味を見出せず、いつしか自分を見失っていく……。	205110-2
こ-40-12	覚醒	孤拳伝4	今野 敏	迷いの中、空手発祥の地・沖縄に向かう剛。偶然出会った老空手家の生き方に光を見る。剛は「本当の強さ」を見つける事ができるのか――感動の終幕!	205123-2
こ-40-13	陰陽	祓師・鬼龍光一	今野 敏	連続婦女暴行事件を追う富野刑事は、不思議な力を駆使する鬼龍光一とともに真相に迫る。警察小説と伝奇小説が合体した好シリーズ第一弾。〈解説〉細谷正充	205210-9
こ-40-14	憑物	祓師・鬼龍光一	今野 敏	若い男女が狂ったように殺し合う殺人事件が続発。現場には必ず「六芒星」のマークが記されていた。恐るべき企みの真相に、富野・鬼龍のコンビが迫る。	205236-9
こ-40-15	膠着		今野 敏	老舗の糊メーカーが社運をかけた新製品は「くっつかない接着剤」?! 新人営業マン丸橋啓太は商品化すべく知恵を振り絞る。サラリーマン応援小説。	205263-5
ほ-17-1	ジウⅠ	警視庁特殊犯捜査係	誉田 哲也	都内で人質籠城事件が発生、警視庁の捜査一課特殊犯捜査係〈SIT〉も出動するが、それは巨大な事件の序章に過ぎなかった! 警察小説に新たなる二人のヒロイン誕生!!	205082-2